VIDA Y OBRA DE JUAN RAMÓN JIMÉNEZ

TOMO I

BIBLIOTECA ROMÁNICA HISPÁNICA

Dirigida por DÁMASO ALONSO

II. ESTUDIOS Y ENSAYOS, 31

GRACIELA PALAU DE NEMES

VIDA Y OBRA DE JUAN RAMÓN JIMÉNEZ

LA POESÍA DESNUDA

SEGUNDA EDICIÓN COMPLETAMENTE RENOVADA

BIBLIOTECA ROMÁNICA HISPÁNICA
EDITORIAL GREDOS
MADRID

© GRACIELA PALAU DE NEMES, 1974.

EDITORIAL GREDOS, S. A.

Sánchez Pacheco, 81, Madrid. España.

Depósito Legal: M. 13241-1974.

ISBN 84-249-0565-2. Obra completa. Rústica.
ISBN 84-249-0566-0. Obra completa. Tela.
ISBN 84-249-0567-9. Volumen I. Rústica.
ISBN 84-249-0568-7. Volumen I. Tela.

Gráficas Cóndor, S. A., Sánchez Pacheco, 81, Madrid, 1974. — 4130.

...comfortable

in their love and understanding...

TO JOHN AND KRAIG

Los estudios e investigaciones
realizados en España y América por esta autora
durante la preparación de esta obra
fueron subvencionados
en el verano de 1960

por

THE AMERICAN PHILOSOPHICAL SOCIETY OF PHILADELPHIA

y en los veranos de 1965 y 1967

por

THE UNIVERSITY OF MARYLAND GENERAL RESEARCH BOARD

NOTA PRELIMINAR

Este libro iba a ser la historia de Zenobia Camprubí, y quizás lo sea, a la luz de la de su marido, que le dio realce a su vivir.

La mayor parte de lo que yo sé de Juan Ramón y Zenobia me lo contaron ellos, o me lo revelaron al decir candideces que surgían del fondo de sus recuerdos más entrañables. Porque durante mis visitas, a veces casi diarias, a su casa en Riverdale, Maryland, muy cerca de la mía, por la necesidad que tenían de comunicar en la propia lengua en un ambiente ajeno, Zenobia y Juan Ramón me decían a mí o delante de mí, estudiante entonces de conocimientos rudimentarios, las cosas que no se le dicen a los escritores de profesión. Y al regresar a mi casa, llena de la luz de ellos, yo sentía la necesidad de apuntarlas, a lo Juan Guerrero Ruiz, por cariño y por admiración.

Los recuerdos eran de ellos y no míos, y para desentrañarlos ha sido necesario reconstruir sus vidas. En el primer intento, ellos mismos me ayudaron, como he dejado dicho en la «Nota preliminar» a la primera historia: *Vida y obra de Juan Ramón Jiménez* (Madrid, Gredos, 1957). Entonces faltaban los papeles relacionados con la etapa de sus vidas en España, que se quedaron allí al venir ellos a América y fijamos algunas fechas a base de sus recuerdos. Si en algún

caso, como se aclara en esta obra, se fijó la fecha erróneamente, el error estuvo en mi interpretación y no en los recuerdos del poeta y su mujer.

Con la documentación en los archivos de Juan Ramón
en España y la asistencia de las personas que por derecho
están enteradas de sus vidas allí, como la familia del poeta
o las viejas amistades de la pareja en España y América, he
ampliado el conocimiento de ellos y he podido comprender
mejor la obra.

Son varias las personas e instituciones que me han ayu-
dado en esta lenta labor, interrumpida muchas veces durante los últimos diez años, y al mismo tiempo, madurada.
Menciono los nombres y la aportación de cada cual, como
prueba de reconocimiento.

Capital para mí ha sido la ayuda de la familia de Juan
Ramón Jiménez, en particular la atención y el estímulo de
Francisco Hernández-Pinzón Jiménez, estrechamente relacionado con sus tíos Juan Ramón y Zenobia. Paco Hernández-
Pinzón continúa devotamente la labor de ordenación y recopilación de los papeles de ellos. A sus esfuerzos se debe el
que haya visto la luz la obra inédita de Juan Ramón en España, que constituye una importante aportación para la com-
prensión total del papel de este gran poeta en la literatura
del siglo y en las letras hispánicas.

A otro gran devoto juanramoniano, Juan de Gorostidi y
Alonso, director de la Casa Municipal de Cultura «Zenobia
y Juan Ramón» de Moguer, debo información y ambiente,
extraordinarios recorridos por los lugares juanramonianos
que él conoce tan a fondo, por todo Moguer, por Fuentepiña,
el Pino de la Corona, Huelva, La Rábida; la orientación hacia Jerez, el Puerto de Santa María y Rota y asistencia en
el uso de la documentación en la Casa que él dirige. Pero ni
Francisco Hernández-Pinzón Jiménez, ni el resto de la fami-

lia del poeta, ni Juan de Gorostidi son responsables por lo que yo digo o no digo de Moguer y sus habitantes. Cuando difirieron nuestros puntos de vista, como mujer al fin, he seguido mi propio parecer, diciendo lo que quizás ellos no hubieran dicho, como hombres al fin.

La más valiosa información relacionada con Zenobia, su familia y su ambiente se la debo a la señora doña Raquel García de Navarro, viuda de Fortuny, y a la señora doña Luisa Capará de Nadal, ambas de Barcelona. La señora García de Navarro conoció a Zenobia de niña y fue amiga de confianza de la familia Camprubí. La señora Capará de Nadal conoció a Zenobia y a Juan Ramón por su madre, la señora doña María Muntadas de Capará, compañera de juegos de Zenobia y sus hermanos. La amistad de los Jiménez con las personas mencionadas duró toda la vida.

A la asistencia de estas personas se unió la del señor don Henry Shattuck, de Boston, amigo de Zenobia y su familia desde los años de su juventud. El señor Shattuck fue compañero de cuarto del hermano mayor de Zenobia, José Camprubí, durante los años de estudiante en Harvard, y fue después administrador de los bienes de la familia Camprubí Aymar y de Zenobia y Juan Ramón.

Largas y repetidas conversaciones y correspondencia con la señora doña Elisa Ramonet, marquesa viuda de Almanzora, y con la señorita Josefina Díez Lassaletta, ambas de Madrid, amigas de la pareja desde los años en que Juan Ramón pretendió a Zenobia hasta el final de sus vidas, iluminaron y ambientaron la época relacionada con el encuentro y el noviazgo. A esta información contribuyó por correspondencia, por mediación de Josefina Díez y Francisco Hernández-Pinzón, la señora doña María Martos, viuda de Baeza, que de soltera fue benévola intercesora de Juan Ramón en la época en que pretendió a Zenobia.

Para la verificación de ciertos datos fue de suma importancia la entrevista con la señora doña María Martínez Sierra en su residencia en Buenos Aires. Esta se realizó por mediación de la señorita Ana Marta Diz, porteña y colega mía en la Universidad de Maryland, quien durante una larga visita a María recogió sus respuestas personales a mis preguntas por escrito. Entiéndase que la interpretación de ciertos aspectos de la amistad y colaboración de Juan Ramón y los Martínez Sierra es sólo mía.

El señor Ángel Rivas Serrano, que fue estudiante de la Universidad de Sevilla, y la doctora María A. Salgado, profesora de la Universidad de Carolina del Norte, me transcribieron algunas primeras obras de Juan Ramón, difíciles de conseguir, publicadas en revistas y periódicos de España.

De particular importancia ha sido la ayuda prestada por el señor don Francisco García Ruescas, publicitario de Madrid, que puso a mi disposición las facilidades de su firma para la grabación de entrevistas y duplicación de documentos. Al señor García Ruescas se debió una emisión especial basada en *Platero y yo* al ganar Juan Ramón el Premio Nobel.

Por ayuda de otra índole, no menos valiosa, he de mencionar los nombres de la señorita Luisa Andrés, empleada de la pareja en España; de mi hermano Manuel Palau, que desempeña un cargo en la Biblioteca del Congreso; de mis colegas en la Universidad de Maryland la doctora Marguerite C. Rand y el profesor José Ramón Marra-López; de las colegas doctora Marie J. Panico, de Fairfield University, Connecticut, y la señorita Elaine Riccio, de Gallaudet College, Washington, y de la señorita María Cristina García, de la Universidad de Puerto Rico.

En la redacción final de este trabajo se tuvieron en cuenta las estimables observaciones de la doctora María A. Salgado y de mi colega en la Universidad de Maryland la señora Laura Núñez de Villavicencio, a cuyo criterio sometí el manuscrito.

La American Philosophical Society, de Filadelfia, y el General Research Board, de la Universidad de Maryland, subvencionaron actividades importantes relacionadas con esta labor.

En la documentación de esta obra consta la deuda mía, que es la de cualquier biógrafo de Juan Ramón y Zenobia, a Juan Guerrero Ruiz, Ricardo Gullón y Francisco Garfias. Sus publicaciones de material juanramoniano antes inédito son de primer orden. Gullón merece nuestra más alta estimación por su consistente y certera labor de divulgación y crítica juanramoniana.

Al pensar en la documentación, se piensa en la «Sala Zenobia y Juan Ramón Jiménez» de la Universidad de Puerto Rico, y en el antiguo rector, señor don Jaime Benítez, a quien se debe el que se mantenga vivo en ella el recuerdo del poeta y su mujer. De la documentación en dicha Sala me serví, por voluntad de Zenobia y Juan Ramón, antes de que se convirtiera en un centro de investigaciones, y después, en 1959, con la asistencia de la devota persona a su cargo, la señorita Raquel Sárraga.

Finalmente, en la lectura de las pruebas he contado de nuevo con la inestimable ayuda y consejo de mi colega José Ramón Marra-López y con la experta asistencia en materias bibliográficas de mi hermano Manuel Palau.

En la dedicatoria constan mis sentimientos por el imprescindible y cariñoso apoyo de mi marido, el doctor John L. Nemes, y nuestro hijo, Kraig, siempre tan generosos y tan constantes.

GRACIELA PALAU DE NEMES

University of Maryland, septiembre de 1970 y febrero de 1974.

CAPÍTULO I

POR EL CRISTAL AMARILLO: MOGUER

Arruinado y lejano, yo haré por ti, Moguer, en lo ideal, lo
que no han querido hacer materialmente los que te han ma-
noseado inicuamente, los arteros, los fantasmones, los egoís-
tas...

Te llevaré, Moguer, a todos los países y a todos los tiem-
pos. Serás, por mí, pobre pueblo mío, a despecho de los lo-
greros, inmortal [1].

Las palabras de Juan Ramón Jiménez llenaban el ámbito
moguereño y en vano quería desplazarlas el avanzado y ruidoso siglo veinte, que jadeante de petróleo, se le metía por
sus caminos antes olorosos a marisma y a naranjos, y por
sus calles aún blancas de cal con sol. El peso de la modernidad ensordecía los adoquines por los que tan sonoramente
transitaran, a principios de siglo, el coche de la estación, los
panaderos, los burros cargados de uva, los gitanos, los traba-

---

[1] J. R. J., «Prólogo jeneral», reproducido por Domingo Paniagua
en «La casa 'Zenobia y Juan Ramón Jiménez' de Moguer», *Punta Eu-*
ropa, Madrid, año III, núm. 31-32, julio-agosto 1958, pág. 65. Este prólogo, anteriormente inédito, corresponde a la obra de J. R. escrita en
España antes de su salida de esa tierra en 1936. Estaba destinado a
un libro en proyecto dedicado a Moguer que quedó inédito.

jadores, las viudas, las lecheras, los vendimiadores, los niños, el tío de las vistas, el quincallero de Lucena, el lencero
de la Mancha, el poeta y «Platero». Vociferando bajo el peso
de su carga industrial, los camiones cruzaban por el pueblo
buscando o dejando las nuevas refinerías de más allá de la
Rábida. Las motocicletas avasallaban impacientes las calles
y los caminos; los autos de variadas cosechas, por momen-
tos desaparecían tragados por el polvo de las nuevas carre-
teras en construcción; los autobuses, jadeantes, se abrían
difícil paso por la antigua Calle Nueva, dando tiempo a que
los curiosos y amontonados ojos del interior se salieran por
las ventanillas, metiéndose por cualquier puerta o ventana
abierta de las todavía señoriales casas del lugar. Por una de
esas puertas abiertas se alcanzaba a ver un patio y un aljibe
de mármol blanco. Una placa en la fachada decía que el
sitio era un museo: la Casa Municipal de Cultura «Zenobia
y Juan Ramón». El museo podía no ser un día, el patio y el
aljibe de mármol nunca dejarían de ser, pues como la casa
y la antigua Calle Nueva tenían aseguradas su lírica existencia siempre igual, como todas las cosas de Moguer que su
romántico hijo Juan Ramón había descrito en las páginas de
Platero y yo [2]. Aún antes de *Platero*, el pueblo tenía ya una
honda historia entre las poblaciones de la muy antiquísima
y dorada provincia andaluza de Huelva.

Algún osado se ha atrevido a decir que la antigüedad de
Huelva es de antes del diluvio. Otros dicen que existió seis
mil años antes de Jesucristo, y otros, que trescientos años

---

[2] *Platero y yo.* (Primera edición. Edición menor.) Ilustrada por
Fernando Marco, Biblioteca de Juventud, Talleres de La Lectura, Madrid, 12 diciembre 1914. Obras de J. R. J., *Platero y yo* (1907-1916). (Primera edición completa.) Casa Editorial Calleja, Imprenta Fortanet,
Madrid, 13 enero 1917. Verificado su contenido autobiográfico, se usa
esta obra para reconstruir la niñez de J. R. J. Los capítulos citados
en este trabajo se refieren a la edición completa.

antes de Cristo. Dicen los que dicen más que los iberos sacaron oro de las minas de Tharsis en Huelva para el templo de Salomón y que el oro que el Rey Mago ofrendó al Niño Jesús era de Tharsis. Los sabios historiadores y enciclopedistas aseguran que Huelva fue tierra del antiguo Imperio Tartesio y que las minas de cobre del río Tinto de Huelva, como las de Tharsis, fueron de las más importantes del mundo, explotadas por cartagineses y romanos antes de la era cristiana. Al poeta hijo de Moguer le gustaba esa historia y había dicho:

> Como soy de Moguer
> y de Sevilla,
> canto mis ilusiones
> por seguidillas.

> Por seguidillas
> canto mis ilusiones,
> Tartesia linda[3].

Algo tuvo que ver Moguer con el oro de Huelva. Antigua población de España, corresponde a la que se halla designada en Tolomeo con el nombre de Urium. Como Moguer está en una colina, se cree que los antiguos romanos la llamaron Mons-Urium, nombre que con el tiempo se fue convirtiendo en Mons-Hurium y en Mons Gúrium. Hay quien cree que de allí pasó a Moguer, aunque otros aseguran que ese era el nombre del caudillo moro que la conquistó, porque los moros ocuparon la población por cinco siglos, del octavo al decimotercero, hasta que Alfonso el Sabio la rescató. También fue Moguer lugar de encuentros y de luchas

---

[3] J. R. J., «Tartesia linda», cuarto poema de «Seguidillas del tiempo de Moguer», en *Moguer*. Ilustraciones de José R. Escassi. Edición realizada por la Dirección General de Archivos y Bibliotecas, Talleres de Tipografía Moderna, Valencia, 1958, pág. 20.

durante la Guerra de Sucesión. Durante la Guerra de la Independencia sufrió la furia de los franceses; pero el pueblo había olvidado esas cosas. No lo del Mons-Urium. Todo el mundo en Moguer conocía el lado opuesto del río, por donde estaban las viñas, que aún hoy se llama Monturrio. En *Platero*, Mons-Urium es el nombre de «las colinitas rojas, más pobres cada día por la cava de los areneros, que, vistas desde el mar, parecen de oro y que nombraron los romanos de ese modo por brillante y alto» (CXXIII, «Mons-Urium»). Desde el día que de niño Juan Ramón Jiménez supo el origen del nombre por primera vez, se le ennobleció el Monturrio para siempre. Su nostalgia de lo mejor halló un engaño deleitable sintiendo bajo él «como una raíz fuerte» los romanos *(ibid.)*.

A Juan Ramón le gustaba menos la otra tradición de su pueblo, la Colombina. Como el Puerto de Palos y el monasterio de Santa María de la Rábida quedaban cerca, Moguer se incorporó desde el principio a la empresa del Descubrimiento. De las tres carabelas que salieron de Palos, la «Niña» era de los hermanos Niño de Moguer, partícipes en el primero y subsiguientes viajes al Nuevo Mundo. Colón recorrió muchas veces las calles del pueblo, en el que tuvo favorecedores además de seguidores. En Moguer se decía que Colón había estado en una de las casas en que le tocó vivir a Juan Ramón más tarde; que había comulgado en la iglesia del convento de Santa Clara. El P. las Casas cuenta en su *Diario* que el Almirante, estando a bordo de la «Niña» y en peligroso trance en las Azores, hizo voto con sus hombres de velar, hacer decir misa y rezar en Santa Clara. En Moguer se señalaban las hospederías que lo eran desde tiempos colombinos y los Pinzones de los tiempos modernos son descendientes de los de Palos, capitanes de la «Pinta», que emparentaron con la familia del poeta. Pero Juan Ramón no necesitaba de la épica para amar a su pueblo. Moguer era su ámbito de luces, su verso se nutrió de su radiante blancura armónica a su ideal, de la serena música de sus espacios, y su anhelo fue infinito, como el cielo azul, «limpio y constante», de Moguer.

Pura era la noche en que nació Juan Ramón Jiménez Mantecón, clara de estrellas, dura y fría víspera de un día de Nochebuena. Nació a las doce de la noche del 23 de diciembre de 1881. La hora se prestaba a todo, y como terminaba un día y empezaba otro, escogiendo el instante hacia el futuro, quedó con la convicción de haber nacido el 24 de diciembre, víspera de Navidad. Por razón de la hora, después llegó a creer que había nacido el mismo día de Navidad, y en su ancianidad, sabiendo que poéticamente había alterado la fecha de su nacimiento, quiso restituirla a su debido sitio y adelantó el día al 26, en vez de atrasarlo [4].

Juan Ramón nació de padres buenos en buena casa y en un buen sitio. En una tierra de marineros y labradores, le tocó nacer del lado del río, en la casa número dos de la

---

[4] Carlos del Saz-Orozco, en su libro *Dios en Juan Ramón,* Editorial Razón y Fe, Madrid, 1966, documenta este hecho citando «una nota inédita y manuscrita del poeta que dice textualmente, con las correcciones suyas: 'Al final Destino ‖ *Epílogo* de Animal de fondo ‖ Al cumplirse los 50 años ‖ de mi ‖ de mi poesía pública [yo ‖ tengo ‖ /nací el 26 de d. de 1881/ ‖ ahora 68 ‖ empecé a publicar a los 17 años; y tengo ahora 68 cumplo 69 en diciembre]'. 'Sala Zenobia-Juan Ramón Jiménez', Universidad de Puerto Rico. (Esta es la única nota que ha encontrado el autor de esta tesis en que el poeta no afirme haber nacido la noche de Navidad)», pág. 9, nota 15. J. R. J. le dio la fecha correcta de su nacimiento a esta autora, que en *Vida y obra de Juan Ramón Jiménez* (Editorial Gredos, Madrid, 1957), respetando el hecho histórico y la poética costumbre del autor, escribió: «nació ... Juan Ramón la víspera de la Nochebuena de 1881» (pág. 14), que es lo mismo que decir: nació el día que antecede al de la Nochebuena, o sea, el 23 de diciembre. Todas las referencias a *Vida y obra* se refieren a esta 1.ª edición.

calle de la Ribera, la principal de Moguer. El río era la más importante vía comercial. La casa era grande, de dos pisos, y en una esquina, por el costado, daba a la calle de las Flores. La construyó un arquitecto de Sevilla, por encargo del padre de Juan Ramón, animado por los amigos que por allí vivían. La gente del pueblo la llamó desde el principio «la casa grande», y como era tan grande, después sirvió para cuartel de la Guardia Civil. La fachada era elegantona, con dos grandes ventanas enrejadas hasta el suelo, una a cada lado de la puerta principal, y sobre la puerta, un balcón de hierro al descubierto, con dos graciosas ventanas mudéjares al fondo y otros dos balcones de hierro, uno a cada lado del balcón principal, cubiertos ambos de cristales de colores.

El niño nacido la víspera de Nochebuena habría de ser el último hijo de Víctor Jiménez y su esposa, María de la Purificación Mantecón. El matrimonio tenía tres pequeños más: Victoria, de tres años y medio; Eustaquio, de dos, y una chica mayorcita, Ignacia, hija de don Víctor y la difunta primera esposa, Emilia Velarde, de la familia del poeta de Cádiz José Velarde y Juste. El recién nacido fue bautizado en la iglesia parroquial de Nuestra Señora de la Granada; el tío, Gregorio Jiménez, fue el padrino, y le dieron el nombre de Juan Ramón, pero le llamarían Juanito.

El padre de Juan Ramón era un riojano rubio de ojos azules. Sus antepasados y sus padres, Manuel Jiménez Sáenz e Ignacia Jiménez, eran de Nestares de Cameros, en la provincia de Logroño. Allí estaban enterrados. El doble apellido Jiménez que le correspondía a don Víctor, le resultó después a su hijo Juan Ramón redundante y poco poético y prefirió llamar a su padre Víctor Jiménez y Sáenz del Prado, completando un apellido al saltar el repetido, lo cual era mucho más armonioso que Víctor Jiménez y Jiménez Sáenz.

El capital de los Jiménez y Jiménez en la región andaluza procedía de un tío-abuelo de Juan Ramón. Su padre, Víctor, y los hermanos de su padre, Francisco, llamado Paco, y Gregorio, salieron de Nestares de Cameros para encargarse de la firma «Francisco Jiménez y Compañía», de Huelva, que tenía que ver con distintas empresas. Como representantes de la Compañía Tabacalera, tenían arrendamiento de tabaco, y como representantes de la Compañía Trasatlántica eran consignatarios de buques. En Cádiz tenían negocios de minas y en Moguer bodegas para la fabricación de vinos y coñac, y fincas, viñas y olivares.

La finca favorita de la familia era Fuentepiña, allí tenían una casa y de una planicie al fondo se percibía claramente todo Moguer y, por ende, los lugares de las cuatro bodegas del pueblo: «El Diezmo Viejo», «La Ilascuras», «La Castellana» y «El Molino de Coba», y de las casas de alquiler de su propiedad por el barrio de los labradores y por la calle de Hornos y de la Fuente.

La poca astucia de Víctor y Paco Jiménez en los negocios menguó el capital de la familia. Gregorio, el más cultivado de los tres hermanos, independizado del resto, quiso responder por ellos cuando sobrevino la ruina, y perdió también su capital. Los Jiménez eran de distinta disposición: Gregorio era un hombre culto, gran lector y asiduo viajero, todo lo contrario de Víctor, el padre de Juan Ramón, a quien no le interesaban los viajes ni las lecturas. Amaba el campo y por eso se quedó a vivir en Moguer. Otro hermano, Eustaquio, prefirió vivir en París y allí murió; su novia era francesa.

Cuando nació Juan Ramón Jiménez, los negocios aún marchaban bien. Don Víctor era cosechero y exportador de un vino fino moguereño que se enviaba a Málaga, Cádiz y Gibraltar en el barco de la familia, el «San Cayetano». Don

Víctor era una persona acomodada en el pueblo y también era un hombre sencillo, por eso se casó, al enviudar, con María «Pura» Mantecón, que había hecho labores de costura en su casa en vida de su primera mujer.

Pura Mantecón nació en Osuna, Sevilla, y fue criada en Moguer. Su madre, María Teresa López Parejo, era una muchacha fina, de buena familia. El padre, Ramón Mantecón, de quien Juan Ramón heredó el nombre de pila, era de Manzanillas, Huelva. Vivieron tanto tiempo en Moguer que la gente llegó a creerse que María Pura era moguereña, pero a Juan Ramón le gustaba que fuera como era, de Sevilla, y poetizando su origen, recordaba a una condesa de Casa-Mantecón que había sido fundadora religiosa. A la abuela sevillana, «mamá Teresa», se la imaginaba también romantiquísima, «inclinada tercamente sobre las macetas celestes o sobre los arriates blancos» _(Platero,_ CXV, «Florecillas»), aunque no se acordaba cómo era. Su madre le había dicho que la abuela «agonizó con un delirio de flores» llamando a un «jardinero invisible» y eso le impresionó vivamente _(ibid.)._

El abuelo materno de Juan Ramón no se abrió camino en Moguer. Las limitadas circunstancias económicas de la familia de Pura Mantecón pueden haber contribuido a la bondad y mansedumbre de su carácter. Entre los recuerdos de su hijo poeta se destaca su figura callada y buena llenando con su cariño el ámbito infantil, que a él le pareció envuelto en cálida luz, como todo lo que miraba por el cristal amarillo de la cancela de su casa.

Juan Ramón recordaba que de pequeñito, en la calle de la Ribera, su delicia mayor era el balcón mudéjar «con sus estrellas de cristales de colores», y las lilas blancas y lilas y las campanillas azules que colgaban de la verja de madera del fondo del patio _(Platero,_ CXVII, «La calle de la Ribera»). Los recuerdos de su primera infancia están coloreados

de azul, como su barrio. Del mirador de la casa alcanzaba
a ver el mar azul y le parecía que desde su baja estatura de
niño veía el río por entre las azules piernas abiertas de los
marineros que pasaban por la calle de la Ribera. El azul co-
loreó sus primeros años de tal modo que en su incompleta
lengua infantil llegó a decir que vivía en una «casa atul marino», frase que le ilusionó de hombre y le pareció un buen
título para un libro de versos que no llegó a publicar [5].

El amarillo figura también entre los más tiernos recuerdos de Juan Ramón. El primer amarillo inolvidable fue el
del corral «dorado siempre de sol» de la casilla de Arreburra
el aguador, que le quedaba enfrente *(Platero*, XVI, «La casa
de enfrente»). Y entre los pocos malos recuerdos está el de
«Fernandillo». Cuando le daba sueño le decían: «¡Ahí viene
Fernandillo!», y él se lo imaginaba entrando al comedor es-
curriéndose por los agujeritos negros de «un florón hueco
de rosas de yeso que tenía el cielorraso en el sostén de la
lámpara» *(Cristal*, «Fernandillo», 109).

«Fernandillo» le era odioso, como los ratones y como el
feo y odioso panadero, que se llamaba Fernando. Para que
no viniera *Fernandillo,* él hacía lo posible por no dormirse,

---

[5] Ver J. R. J., «Casa azul marino», *Por el cristal amarillo*. Selección, ordenación y prólogo de Francisco Garfias, Aguilar, Madrid, 1961,
páginas 29-30. Como en el caso de *Platero y yo*, comprobado el contenido autobiográfico de esta obra, se usa como fuente básica para reconstruir la niñez del poeta. Los personajes que J. R. menciona en
estos libros tuvieron sus dobles en la vida real y aparecen con sus
verdaderos nombres y apodos la mayor parte de las veces. En algunas
ocasiones, J. R. cambia levemente los nombres de las personas que
fueron objeto de su inspiración: en *Platero* usa Florez por Flores; en
Por el cristal amarillo usa Montemayorcita Jote por Mayorcita Jote,
Cintia Marín por Concha Marín, «La Cruda» por «La Crúa». En la relación de los sucesos de la vida de J. R., al referirnos a las selecciones
que aluden al hecho en *Por el cristal amarillo*, abreviaremos el título
de esta obra a *Cristal* siempre que no se preste a confusiones.

pegando la cara contra los cristales de la cancela del jardín para ver, entre otras cosas, las campanillas azules. El otro mal recuerdo de su primera infancia tenía que ver con el malestar que le causó el incendio de un barco inglés que se quemó en la Barra, él lo había visto desde el mirador de su casa con los otros niños *(Platero*, CXVII, «La calle de la Ribera»).

Se acordaba de esas cosas; pero no se acordaba de cuando empezó a ir a «la miga», el *kindergarten* de doña Benita Barroeta y Escudero. Habría asistido entre los cuatro y cinco años, como era la costumbre. Allí aprendería a hacer palotes y el A B C y el credo, porque eso era lo que se aprendía en «la miga». Después se habría ido a vivir a la preciosa casa de la calle Nueva, tierra adentro, fuera del ruidoso barrio marinero. De eso sí que se acordaba. Como su padre era muy amigo del silencio, se disgustó con el alboroto del barrio azul, con las pendencias de los marineros y las malacrianzas de los chiquillos. Hasta el viento se batía en la esquina de la casa, «la esquina de las pulmonías», como la llamara después el poeta, recordando el bullicioso lugar. La gente del mar era muy alegre, guardaba de ellos muy buenos recuerdos. Se acordaba bien de Picón, el marinero que mandaba «La Estrella», el barco de su tío, y le llevaba en lancha al «San Cayetano», el barco de su padre, cuidándole mucho, teniéndole de la mano no fuera el niño a lastimarse contra los barriles de vino acumulados en cubierta o contra las cadenas y maromas del muelle *(Cristal*, «El 'San Cayetano'», 62). Y al regreso del viaje contaba a la familia, sonriendo, todo lo que el pequeño había hecho.

Los marineros de Moguer vivían en sitios con nombres de agua y de mar, y de cosas de las aguas del mar: la calle de la Aceña, donde empezaba el barrio de los marineros; el callejón de la Sal, la calle del Coral, donde vivía Granadilla,

la hija del sacristán de San Francisco, que siempre estaba
contándoles cuentos a las criadas de la casa: a María Huelva, que era muy burlona; a Concha la Mandadera, que era
muy chismosa, y a la Macaria, que era muy generosa. Las
criadas eran del barrio de los labradores. Una vivía cerca del
cementerio, en la calle de la Friseta, y las otras dos, en las
afueras del pueblo, por el lado opuesto al río, en la calle del
Monturrio y en la de los Hornos. Se creían todo lo que les
contaba Granadilla, que hablaba con mucha gracia y andaba
con más gracia todavía *(Platero*, XCIII, «La escama»). Él
conocía a un niño del barrio de los marineros que, aunque
padecía del corazón, se esforzaba y se esforzaba para poder
jugar con los niños ricos, que le decían «el Marinerito». Los
padres de los niños ricos eran los dueños de los laúdes, ber-
gantines y faluchos en los que trabajaban los padres de los
niños pobres. El barco mejor era el «San Cayetano» de Víctor Jiménez, el padre de Juan Ramón; lo mandaba un pobre
marinero, Quintero, y empleaba más gente que los demás.
Se acordaba de él acabado de pintar de verde y amarillo,
cargado de más de cien barriles nuevos llenos de vino mos-
catel. Era uno de los pocos barcos con nombre masculino,
los demás tenían nombres de mujer, como «La Estrella» de
su tío, o la «Enriqueta», o «La Caprichosa», o «La Joven
Eloísa». Las lanchas que llegaban hasta los grandes barcos
tenían nombres de santos como el barco de su padre y estaban pintadas de colores brillantes: verde, azul, amarillo,
carmín, blanco. Hasta en su trabajo eran pintorescos los hombres de mar. Los pescadores subían a la plaza del Pescado
con canastas de sardinas, ostiones, anguilas, lenguados y
cangrejos para vendérselos a las mandaderas que iban y venían corriendo de la plaza a las casas particulares *(Platero*, XCV, «El río»). El patrón de los marineros, San Telmo, el
más rico en la procesión del Corpus, llevaba en las manos un

navío de plata, y la patrona de los marineros, la Virgen del Carmen, tenía un manto abierto y bordado que se podía ver en una escama de pescado. Granadilla se lo había dicho a las criadas de su casa.

El tumulto del barrio de los marineros se tornó en recogimiento al mudarse a la calle Nueva y lo azul se volvió blanco. La nueva casa era blanca, más recogida y bellísima. Tenía dos pisos y muchas ventanas enrejadas que daban a la calle, una a cada lado de la puerta principal y tres en el segundo piso, sobre un solo balcón de quince metros de largo, con guarda de pizarra negra y hierro verde *(Cristal,* «Continente de estrellas», 282). Las ventanas no tenían toques mudéjares; pero los dorados clavos de sus dobles puertas a cuarterones, abiertas al interior, brillaban a todos los soles y a todas las luces. Contrario a la casa de la calle de la Ribera, la fachada era lisa; pero estaba coronada de almenas. Por dentro la casa era lúcida, por su blanco patio de mármol, resplandeciente al sol que se filtraba por los cristales de la montera y traspasaba el aljibe de mármol dándole un tono alabastrino. Por la noche la luna le daba al patio una belleza blanca mate. De mármol era la escalera al segundo piso, abierto al patio blanco, con galerías resguardadas por simétricas barandas de hierro. Una cancela de hierro con cristales blancos, azules, rojos y amarillos llevaba a otro patio de arriates llenos de geranios, hortensias, azucenas y campanillas azules. Más al fondo había un corral con una puerta al monte. La casa era como para estar en ella todo el día, viendo cómo el sol mañanero ponía rubores sobre el suelo y las paredes, entibiando de colores las manos, la cara y los ojos. Al niño Juan Ramón le gustaba mirar por el cristal amarillo de la cancela, porque por él todo parecía «cálido, vibrante, rejio, infinito» *(Cristal,* Prólogo, 25). El espectáculo por el cristal amarillo sería después «nostaljia de lo universal latente» en el poeta desde su semilla, «exaltación musical, escalofriante y definitiva» *(ibid.,* 26). La maravillosa memoria sería después exaltada en el libro con el nombre *Por el cristal amarillo,* que él no llegó a publicar; pero que otros publicarían por él.

En la casa de la calle Nueva aprendió a oír el rumor del agua que caía de la azotea en el aljibe. Se desvelaba al ruido; pero le entusiasmaba pensar que a la mañana siguiente podía ver con los otros niños hasta dónde había llegado el agua; si había llegado muy alto, todos gritarían de asombro y admiración *(Platero,* XXVI, «El aljibe»). Eso, si llovía. Cuando no llovía todo era blanco y dorado, blanca la casa y la calle, doradas las cosas. Don José, el dulcero de Sevilla que vivía en la casa de enfrente, llevaba botas de cabritilla de oro y pintaba las puertas del zaguán de amarillo canario con fajas de azul marino *(Platero,* XVI, «La casa de enfrente»); el quincallero que se acercaba contra las paredes recién encaladas, con sus modestamente ricos «almireces, velones, badilas, sahumadores, palmatorias», *tilíntineando* calle Nueva abajo, parecía como si llevara una armadura de oro, de tan envuelto que iba en resplandores *(Cristal,* «El quincallero doble», 45). A veces pasaban cosas feas por la calle Nueva y Juan Ramón niño le tenía una horrible aversión a la fealdad. Se acordaba del día en que la calle se llenó de gente a ver llegar tres coches de la segunda empresa: el ómnibus, el familiar y un *riper* amarillo, que era un modelo de coche de caballos con un horrible nombre: «El Feo Malagueño». El nombre evocó terribles cosas en su imaginación, le parecía que su dueño tenía que ser «torcido, cojo, bizco, zurdo, ribeteado, chato»; le pareció que tenía que vivir en algún sitio horrible, telarañoso, pedroso, ratoso, triste, frío, polvoriento, destartalado, húmedo. Le preocupaba que los chiquillos del vecino pueblo de San Juan creyeran que «El Feo Malagueño» era de Moguer, estaba seguro que lo apedrearían. Le parecía que en las estaciones de ferrocarril los viajeros de la ruta de Sevilla, Huelva, Riotinto, Valverde verían al «Feo» como se ve un ratero; que se arrastraría como un perro sarnoso *(Cristal*, «El Feo Malagueño», 101-103). También le era odioso el relojero portugués, por extravagante. Bajito, delgado y cabezón, vestía de chaqué, levita negra y sombrero calañés. Con una corona fúnebre al pecho y un reloj de música en la mano, andaba por los carnavales, las semanasantas, los entierros y las flamenquerías *(Cristal*, «El relojero portugués», 119). Las cosas muertas le daban sustos y escalofríos, como la corona quemada del castillo de fuego de la Virgen de Montemayor. La tiraron del Ayuntamiento al final del verano y cayó en el tejadillo del lavadero de su casa, allí se la encontró un día que se asomó con la criada María Huelva. Se acordaba que había ardido con una bella cola de luces de bengalas azules, rojas, verdes y blancas; pero se horrorizó al verle el esqueleto de caña negro, reseco y llovido *(Cristal*, «La corona de caña», 137).

En su casa nada era feo, por todas partes hallaba gozo su fantasía: por el jardín, por el corral, por la azotea, por el patio y la escalera de mármol, por la sala amarilla, por el balcón. Por eso no le gustaba ir a la escuela de la calle Rascón a cantar rezos y deletrear la cartilla. La institución, patrocinada por el Ayuntamiento, tenía el largo nombre de «Colegio de primera y segunda enseñanza de San José, incorporado al Instituto Provincial de Huelva-Moguer», por lo que todo el mundo lo llamaba por el nombre de su director, que lo fue, primero, don Carlos Girona y Mexía y después don Joaquín de la Oliva y Lobo. Era una buena escuela, a la que mandaban niños internos de los pueblos vecinos. Había ocupado primero una antigua casa que tenía, en la plataforma, una ventana que daba a un abandonado jardín, feo, con sus naranjos, jazmines, enredaderas y cipreses sobre la yerba alta y entre la yedra y la humedad. La escuela se mudó después a la calle de la Aceña, siendo su director don Joaquín de la Oliva y Lobo; pero él siempre prefirió al primer director, don Carlos, pese al feo jardín. En los días de invierno, cuando llovía y él se aburría, su entretenimiento era ver filtrar los colores del poniente sobre el cielo de tormenta por la gran ventana que daba al jardín. Entonces oscurecía a las cuatro de la tarde (*Cristal*, «El colejio», 153). Se fijaba en que don Carlos siempre llevaba paraguas y quevedos de oro y usaba unas tarjetas muy bonitas. Hablaba mucho cuando iba al Casino de los Caballeros de Moguer, que estaba en una calle que la gente llamaba «Pasadizo de la Iglesia». A Juan Ramón le molestaba que los señores del Casino: don José Sáenz, don Juan Márquez y don José Joaquín Rasco, se burlaran de él porque decía, por ejemplo, *áccido* en vez de ácido. Querían consultar el diccionario, pero don Carlos no los dejaba porque a él no le importaba nada el diccionario y seguía diciendo *áccido* (*Cristal*, «Don Carlos Girona», 115-116). A Juan Ramón también le gustaba el auxiliar Silóniz, aunque no vestía muy bien. Llevaba siempre un traje de alpaca gris raído y encogido y la gente decía que había cometido un robo. Hasta el tío Esteban, primo de su papá don Víctor Jiménez, había hablado de eso en su casa, de sobremesa; pero él no lo creía y se preocupaba mucho pensando que el auxiliar pudiera pasarlo mal en la cárcel de Moguer (*Cristal*, «El Auxiliar Silóniz», 63-65).

En el colegio de don Carlos Girona, Juan Ramón era uno de «los siete sabios de Grecia», que así llamaban a los chicos que sabían más. Después, el colegio se le fue haciendo más pesado. Cuando don Joaquín de la Oliva y Lobo fue su maestro, le costaba mucho resistir el humo de su cigarro y le aburría su clase de latín; pero le gustaba su gabinete de física, porque tenía un globo terráqueo en el que se podía ver unas islas de las que hablaba mucho un amigo de su padre, don Luis Bayo. Las islas se llamaban las Filipinas (*Cristal*, «Su tío abuelo», 68). Don Joaquín de la Oliva fue el que dijo que la tortuga que él y su hermano Eustaquio se encontraron en el camino un mediodía de agosto, de vuelta del colegio, era una tortuga griega. Ese día, como hacía mucho calor, la mandadera que los llevaba y traía de la escuela los metió por una callejilla, para acortar el camino. La tortuga estaba entre la yerba de la pared de un granero que por allí había, y tenía el carapacho tan terroso que se confundía con la tierra. Cuando se lo lavaron salieron a relucir unos dibujos de oro y negro, y por eso don Joaquín supo que era una tortuga griega. Griega y todo, él y su hermano Eustaquio le hacían maldades: la mecían en el trapecio, se la echaban al perro y la ponían boca arriba días y días (*Platero*, LXXXVII, «La tortuga griega»).

Por las mañanas no le importaba tanto tener que ir a la escuela, por las tardes, sí. Las tardes en su casa eran doradas; en el colegio, no. La sala de su casa se ponía preciosa después del almuerzo, a las tres. Entonces el sol entraba por los cristales y lo ponía todo amarillo: las arañas de cristal de roca, los candelabros, los espejos, los retratos, las paredes y las alfombras. Los damascos amarillos se ponían más amarillos. A las dos y media de la tarde se metía en la sala y se hacía el dormido para dar tiempo a que se hiciera tarde. Sabía que eran las tres y cuarto cuando pasaba, tocando la corneta, el coche de las tres que hacía el servicio a la estación de ferrocarril. Si en otro cuarto de hora no lo descubrían en la sala, ya no tenía que ir a la escuela porque se había hecho tarde. Feliz entonces en su fingido sueño, soñaba de verdad, despierto. Moviendo el cuerpo para que se movieran todos los cristales de la sala amarilla, escuchaba silen-

cioso su música y las voces lejanas que venían del fondo de
la casa *(Cristal,* «Las tres y cuarto», 253-254). Solamente una
vez había ido al colegio con prisa y alegría, cuando era de
don Carlos Girona. Fue el día en que llevó todas sus cosas
marcadas con su nombre y el de su pueblo, el día en que al
fin tuvo su sello, un sello como el de su condiscípulo Francisco Ruiz.

Tener un sello con su nombre se había convertido en una
obsesión. Había tratado de hacerse de uno formándolo con
una imprentilla que había descubierto en un escritorio viejo
de su casa; pero no resultó. Al fin pudo encargárselo a un
viajante de escritorio que pasó por allí, pagándoselo de su
alcancía. Esperó el sello angustiadamente toda la semana, ve-
lando el correo y poniéndose sudoroso y triste porque no
llegaba, y cuando al fin llegó, lo marcó todo: libros, blusas,
sombrero, botas decían: «Juan Ramón Jiménez —Moguer»
(Platero, LX, «El sello»).

Sus pequeñas preocupaciones le causaban un gran malestar, se ponía pálido, lejano, todo ojos negros. La niñera de
Matilde Navarro, una niña muy bonita que a él le gustaba
mucho, le había dicho un día: «—¡Qué ojos tienes, Juanito!
¡Jesús, qué ojos tienes, hijo!» *(Cristal,* «Amor», 255). Su madre a veces decía que era demasiado antojadizo, exigente,
majadero, fastidioso; pero se lo decía con mucho cariño y,
como tenía una gran imaginación y quería averiguarlo todo,
le llamaba «Juanito el Preguntón» y «El Inventor» y «caprichoso», «loco», «exagerado». A sus padres no les gustaba mucho que él se pasara las horas en muda contemplación, querían que estudiara, o que jugara, o que dibujara; pero, aunque le gustaba dibujar, prefería mirar por el ojito del calidoscopio el mundo mágico de su imaginación: caminos que
bajaban al río; su madre, joven y radiante como debió haber
sido, paseando en una barca; el auxiliar Silóniz, como quería

él verlo, bebiendo una copa de vino dulce de la bodega de su padre; su tío abuelo como le correspondía, de no estar inválido sentado en un sillón con las piernas hinchadas y vendadas, de Almirante en un barco que rodaba por entre los cristalitos del calidoscopio, convertidos en islas tropicales, con los mismos loros, piñas y negritas desnudas que se veían en las etiquetas de las cajas de tabaco y fuentes como las de las botellas de Agua de Florida *(Cristal,* «Su tío abuelo», 68). A veces, él mismo se asustaba de sus propias visiones, entonces dejaba el calidoscopio y lo escondía bajo el cojín de damasco amarillo del sofá y escondiendo también su turbación, corría a la puerta a ver si veía al ayudante de su padre, Lauro, su confidente único.

Fuera del calidoscopio, también tenía sus islas. Una de ellas estaba en el jardín de su casa, por unas matas de plátanos y araucarias que a él le parecían un bosque. Echado bajo su sombra por las tardes, al volver del colegio, quieto y callado, contemplaba el cielo tornarse rosa. De tan quieto que se quedaba, a su familia a veces le parecía que le pasaba algo *(Cristal,* «El tesoro», 143-144). También se quedaba absorto durante las comidas, mirando el agua del vaso y el vino de las copas, porque podía ver en ellos muchas cosas bellas, como en el calidoscopio. El barco de su padre, el «San Cayetano», perdido desde una noche de tormenta de truenos y relámpagos en que varó en la Barra, volvía a flotar en el agua del vaso, desprendido del banco de arena, hermoso y como recién botado *(Cristal,* «El 'San Cayetano'», 61).

El juego de la imaginación le atraía mucho más que los otros juegos. Aun jugando de verdad se imaginaba cosas. Cuando jugaba con los otros niños «a la limón, a la limón, que se ha roto la fuente» y le tocaba pasar en la parte «pasen los caballeros», se imaginaba un caballero como su papá y pasaba con mucha cortesía y muy despacio. Jugaba con

los otros niños porque no le quedaba otro remedio; pero
prefería estar solo, jugar solo. A veces, al salir del colegio se
quedaba con los compañeros jugando a cualquier cosa en
la plaza de las Monjas, frente al convento de Santa Clara;
otras veces, Rafaelito Almonte, el hijo de don Rafael Almonte, médico de su casa, iba a jugar con él; pero seguía prefi-
riendo estar solo, la soledad le era necesaria para su esparci-
miento mayor. Las personas mayores no se daban cuenta de
esas cosas. Un día de Semana Santa en que quería estar solo
el doctor Almonte le había anunciado que le iba a mandar a
Rafaelito a jugar con él, y don Julián Borrego, el arcipreste
a quien él respetaba y besaba la mano, le había pedido que
llevara un cirio colorado en la procesión. Él no podía, necesitaba, necesitaba estar solo con Jesucristo a las tres para
morir con Él. Le habían entrado ganas de morir con Jesucristo al oír en la iglesia las bellas palabras: «Esta tarde es-
tarás conmigo en el Paraíso». Se puso nervioso esperando el
momento, no quiso ni comer y, como siempre, en su casa
creyeron que estaba enfermo, que había comido algo por ahí
que le había hecho daño. Su mamá le regañó, le amenazó
con darle un purgante, sin darse cuenta que para él los días
de purgante eran de fiesta, porque no tenía que ir al colegio,
porque le daban de comer cosas que a él le gustaban: té,
sopa de jamón; porque tenía que estarse todo el día en el
cuartillo, solo, imaginándose lo que le diera la gana todo el
bello día, tan largo, contemplando el cielo por la ventana
(Cristal, «El Blancote», 47-49).

Sus padres se ocupaban mucho de él. Su madre le parecía
un modelo de madre. Le gustaba estar junto a ella y cuando
se sentaba a coser, él se entretenía a su lado mirando el calidoscopio. Su madre era muy trabajadora y él esperaba con
ansiedad que llegaran las cinco de la tarde para que ella se
arreglara y se viera bonita *(Cristal,* «Su madre», 57). Su pa-

dre lo llevaba a pasear, a visitar y a las bodegas, y le daba cosas a escribir porque él tenía muy buena letra. En la escuela, le gustaba mucho hacer planas con pluma y tinta, y le gustaba también poner la pluma a trasluz para ver el color de la tinta por el ojo del punto, cardenal, tornasolada de verde con un rico olor y sabor a metálico (*Cristal*, «El Auxiliar Silóniz», 64-65). Tornasolada era la corbata de raso verde de su padre, la que se ponía cuando llevaba el chaleco blanco y un traje de tela marrón oscura suave y exquisita. Se veía muy bien su padre en él, caminando despacio y apartando las basuras del camino con el bastón. Iban de visita, a ver a los Sáenz, sus parientes, y a otros señores de Moguer. A veces iban a una casa a la orilla del río, de un señor que se llamaba Verdejo, entonces sí podía extasiarse en la contemplación del paisaje (*Cristal*, «La casa de la orilla del río», 53). Como a su padre, le gustaba mucho el campo, ver el paisaje desde el molino de viento, descubrir nuevos caminos, saber que el arroyo de los Llanos era el mismo que partía el camino de San Antonio por su bosquecillo de álamos; que caminando por él, en el verano, cuando estaba seco, se podía llegar a ciertos lugares. En invierno, cuando tenía agua, podía echar un barquito de corcho y hacerlo navegar hasta otro sitio, pasando por debajo del puente (*Platero*, LXVII, «El arroyo»). Era bella la vida al aire libre y una verdadera alegría, sobre todo, si hacían el recorrido de las propiedades de la familia. Los patios de las bodegas daban al campo, en los corrales había caballos y perros y en la vendimia el trajín de las cuadrillas y de los bodegueros transformaban el lugar en un excitante mundo de cargadores de uvas; de asnos blancos, cargados de verde y amarillo que llegaban de los pueblos cercanos: Lucena, Almonte, Palos, con el producto de las viñas. Tenían que esperar, para descargarlos, a que se desocuparan los lagares. Todo era trajín: los bodegueros

cantando y lavando botas; los toneleros, dando golpes en los
toneles; los trasegadores, pasando las jarras espumeantes de
mosto o de la sangre de toro con que clarificaban el vino
(*Platero*, LXII, «Vendimia»). Aun en medio del trajín de las
bodegas, él podía jugar a lo suyo y recogerse en las islas doradas de su fantasía. En la bodega del Diezmo, dando la vuelta por la pared de la calle de San Antonio, había una verja
cerrada que daba al campo, sobre una vereda que se alargaba
hasta borrarse bajando en las Angustias; de allí se veía la carretera que salía de Moguer, con su puente y sus álamos, se
veía el horno de ladrillos, y las lomas de Palos, y los vapores
de Huelva. De allí se veían, al anochecer, las luces del muelle
de Riotinto y el eucalipto grande de los Arroyos se destacaba
oscuro y solo contra el ocaso (*Platero*, XXIII, «La verja cerrada»). En los Arroyos vivía Mariano, que tenía un naranjal que él conocía muy bien porque en el invierno, por las
tardes, lo llevaban allí de paseo con los otros niños de la
escuela. A él le gustaba ir porque podía abrir piñones con su
navajita de nácar en forma de pez que tenía dos ojitos de
rubí por los que se veía la torre Eiffel (*Platero*, CV, «Piñones»); pero le gustaba mucho más contemplar el paisaje por
entre los hierros de la verja cerrada y transformarlo mara-
villosamente con la imaginación, como transformó la abandonada plaza de toros en un bello paisaje el día que le dio
la vuelta, corriendo, por las gradas de pino. Él no sabía
cómo era una plaza de toros de verdad, esa tenía una hierba
muy verde en el centro, estaba en la calle de Palos, en la
zona de bodegas llamada El Castillo, y decían que se había
quemado; él sí conocía las plazas de toros de las estampas
que venían en el chocolate, en las que un toro negro echaba
al aire unos perritos grises. A él no le gustaban los toros,
cuando los veía venir por los caminos a la salida del pueblo
corría a refugiarse bajo el puente de las Angustias. Los cho-

colates de las estampas se los regalaba un amigo mayor, Manolito Flores [6].

Él tenía algunos amigos de su edad, como Alfredito Ramos, que se murió una primavera; él y su hermano Eustaquio, con otros dos amigos, Pepe Sáenz y Antonio Rivero, llevaron su blanco ataúd al cementerio, porque en Moguer, cuando se moría un niño, los otros niños llevaban sus restos al cementerio (*Platero*, «El cementerio viejo», XCVII). En el verano, cuando los cómicos daban funciones de noche, él iba con su primo y otro amigo a ver pintar el telón de mar, lo pintaba el galán joven en casa de la actriz, que era muy bonita (*Cristal*, «El dondiego de noche», 85-86). Él se fijaba mucho en las mujeres del pueblo, sobre todo si eran bonitas o distintas. Se acordaba que de chiquitín la hija del aguador Arreburra le daba muchos besos, y se acordaba también de una niñita con quien jugaba por las tardes en la plaza de la iglesia de Moguer. Cuando se la llevaba la niñera y él se quedaba solo, sin que nadie lo viera, besaba las piedras por las que ella había pasado (*Cristal*, «Amor», 255). Ya más grande se había enamorado de una niña de Huelva a quien conoció una noche que su padre le llevó al teatro a ver una zarzuela. Entonces él tenía diez años y le gustaba mucho Huelva, se ponía nerviosísimo anticipando el viaje, se sentaba y se levantaba de la mesa, no acertando a comer. Huelva olía a gas, como debían oler las grandes ciudades, y tenía aceras anchas y barcos anclados en el puerto, y cafetines donde comer helado después del teatro. La niña de Huelva era tan delica-

---

6 Manolito Flores, residente en la plaza de los Escribanos de Moguer, tenía unos quince o veinte años más que J. R. y era un hombre educado de la clase media, bien relacionado con los señores de las clases altas de Moguer. La plaza de toros del pueblo, en el Castillo, se quemó. Se sabe que para 1892 ya no existía. Para esa fecha el poeta tenía diez años. (Ver cap. C, «La plaza vieja de toros», en *Platero*.)

da y tan fina que le hizo sentirse un niño basto de pueblo;
le había mirado confusa al irse y desde entonces había so-
ñado con ella *(Cristal*, «Pepita Gonzalo», 133-134).

Le gustaban mucho las mujeres de otra parte. En Moguer
había mujeres bonitas; pero las de otra parte le gustaban
más. Por las mañanas iban a bañarse al río muchas mujeres,
él notaba cómo se les encogían del frío los brazos, los pechos, los muslos y se fijaba siempre más en la sobrina de don
Manuel el cura, que era rubia y bonita y venía de otra
parte *(Cristal*, «La mujer de otra parte», 129). Le intrigaban
las mujeres distintas, atendía a lo que se decía de ellas por
el pueblo, en la barbería del Conde Reyné, de la calle Ven-
dedera, y en el Casino de los Caballeros. El Conde Reyné, que
era muy popular, no era conde sino barbero, y tenía fama
de ocurrente; por él se enteró que Ciriaca Marmolejo tocaba el piano. Le fascinaba esa persona con ese nombre y su
casa, cuya sala estaba llena de espejos con marcos dorados.
Como era muy averiguador, remoloneaba al pasar frente a
su casa y ella a veces conversaba con él. Entonces le preguntaba si de veras sabía tocar el piano y le contaba que un
señor del casino había dicho que ella era «un poema musical». Ciriaca tenía un gran piano de cola y cuando él le pedía
que tocara algo ella se lo prometía y tocaba en el aire con
las manos. Él no se acordaba de haberla oído tocar; pero sí
se acordaba de sus bellas manos largas, cuidadas, con ho-
yuelos, y le parecía que le había dicho que sus manos eran
como *flores magnólicas* y que ella, asombrada, le había preguntado quién le enseñaba esas cosas *(Cristal*, «Ciriaca Marmolejo», 39-43) [7].

---

[7] Ciriaca Marmolejo era una moguereña que, por su buen tipo y
su donaire, llamó la atención de Juan Ramón niño e inspiró el trozo
en prosa que lleva su nombre, «Ciriaca Marmolejo», publicado por
J. R. en el núm. 19 de 1953 de la revista *Platero* de Cádiz, bajo el tí-

Otra mujer del pueblo que le llamaba la atención era una doña Luisa, a quien llamaban «La cubanita» y vivía en la plaza de la iglesia, en una casa que fue después de la hermana de una novia de él, Coral Flores. Se había fijado muy bien en lo que llevaba doña Luisa el día que salió a regañar a los chiquillos que le rompieron un cristal de la cancela: bata blanca de mangas cortas con un gran escote que dejaba ver sus carnes generosas. Doña Luisa era buena con él y le prestaba libros que su hermano le traía de Cádiz, entre ellos una traducción del *Hamlet* de Shakespeare *(Cristal*, «Herodes», 132). También le interesaban las hijas de don José González, un médico de fuera que vivía en la calle Aceña. Eran dos y llevaban luto por la muerte de su madre; una le parecía confusa, pero le gustaba mucho la otra, muy blanca, de abundante pelo negro y ojos también negros *(Cristal*, «Don José González», 139-140). Eloísa Infante, una fina mujer de Moguer que gustaba contemplar desde su balcón la estrella de la mañana, le parecía una visión contra el cielo azul en su bata morada, con el cabello negro sobre los hombros, los brazos desnudos y los ojos en alto *(Cristal*, «La estrella de la mañana», 121), y se había fijado muy bien en la biznaga de jazmines que Herminia llevaba en el pecho una tarde de primavera. Herminia era una mujer alta de ojos azules que vestía de blanco y salía a recibirle, sonriente desde el fondo

_____

tulo «Casa azul marino». La *fantásticamente lírica* versión juanramoniana no fue del agrado de los hijos de esta señora y uno de ellos le escribió al poeta sobre el particular. Al publicar el trozo de nuevo, J. R. añadió lo siguiente: «UN SUEÑO. Ciriaca Marmolejo, este nombre tan extraordinario, me reclamó siempre asistencia. Y obsesionado por él, no por persona alguna, escribí bajo él un sueño, que a mí me trajo mi memoria dormida. / Lo declaro aquí con toda lealtad y gusto y pido perdón a los ofendidos por mí sin voluntad despierta» *(Moguer*, página 41). *Por el cristal amarillo* contiene la primera versión de «Ciriaca Marmolejo», de 1924.

de la casa de ella, por un paseo de piedrecitas que llegaba al zaguán *(Cristal,* «Herminia», 123-124).

Las mujeres vestidas de blanco tenían para él un encanto muy particular, más aún si eran de tez blanca porque entonces resaltaba más toda la blancura. Mayorcita Jote, la costurera que vivía en la calle de San José y que iba a coser a su casa de campo en Fuentepiña, era muy blanca y vestía de percal blanco, con un pañuelo grana al cuello; su pelo negro contrastaba con la blancura de su porte y se veía tan fresca y tan limpia, que se le parecía a la Virgen de Montemayor, cuya ermita estaba en la finca de Ignacia. A él le dolía que viviera en una casa pobre, porque ella merecía vivir en una casa con cancela de colores al patio y balcones *(Cristal,* «Montemayorcita Jote», 71-72). Era una muchacha ya mayor, tendría diez años más que él y lo de Jote era un apodo, su verdadero nombre era Montemayor Díaz. Cuando él pasaba por la ventana de la señorita Montemayor Díaz, costurera de Moguer, ella le saludaba complacida y alegre.

Otra muchacha sencilla del pueblo que él miraba absorto, porque era muy bonita, era la hija de Lauro, el ayudante de su padre. Se llamaba Aurelia y vivía en la calle de San Miguel; por eso a él le gustaba esa calle. También le gustaba la casa pobre de la plaza de las Monjas, donde vivía una actriz muy bonita que la gente decía que era muy desgraciada. Estaba hética. El galán joven pintaba el telón de mar en el corral de la casa de ella *(Cristal,* «El dondiego de noche», 86). La gente hablaba también de la enfermedad de Concha Marín, una señora viuda muy blanca, que se veía más blanca vestida de negro. Decían que tenía un zaratán en el pecho, un cáncer que nadie había podido curarle, y él deseaba matar a ese animal que la mataba a ella y como no podía, mataba a todas las sabandijas que veía por el camino si se parecían a un zaratán. Cuando los chicos salían del co-

legio, si se encontraban con Concha Marín, se ponían a decir
cosas de ella y de su enfermedad y él se imaginaba que ese
zaratán tenía que ser el mismo diablo, tan malo como los
hombres malos del pueblo, que, según las personas mayores,
hacían sufrir a sus mujeres matándolas de hambre, frío y
abandono; y preocupado por Concha Marín, se iba por la
calle del Coral, donde ella vivía, a ver si la veía sola con el
zaratán [8].

En el pueblo vivían otras mujeres extrañas. Pasando un
día ante una reja vecina, había visto a una mujer casada
toda desnuda, contemplando frente al espejo del ropero un
lunar grande que tenía en la sien. De la azotea de su casa
la oía reírse. Decían que era tonta porque se paseaba al ama-

[8] La Cintia Marín de «El zaratán» es un lírico doble de la señora
Concha Marín, de Moguer. Esta obra se publicó en *El Sol* de Madrid
el 12 de enero de 1936, bajo el título: «Con la inmensa minoría. Leyen-
da (Elegías andaluzas). El zaratán», y mucho después en forma de
libro, como sigue: *El zaratán*. Con 19 grabados de Alberto Beltrán, Colección «Lunes», núm. 20, Imprenta de Bartolomé Costa-Amic, México,
1946; *El zaratán*. Edición conmemorativa de la apertura de la Biblioteca «Juan Ramón Jiménez» en su casa de Moguer. Con ilustraciones
de Gregorio Pietro. Edición realizada por la Dirección General de Archivos y Bibliotecas, Talleres de Tipografía Moderna, Valencia, 1957.
Los lugares que J. R. menciona en esta obra son todos reales, a excepción de la calle «Los Corales», embellecimiento de la calle del Coral; los nombres de muchas de las personas en la obra corresponden
a los de verdaderos habitantes del pueblo: Herminia Picón, Reposo
Neta, don Joaquín de la Oliva y Lobo, don Domingo el médico (Domingo Pérez), Nicolás Rivero (a quien está dedicada la obra), don Augusto de Burgos y Mazo. Otros nombres tienen una gran semejanza a
los de personas reales: Lolo Ramos se parece a Lobo Ramos, habi-
tante de Moguer; Manolito Lalaguna tiene trazas de ser una fonética
adaptación de otro nombre conocido. Cuando J. R. se expresa de una
manera negativa sobre una persona real, altera bastante el nombre;
si se refiere a un asunto de carácter personal aunque no necesariamente negativo, cambia levemente el nombre; si se refiere a un hecho
conocido por todo el pueblo: e. g. «el colegio de don Joaquín de la
Oliva y Lobo», da el nombre tal como es.

necer, muy arreglada, entre los arriates de heliotropo de su
naranjal, pidiéndole en voz alta a la Virgen de Montemayor
que le trajera un niño. Y cuando su marido le traía los niños
que había tenido con otras, la generosa «tonta» los aceptaba
como suyos. Le impresionaban las mil cosas que se contaban de ella y ya grande había de evocarlas poéticamente,
cambiando un poco el nombre de la recordada, no queriendo
ofender ni tampoco deformar la realidad *(Cristal*, «Concha
Monte», 127-128). Le interesaba todo lo que se decía en el
pueblo, pero se aburría soberanamente en el colegio. Aun
así, era un estudiante bueno y cumplidor. Cuando se examinó de instrucción primaria el 25 de septiembre de 1891 en el
Instituto de Huelva para ganar acceso a la enseñanza media,
su nota fue Sobresaliente.

Como siguió estudiando el bachillerato en el mismo plan-
tel, entretenía su aburrimiento marcando los libros con su
sello, pintando viñetas y escribiendo su dirección y nombres.
En el primer curso, de 1891 a 1892, dio Latín y Castellano, y
Geografía; en el segundo curso, de 1892 a 1893, dio Historia
de España y siguió con el Latín y Castellano. Pese a lo que
le aburría el «latín adormilado» de don Joaquín de la Oliva
y Lobo, en el primer curso de Latín y Castellano sacó Notable, y en el segundo, Sobresaliente. La Geografía le interesaba más porque tenía que ver con esos sitios por donde
iban los barcos de Moguer y por donde se figuraba que había
estado su tío-abuelo. La aprobó con Sobresaliente, y en Historia de España, que le interesaba menos, sacó Notable.

Sus libros de estudios estaban escritos por los catedráticos del Instituto Provincial de Huelva, donde se examinaba,
o por los del Instituto de Jerez de la Frontera, personas todas de mucha preparación. A Juan Ramón le gustaba la *Gramática elemental de la lengua latina* del doctor don José
Ríos y Rivera, catedrático numerario por oposición de latín

y castellano en el Instituto de Jerez de la Frontera. Era éste
un señor de muchos cargos, según rezaba en las primeras
páginas del libro: abogado de los tribunales de la nación,
del claustro y gremio de la Universidad Literaria de Sevilla
en el de Derecho, licenciado en la Facultad de Filosofía y
Letras, académico de la sevillana de Jurisprudencia y Legis-
lación, antiguo sustituto retribuido y auxiliar con destino a
las cátedras de la sección de Letras en el Instituto Provincial de Sevilla. A Juan Ramón le gustaba el libro porque daba
algunas reglas en verso, como las de la página 29, que trataba de los «Géneros de los nombres y Reglas de significación»:

> Por su significación
> Son masculinos los nombres
> De varón, animal macho,
> Los oficios, profesiones
> De aquel y en el mismo género
> En latín siempre se ponen
> Todos los inanimados
> De *vientos, ríos* y *montes*
> Los de *meses*, y es preciso
> Distinguir como excepciones
> Los Alpes, ninfas, mujeres
> Que el propio idioma dispone
> Que sigan el femenino
> Pues como tal se conocen
> ....

Al pie de esa página Juan Ramón había anotado: «Estas reglas han sido escritas en verso castellano por don Arturo Ca-
yuela y Pellizzari»[9], y como le gustaba el libro no había es-

---

[9] Los libros de estudio aquí mencionados están en España bajo el
cuidado de Francisco Hernández-Pinzón Jiménez, sobrino del poeta, a
quien debe la autora el haber examinado este material. Entre los libros de J. R. hay una edición de la *Gramática elemental de la lengua
latina* que parece haber pertenecido a Jerónimo Villalón Daoíz y que
tiene los mismos versos al final, con leves variaciones.

crito ni dibujado en sus páginas. También muy docto tenía
que ser el autor de su libro de *Historia de España*, el doctor
don Antonio Fernández y García, Comendador de número de
la Real Orden Americana de Isabel la Católica, Individuo Correspondiente de la Real Academia de Historia y la de Buenas Letras de Sevilla, Catedrático por oposición de Geografía e Historia y Director del Instituto Provincial de segunda
enseñanza de Huelva. El libro era de 1890.

Para el curso académico de 1893-1894 Juan Ramón se matriculó en el Instituto de Huelva la Retórica y Poética, la
Historia Universal, el primer curso de Francés y Aritmética
y Álgebra; pero tuvo que renunciar a la matrícula porque
su padre decidió mandarle a él y a su hermano Eustaquio a
un colegio de jesuitas en el Puerto de Santa María, cerca de
Cádiz, a una corta distancia de Jerez de la Frontera. Se llamaba «Colegio de San Luis Gonzaga».

CAPÍTULO II

RELIGIÓN, RETÓRICA Y POÉTICA:
EL «COLEGIO DE SAN LUIS GONZAGA»

—*Madre, me olvido de algo, y no me acuerdo... / Madre,
¿qué es eso que olvido? / —La ropa va toda, hijo. / —Sí,
mas me falta algo, y no recuerdo... / Madre, ¿qué es eso que
olvido? / —¿Van todos los libros, hijo? / —Todos, mas me
falta algo, y no me acuerdo... / —Madre, ¿qué es eso que
olvido? / —Será... tu retrato, hijo. / —¡No, no! Me falta algo
y no recuerdo... / Madre, ¿qué es eso que olvido? / —No
pienses más, duerme, hijo...* [1].

Por la mañana, temprano, salió el pequeño Juan Ramón
con su hermano Eustaquio para el «Colegio San Luis Gonzaga» del Puerto de Santa María, cerca de Jerez. En esa mañana del temprano otoño de 1893 todo le parecía distinto.
Atravesaron la marisma, detrás de los eucaliptos se veía el
humo del tren, el cochero iba cantando; pero el chico llevaba el corazón oprimido.

---

[1] «El adolescente», de *Domingos* (1911-1912), en *Poesías escojidas
(1899-1917) de Juan Ramón Jiménez*, The Hispanic Society of America,
New York, 1917. (Impreso en Madrid, Imprenta Fortanet), pág. 166,
y en la *Tercera antolojía poética (1898-1953)*. Texto al cuidado de Eugenio Florit. Editorial Biblioteca Nueva, Madrid, 1957, pág. 296.

Llegó al colegio rendido de nostalgia. No se fijó que parecía un palacio, que era tres veces más grande que el más grande edificio de Moguer. La fachada era más grande que la del Ayuntamiento de Moguer; pero no tan bonita, porque el Ayuntamiento tenía en ambos pisos una gran galería enrejada, sostenida por delicadas columnas y medias columnas de mármol y el colegio no tenía al frente columnas de mármol. Era tres veces más grande que el convento de monjas de Santa Clara de Moguer; pero no era tan histórico ni tan antiguo. El convento estaba en la plaza de Monjas, donde él jugaba con sus amigos; él sabía que había sido una fortaleza de los tiempos de la Reconquista y había visto, dentro de la iglesia, los sepulcros de don Jofre Tenorio, Almirante de Castilla, y sus familiares, los señores de Portocarrero, con figuras yacentes de mármol y alabastro.

El colegio de los jesuitas, del Puerto de Santa María, era inmenso por fuera y por dentro. En la fachada tenía tres grandes puertas enrejadas, con tres grandes ventanas encima y tres tragaluces más arriba. A cada lado de las puertas de entrada había tres hileras de seis ventanas cada una y una hilera baja de seis tragaluces; total: treinta y nueve ventanas, quince tragaluces y tres puertas en la fachada, y no se podían contar, de tantas que eran, las ventanas a los lados laterales del edificio que daban a calles distintas, y las ventanas del fondo. Dentro todo era espacioso, empezando con el vestíbulo, con su gran escalera de mármol rosa con barandales y balaustres también de mármol. En el amplio descanso que conducía al segundo piso estaba la estatua de San Luis Gonzaga, el puro varón, con su lirio al brazo, guiando a un niño del otro brazo, su blancura sombreada por el nimbo de luces que se colaban por los cristales blancos y rojos de la ventana al fondo. A los cuatro lados de su inmenso interior, el colegio tenía interminables hileras de cuartos con las interminables hileras de ventanas que daban al exterior. Amplios pasillos, resguardados por galerías cubiertas de cristales, servían de marco al gran patio interior y dejaban que la luz se derramara por los suelos y las paredes enlosadas. Alrededor de los cuartos del segundo piso había una terraza de ladrillos con barandales de hierro entre medias columnas coronadas por macetones de geranios. En ese recinto interminable había de todo: una iglesia con un retablo franciscano y churrigueresco; una capilla; una enfermería; salones de clases; salón de actos y fiestas; comedor, dormitorios, despachos; convento para la comunidad. Pero el pequeño Juan Ramón no se fijó mucho en estas cosas; notó, sí, que encendían los focos grandes del patio, como para alegrarles su tristeza, y cuando los sacaron de paseo al otro día de su llegada, un domingo, su día favorito en Moguer, día callado y tranquilo como para contemplar y soñar a sus anchas, en el Puerto de Santa María le pareció la tarde del domingo descompuesta, incolora, hueca, tonta *(Cristal,* «El submarino Peral», 106).

Los niños internos en el «Colegio San Luis Gonzaga» del Puerto de Santa María andaban muy excitados ese primer domingo porque habían oído decir que el submarino Peral iba a estar en la Carraca, y cuando fueron a la playa de paseo hubo quien señalara hacia la Catedral y el castillo por sobre la bahía de Cádiz diciendo que lo veía. Juan Ramón no lo veía. Él sabía muy bien quién era Isaac Peral, el inventor del submarino, y sabía muy bien qué apariencia tenía el famoso submarino, dibujado al centro de su pañuelo favorito en un color morado que de tanto lavarse había quedado violeta. En Moguer todo el mundo sabía esas cosas porque Isaac Peral era pariente de Narciso Macías, un albéitar del pueblo, es decir, un señor que sabía curar a los animales. Por lo del parentesco había estado allí de visita y lo habían agasajado en el Casino de los Caballeros, donde tenían su retrato. Por el trasmuro había un dibujo añil del submarino Peral y ese dibujo y el de su pañuelo eran más de verdad que esa cosa que los internos señalaban en la playa diciendo que era el submarino Peral. Además, la playa estaba muy fea, llena de latas y retama, los colores no se veían, el agua estaba sucia y densa y la fábrica de gas, negra, estorbaba la vista. En su pueblo blanco y su casa blanca sí que brillarían los colores y sería dorada la sombra de la tarde y después se metería la luna por los cristales de colores de la cancela del patio de los arriates y el límpido cielo se pondría azulado de luceros y la voz de su madre estaría sonando por toda la casa; pero él, tan lejos, no podía oírla.

Pasó todo el otoño oscuro y nublado de nostalgia, para el invierno el mar empezó a parecerle azul, para la primavera se fijó que también allí los crepúsculos y las nubes eran rosa y que el sol brillaba «en el agua primaveral del patio grande» [2]. Cuando la huerta se puso verde, oyó el canto de la noria, notó que el cielo estaba «todo limón» y que de bajo poniente Cádiz se veía bellísimamente rojo. Al fin, los domingos volvieron a ser su día favorito.

A fines del siglo XIX, época del internado de Juan Ramón Jiménez en el «Colegio San Luis Gonzaga» del Puerto de Santa María, ésta era una ciudad importante y próspera y un gran centro vinícola; sus famosas bodegas estaban cerca del colegio, una de ellas a un costado, calle enmedio. Las calles eran amplias, las casas grandes, las iglesias bellísimas, obras, algunas de ellas, de Alfonso el Sabio y de los duques de Medinaceli. Tenía el Puerto una famosa plaza de toros, alegres paseos llenos de limoneros y naranjales, teatros, fondas, hospitales, sociedades, academias; pero ese no era el

---

[2] Inédito. En los archivos de J. R. J. en España.

mundo de los internos del colegio de los jesuitas. Su mundo era el del colegio y el de los breves paseos los días de fiesta. Más cerca que las bellezas del centro de la población estaba la bella vista de Cádiz lejana, a través de las muchas ventanas del piso alto. Por las mañanas, Juan Ramón contemplaba las doradas cúpulas de la catedral, resplandeciendo al sol por sobre el doble azul de mar y cielo. Se acordaba entonces de las lecciones de historia de la época fenicia, y pensaba en un gran templo con toldo de púrpura «bajo el inmenso azul con sol» [3]. Para entonces ya conocía Rota, un pueblo marinero y agricultor que cerraba la bahía frente a Cádiz; en las huertas, sobre las tierras arenosas al lado del mar, antes de comenzar los cultivos tenían que echar tierras fértiles. Con sus calles limpias y blancas se le parecía mucho a Moguer, por eso le gustaba. Estas cosas le distraían en el ascético ambiente del colegio, para él tan grande y tan frío. De tan ascético que era su nuevo ambiente empezó a sentir «una vaga sensación de paganismo» al contemplar la aurora azul y alegre de Cádiz [4]. Se sentía cohibido, pesaroso, pecador, al dar rienda suelta a su fantasía y a su curiosidad. Lo natural había dejado de ser la regla, no se podía hablar de novias ni de tonterías, era necesario ir serios cuando se les daba algún encargo, caminar en las filas con los brazos cruzados, vestir un uniforme de gente grande, de Almirante, negro, con galones dorados y rojos. Las pequeñas maldades se castigaban en grande, la cena se convertía en pan y agua de rodillas, a la entrada del comedor sobre el banquillo de

---

[3] «Castro», recuerdos inéditos. En los archivos de J. R. J. en España.

[4] Ver «Juan R. Jiménez. Habla el poeta», relación autobiográfica publicada en la revista *Renacimiento* de Madrid, en el número de octubre de 1907, pág. 422. Al volver a citar de esta fuente, abreviaremos a *Renacimiento*.

los expulsados. Para salvar el alma era preciso mortificar el cuerpo. Eso no lo había sabido él hasta entonces. En Moguer los deseos del cuerpo jamás habían estorbado las ilusiones del alma. Cuando sentado a los pies de su madre miraba el calidoscopio, soñando todas las bellezas posibles e imposibles, si se lo pedía el estómago, corría al comedor por un pico de rosca *(Cristal,* «Su madre», 58). Por las tardes, tirado a la sombra dorada del sol, en el jardín de su casa blanca, soñaba sus sueños mejores y, tanto en su casa como por las calles y los caminos de Moguer, andando como le diera la gana, sin pensar cómo llevaba los brazos, podía hablar y mirar y preguntar y fijarse por mera curiosidad, porque le gustaba, en el pelo y los brazos y los ojos de cualquier mujer, y en lo que llevara puesto, y podía hablar de ellas con los otros niños, como hacían los mayores cuando se reunían, como hacía toda la gente del pueblo. Pero en el colegio de los jesuitas estas cosas eran un pecado, éstas y muchas cosas más, la humildad cristiana le hacía sentirse a uno pecador, era necesario hacer constante examen de conciencia y era necesario meditar, su pasatiempo favorito; pero los jesuitas querían que los niños meditaran sobre el pecado, la muerte, el juicio final, el Cielo y el infierno. Para ganar el Cielo había que ser puro, como San Luis. Más importante que el saber era la moralidad, más importante que entrenar la mente era entrenar el alma, para eso eran las devociones, el retiro, las prédicas, las ligas, las congregaciones y el catecismo explicado de los domingos por la mañana, que acababan por echarle a perder el día.

Como el niño Juan Ramón era bueno y sensitivo, al principio de su estancia en el ascético ambiente jesuita se sintió piadosamente sobrecogido, pensó que le gustaría ser jesuita. En el año de 1893, año de su entrada al colegio del Puerto de Santa María, pasó a ser miembro de la Congregación Mariana que dirigía el buen padre Juan Nepomuceno Oliver, su director espiritual, a quien ya iba queriendo mucho. La Congregación era muy importante y los quince niños que a ella pertenecían, en días de guardar, llevaban sobre los uniformes unas cintas azules con la medalla de la Virgen. En marzo de su primer año en el colegio (1894) se ganó un primer premio de conducta y le dieron una medalla especial. Después se ganó otros premios; pero recibir premios le daba malestar (*Platero*, LVII, «Los gallos»).

El colegio del Puerto iba a ser su morada por unos años más y dócilmente se adaptó a esa vida distinta. A los cinco meses de estar allí[5] le hicieron dirigir una solicitud al director del Instituto de Huelva pidiéndole que le anularan la matrícula y que se le diera un certificado de estudios para que se hiciera el traslado al Instituto de Jerez de la Frontera, con el que estaba afiliado el «Colegio de San Luis Gonzaga», del Puerto de Santa María.

Las clases del colegio del Puerto eran a veces tan aburridas como las del colegio de don Joaquín de la Oliva y Lobo en Moguer, entonces él se entretenía dibujando, como en Moguer. Si antes pintaba viñetas, ahora pintaba cosas sagradas, porque estaba rodeado de ellas: cálices y hostias; el corazón de Jesús ardiente y sangrante, traspasado de espinas, como en los escapularios; la cruz, el rosario; el pódium del maestro que tenía delante; los libros sagrados y una tumba con las palabras «Acuérdate que morirás». La muerte ya no le parecía natural, como cuando murió su amigo Alfredito Ramos y fueron a llevar su cajita al cementerio, o como cuando murió la abuela mamá Teresa, en un delirio de flores, como contaba su madre. Como una protesta, tachó un día el dibujo de la tumba con el «Acuérdate que morirás»;

---

[5] En febrero de 1894.

pero no tachó el dibujo de una placa que decía «Volemos al Cielo para allí juntarnos con tan cariñosa Madre», aunque se trataba también de morirse, ya que de otro modo no se podía volar al Cielo. Ambas eran copias de dibujos que por allí tenían los Jesuitas, era absurdo que él fuera a inventar esas cosas. Lo de la *cariñosa Madre* era más armónico a sus inclinaciones. Como todos los moguereños, él era muy devoto de la Virgen; pero su devoción estaba vinculada a la alegría del pueblo, a las romerías. Todo Moguer iba a la ermita de la Virgen de Montemayor, a la bonita finca que llevaba ese nombre, a rendirle homenaje a la Divina Patrona. Esa finca sería después de Ignacia, la hermana de Juan Ramón; la compraría el marido de ella, Pedro Gutiérrez.

En Moguer mucha gente se llamaba Montemayor, Mayor, Mayorcita y hasta Montemayorcita. Los moguereños querían mucho también a la Virgen del Rocío, Patrona de Almonte, otro pueblo de Huelva. La ermita estaba en las marismas de la margen derecha del Guadalquivir. La Virgen que tenían los jesuitas no era como éstas, es decir, cuando se pensaba en ella no se pensaba en el pueblo y en las romerías porque era la Inmaculada Concepción y había que pensar en su pureza.

Distraído o hastiado, el alumno Juan Ramón Jiménez repetía el nombre del colegio en cualquier espacio en blanco de sus libros, y las iniciales «JHS» y las propias iniciales «J. R. J.». Dibujaba el perfil de hombres ascéticos, sus maestros, y la cara de luna con espejuelos de un padre Pablo. Su *Manual de Retórica y Poética* estaba lleno de dibujos *(Cristal*, «Aburrimiento», 125-126). Publicado tres años atrás, es decir, en 1890 [6], el libro andaba por la quinta edición. Su au-

---

[6] Jerez, Imprenta de El Guadalete, a cargo de don Tomás Bueno, calle Compás, núm. 2.

tor, Nicolás Latorre y Pérez, era catedrático numerario de
dicha asignatura en el Instituto Provincial de Jerez de la
Frontera, de donde una comisión de señores catedráticos iba
a examinar a los alumnos del colegio del Puerto. El *Manual*
del catedrático Latorre y Pérez estaba lleno de referencias a
toda clase de autores. Se les citaba a manera de ilustración,
apoyándose en el estilo de los grandes escritores como Fray
Luis de Granada, Fray Luis de León, Garcilaso, Cervantes,
Góngora, porque «el estilo, como el gusto, se forma ante todo
con modelos bellísimos nutrido», decía el *Manual* en la página 74, en «Medios para adquirir un buen estilo», remedan-
do un verso de la *Poética* de Martínez de la Rosa que ya había sido citado en una página anterior (la 4). Como los *modelos bellísimos* no se estudiaban de por sí, sino para ilustrar los preceptos, el alumno Juan Ramón Jiménez no entendía que procedían de un conjunto, ya fuera en verso o en
prosa. Le parecía que eran así, sueltos: «Acude, corre,
vuela...», «Pasando por un pueblo...» [7]. Le aburría la clase,
se ponía a pensar en otras cosas, llenó de garabatos las «Nociones preliminares» de Literatura y Estética en las primeras páginas del *Manual*. En la esquina izquierda de una de
esas páginas pintó la bonita cabeza de un burro.

Según fue adelantando en los estudios, Juan Ramón se
fue enterando que los ejemplos del *Manual de Retórica y
Poética* en algunos casos eran partes de poemas muy bellos,
en particular los tomados de Góngora [8]. Empezó entonces a
escribir versos sueltos, con lápiz y pluma, en las márgenes

    [7] «Libros simpáticos y antipáticos». Apuntes inéditos. En los ar-
chivos de J. R. J. en España.
    [8] «Cuando estudiaba Retórica y Poética, lo que más me gustaba
era Góngora. Sus romances», le dice J. R. a Juan Guerrero Ruiz en
Juan Ramón de viva voz. Edición y prólogo de Ricardo Gullón, Ínsula, Madrid, 1961, pág. 68.

del libro, y como esos habían sido sus primeros versos, después, para conservarlos, le arrancó esas páginas al libro [9].
Para esa fecha su afición mayor no era la poesía, sino el dibujo, y como el *Manual* tenía una página entera en blanco, la llenó con la figura de un cruzado de perfil, pergamino en mano y espada al cinto y a la cabeza un yelmo en punta sobre una cara fina de barba corta puntiaguda y ojos negros. La cara era ascética y de mirada intensa como en los caballeros de «El entierro del Conde de Orgaz». Después de la página ya no en blanco por el dibujo, y empezando en la página 7 del *Manual*, se trataba del *arte del bien decir* y eso estaba muy bien marcado, como todo lo que el maestro hacía destacar, porque era necesario saberse de memoria los preceptos, sin dar opiniones ni especular. En la página 3, por indicación del maestro, había tachado la frase: *La belleza es una, espiritual, pero se manifiesta de varios modos*, y en su lugar

---

[9] J. R. le refiere este hecho a Guerrero, que más tarde confirma haber visto algunos versos en hojas sueltas: «las poesías del Colegio, escritas en las márgenes de sus libros de estudio, la Retórica, la Historia de España, y son las poesías de los catorce años, de las cuales hay algunas recogidas en *Rimas*» (*J. R. de viva voz*, pág. 96). También dice Guerrero: «De uno de los grupos de libros que hay sobre la mesa del comedor (J. R.) escoge dos textos suyos de su época de estudiante: la *Historia de la Filosofía*, del año preparatorio de Derecho, y su *Retórica y Poética*, del Instituto, muchas de cuyas hojas están sueltas y escritas a lápiz y pluma, con algunos versos, dibujos ...» (*ibid.*, páginas 180-181). Se conoce y comenta en esta obra el *Manual de Retórica y Poética*, libro que J. R. usó en el colegio de los jesuitas y que está lleno de marcas y dibujos; pero no se conocen las *hojas sueltas con algunos versos*. Las dos historias que menciona Guerrero corresponden a dos asignaturas que siguió J. R. en la Universidad de Sevilla, de 1896 a 1897, entre los catorce y quince años de edad. La relación de Guerrero está basada en conversaciones con J. R. en marzo y mayo de 1931. Existe un testimonio posterior de J. R. en el que dice que no conservaba nada de lo que escribió a los quince, que lo había destruido, menos lo que, por ser del público, ya no consideraba suyo. Esto aparece en un artículo sin firma titulado «Lo primero que escribieron nuestros grandes autores», en *Estampa*, Madrid, julio 15, 1933.

había dejado lo que decía: «la representación de la belleza por los medios de que el hombre dispone, se llama *Arte bello en general*». Había hecho destacar estas líneas con marcas al margen y también lo que seguía, que trataba de la exteriorización de la belleza y su representación por medio de *imágenes* o *signos* que llegan principalmente a nuestra alma por conducto de los sentidos *(Manual, ibid.)*.

En las «Nociones preliminares» del *Manual de Retórica y Poética*, literatura y belleza quedaban identificadas en el primer párrafo: «Se entiende por Literatura, en toda su extensión, la ciencia que se ocupa en los estudios relativos a la belleza, en las teorías y leyes por que deben regirse las composiciones literarias, y en la historia razonada de las que ha producido el ingenio humano». En la misma página se definía la Estética como «la teoría de la *belleza*», y la *belleza* como: «la propiedad misteriosa, el *quid divinum*, que tienen ciertos objetos de producirnos una emoción deleitosa, pura y desinteresada» *(Manual, pág. 1)*. Los párrafos que seguían sobre las Bellas Artes y sobre el Gusto estaban tachados; pero los de la parte correspondiente a «La verdad de los pensamientos» se hacían resaltar. Explicaban que la verdad del pensamiento consistía «en su conformidad con las cosas a que se refiere» y que, de faltar esta conformidad, el pensamiento se llamaba *falso, inexacto*. Con tres versos de Fernández de Andrada se ilustraba un pensamiento con verdad absoluta:

La codicia en manos de la suerte
Se arroja al mar, la ira a las espadas
Y la ambición se ríe de la muerte *(Manual, pág. 10)*.

Dos versos de Góngora servían para ilustrar una verdad poética o relativa:

La primavera florece
Do la breve huella estampa *(ibid.).*

La parte que tenía que ver con la «Naturalidad» se había hecho destacar también con marcas al margen: «Es *natural* el pensamiento que nace del fondo mismo del asunto sin descubrir arte ni esfuerzo por parte del escritor; de tal suerte que parece hubiera ocurrido á cualquiera»; de lo contrario, explicaba, «se llama el pensamiento *afectado, estudiado ó rebuscado» (Manual,* pág. 14). Las páginas del capítulo II del *Manual* sobre el lenguaje, las voces y su pureza, la propiedad de las voces, la naturalidad, la decencia y armonía del lenguaje, las figuras de dicción y los medios para adquirir un buen estilo tenían muchas marcas al margen. Mucho le aburrió al estudiante Juan Ramón el estudio de las «figuras por adición» y el de la metáfora. Al lado de una estrofa de la «Elegía al Dos de Mayo» de Gallego, dibujó a un padre Pablo de cara fea, quizás porque no le gustaba la estrofa:

Mustio el dulce *carmín* de su mejilla
Y en su frente marchita la *azucena,*
Con voz turbada y anhelante lloro
De su *verdugo* ante los pies se humilla,
Tímida virgen de amargura llena;
Mas con furor de *hiena,*
Alzando el corvo alfange damasquino
Hiende su cuello el bárbaro asesino. *(Manual,* pág. 51.)

Mucha atención se había puesto en aquellas lecciones del *Manual* en las que se recomendaba la claridad como cualidad fundamental del lenguaje, definiendo como *propias* «las palabras que enuncian exactamente la idea que intentamos expresar» (pág. 27) y como *naturales* «las palabras que aparecen empleadas sin arte ni violencia, y que se brindan por sí mismas *(non invita)* al escritor» (pág. 28). Los preceptos «De la decencia» también estaban destacados con líneas al margen: «Esta cualidad del lenguaje antes que literaria, es moral y de buena crianza, principios á que no es dado faltar á nadie. Las palabras *impías, obscenas, bajas ó groseras* no deben manchar nunca los labios del que habla, ó la pluma del que escribe. En tanto son bellas las formas de expresión con que enunciamos nuestros pensamientos en cuanto son el resplandor de lo bueno, de lo decente y de lo digno. La Moral y el Arte no pueden menos de vivir indisolublemente unidos» (págs. 28-29). En la tercera parte del *Manual*, sobre «Poética», el alumno Juan Ramón escribió la palabra *veritas* al margen de los artículos 3 y 4, que decían que «la poesía es la primera de las bellas artes, y en tal concepto no copia ni *imita* simplemente, sino que inventa y fantasea con arreglo á tipos ingénitos y más o menos perfectos de belleza». Proseguía el artículo 4: «Lo *verdadero* y lo *bueno* son su *fondo* necesario, pero no lo verdadero y lo bueno tal como nos lo presenta la realidad imperfecta y limitada, sino embellecidos é idealizados por la imaginación, por el sentimiento, por el entusiasmo, ó sea por el *quid divinum*, ó el *est deus in nobis* que justamente se arrogan los poetas». Cuando llegó el momento de leer la «Epístola ad Pisones», en la que Horacio enseña que en toda creación poética debe de haber, además de *unidad* y *variedad, armonía*, Juan Ramón volvió a aburrirse, tal vez no le gustó la comparación entre un monstruo y un poema mal concebido.

Además de Retórica y Poética, Juan Ramón dio el primer año en el colegio de los jesuitas, Aritmética y Álgebra y el primer curso de Francés. Odiaba los logaritmos, con sus papeles azules y rojos que jamás supo para qué servían, el libro volvió a su casa nuevo. Le gustaba el Francés y el libro de Castellón de lecturas selectas: *Morceaux Choisis de Littérature Française (depuis le XVIe siècle jusqu'à nos jours,*

1840), que incluía la prosa de Lamartine, Chateaubriand, Gautier, Rousseau, Voltaire, Pascal, Montesquieu, La Bruyère, Mme. de Staël, A. Dumas, Balzac, V. Hugo, George Sand, Daudet, Zola; versos líricos de La Fontaine, Charles Hubert Millevoye, Pierre Alexander Guiraud, Le Franc de Pompignan, Nicolas Joseph Gilbert, Mme. Desbordes-Valmore, de Béranger, Lamartine, Rousseau, Chénier, Andrieux, Musset, Delavigne, Boileau; versos épicos de Hugo, Lamartine, Voltaire, Racine, Delille y fragmentos dramáticos de Molière, Corneille, Racine y Voltaire. De todas las selecciones, la que más le impresionó fue un trozo de Gautier, recogido de «L'Alameda de Grenade à la tombée de la nuit», de su *Voyage en Espagne*, porque era como las caídas de la tarde de sus contemplaciones moguereñas. Gautier hablaba de un manto de seda cambiante, con destellos de plata; de semitonos violetas, según el sol desaparecía; de un cielo andaluz centelleante y sereno, como los de su pueblo: «la montagne semble avoir revêtu une immense robe de soie changeante, pailletée d'argent; peu à peu les couleurs splendides s'effacent et se fondent en demi-teintes violettes; l'ombre envahit les croupes inférieures; la lumière se retire vers les hautes cimes, et toute la plaine est depuis longtemps dans l'obscurité que le diadème d'argent de la Sierra étincelle encore dans la sérénité du ciel sous le baiser d'adieu du soleil» (pág. 29).

En junio de 1894 la comisión de señores catedráticos del Instituto de Jerez examinó al nuevo alumno del colegio de los jesuitas del Puerto de Santa María, Juan Ramón Jiménez Mantecón, en las tres materias en que se había matriculado: Retórica y Poética, Aritmética y Álgebra y el primer curso de Francés. En las tres asignaturas sacó Sobresaliente.

En el segundo y tercer año en el colegio del Puerto, de 1894 a 1895, y de 1895 a 1896, las clases fueron más y las notas menos, en particular en el segundo año, que le tocó dar el segundo de Historia, el primero de Filosofía, Derecho, el tercero de Matemáticas, el primero de Física y el primero de Historia Natural. Él había estudiado en Moguer el primer año de Historia, que trataba de Historia de España. El segundo año trataba de Historia Universal y el libro que usaban los jesuitas le gustaba más por las notas que por el contenido. Su calificación fue Bueno. Le disgustaban las clases de Filosofía y de Derecho: la primera tenía que ver con Psicología Elemental y la segunda con el Derecho Natural. El libro, *Elementos de Filosofía*, escrito por un jesuita, el padre Francisco Ginebra, llevaba el subtítulo: *Principios de Ética y de Derecho Natural*, y era una tercera edición hecha en Barcelona en 1894 [10]. En esa clase, se entretenía firmando su nombre por las páginas del libro y dibujando esos perfiles de hombres con barbas que tanto le gustaba hacer. También dibujaba caballos, pensando quizás en Almirante, el caballo que su padre tenía en Moguer, y a un negrito de espaldas, como los que vivían en las islas, según las etiquetas de las cajas de tabaco que él había visto en Moguer. Las tardes de domingo en su pueblo, cuando él viajaba alrededor del mundo mirando el calidoscopio, había visto esos negritos [11]. A veces dibujaba los cálices, cuadros y altares del colegio, y en un espacio grande en blanco dibujó un Jesús a su manera: sin la corona de espinas, sin el corazón ardiente y sangrante traspasado por la espada, como en los escapularios y las estampas, que él imitaba en las páginas del *Manual de Retórica y Poética* durante el primer año en el colegio. Este Jesús se parecía a *la cariñosa madre*, a la Inmaculada Con-

---

[10] Imprenta de Francisco Rosal, Hospital, 115.
[11] Ver «Tarde de domingo», en *J. R. J., Primeras prosas*. Recopilación, selección, ordenación y prólogo de Francisco Garfias, Aguilar, Madrid, 1962, pág. 411. Al citar de esta obra en el texto, abreviaremos a P. P.

cepción. Como ella, subía a los cielos con las vestes flotantes y las manos juntas; pero el manto no era azul, sino púrpura, como el del Crucificado. Pese a ese aburrimiento, en la clase de Filosofía y la de Derecho Natural, alguna atención había prestado a las indicaciones del maestro. En el libro había muchas cosas tachadas. Muy importantes eran las cosas no tachadas, como el artículo 81, que decía: «El hombre tiene obligación de obrar con conciencia cierta». Tampoco estaban tachados los siguientes corolarios: «I — No es lícito obrar con conciencia venciblemente errónea. II — Tampoco es lícito obrar en conciencia dudosa. III — Caso de conciencia perpleja, hay que decidirse por el precepto mayor». Tampoco estaba tachado, aunque la página tenía muchos dibujos de hombres con barbas, el artículo 102 que trataba de la «División de las pasiones: I Concupiscibles ó directas e irascibles o reactivas. II Directas: se subdividen en amor, deseo y alegría y sus opuestas que son odio, aversión y tristeza. Reactivas: esperanza y desesperación, audacia y temor é ira». Cuando Juan Ramón examinó las asignaturas recibió la nota Aprobado en Filosofía, y en Derecho, Bueno. Su mejor nota ese segundo año con los jesuitas fue en el tercero de Matemáticas: Geometría y Trigonometría, que aprobó con Sobresaliente. En Física e Historia Natural se distinguió poco, sacó Bueno y Aprobado, respectivamente. Odiaba los animales embalsamados en la clase de Historia Natural *(Platero,* CXXV, «La fábula»); pese a que en la vitrina grande tenían una tortuga griega como la que él y su hermano Eustaquio se encontraron en Moguer, pero la de él estaba viva. En una de las páginas del libro de Historia Natural había encontrado un dibujo de la famosa tortuga griega.

En el último año del Bachillerato los estudios le fueron mejor. Se matriculó en cinco cursos y los aprobó con Sobresalientes y Notables: en Lógica y Ética y el segundo curso de Francés sacó Sobresaliente; en Fisiología e Higiene, en Química y en Agricultura sacó Notable. Pese a que la Física y la Química no le eran asignaturas fáciles, el padre Martínez, su maestro, con frecuencia hacía que él explicara las lecciones a los otros [12]. En cuanto a la Agricultura, no le disgustaba porque procedía de un pueblo agricultor, por eso también le gustaban los versos de Núñez de Arce, titulados «La Agricultura» [13]. Entre los alumnos del colegio del Puerto, Juan Ramón Jiménez Mantecón era un chico juicioso, dócil y disciplinado. Los profesores y compañeros le escuchaban con atención, el Rector del colegio le estimaba y sus maestros a veces le ponían de modelo a los demás; pero él no estimaba por igual a todos sus profesores.

Entre sus superiores, le impresionaba mucho el padre Castelló, Rector del «Colegio San Luis Gonzaga», hombre fino, bondadoso, caballeroso, excelente, pese a que usaban su nombre para amenazar a los estudiantes a la menor infracción de las reglas. De otros no tenía tan buena impresión y al acordarse de ellos se los imaginaría medio hombres, medio animales, medio cosas, como su maestro de catecismo, con «su bonete exactamente horizontal, y como enquistado a sus cejas de crin, a su boca pegada, a sus enormes gafas amarillas, mayores que su carita de recién nacido», y recordaba que se movía «como un muñeco con ruedas», que los miraba «con sus duros, aislados, opacos ojos de orozuz, que parecían pasas postizas, peladillas de carbón en escaparate» [14]. Otro padre, a quien después le daría el literario nombre de padre

---

[12] Ver Francisco Quesada, «La vida escolar del insigne poeta, referida por un condiscípulo suyo», *ABC*, Madrid, diciembre 1956.

[13] «Libros simpáticos y antipáticos». Inédito.

[14] «Sonrisas de Fernando Villalón con soplillo distinto», en *J. R. J.*, *La corriente infinita*. Crítica y evocación. Recopilación y nota preliminar de Francisco Garfias, Aguilar, Madrid, 1961, pág. 81. En repetidas referencias a esta obra se abreviará el título a *Corriente*.

Zebriany [15], encargado de los juegos durante el recreo, le parecía «un gamo negro, elástico, alerta, ojeante, un poco bisojo», con una cara que era «trasunto exacto de la de Carlos el Hechizado» [16]. Recordaba que los trataba «con finura y gracejo serio», iniciando el juego con alguna salida «pedante, abierta, desvergonzada» [17]. El Prefecto de su división, el padre José M. de la Torre, un hombre altísimo que en los recuerdos posteriores de Juan Ramón, «andaba con miedo, caída la cabeza morena contra el corazón, como un ahorcado», les obligaba a escribir a sus familias unas cartas «tristísimas» cuando se portaban mal [18]. Él las dictaba, encargándole a los interesados que fueran a buscar al delincuente cuanto antes; pero el truco jamás se cumplía. En la Secretaría Segunda, cuarto de las reprimendas, el padre de la Torre guardaba el vino dulce, el café, las pasas, el chocolate, las nueces y el tabaco, cosa desmoralizante para los reprendidos.

Las grandes travesuras del estudiante Juan Ramón Jiménez Mantecón eran poca cosa. Como los otros alumnos, conseguía del barbero del colegio Susinis para los camaleones y Henry Clays. Su travesura mayor fue hacer un dibujo de mujer en la clase de catecismo y pasárselo a un compañero. No se acordaba bien de los detalles, si le había pasado el dibujo a Fernando Villalón Daoíz y Halcón, como le llamaba el padre Prefecto en las lecturas de notas, o a otro compañero llamado Mencos. La cosa fue que el padre Carles interceptó el dibujo y él y el otro, que quizás fuera Villalón, cenaron de rodillas y en cruz a la entrada del comedor. La dibujada era la

---

[15] En fragmentos inéditos con recuerdos del colegio de los jesuitas aparece el nombre de un padre Fedriany, del que sin duda se deriva el nombre literario Zebriany.
[16] «Sonrisas de Fernando Villalón ...», *Corriente*, págs. 82 y 83.
[17] *Ibid.*
[18] *Ibid.*, pág. 84.

Battistini, una tiple italiana que él, Villalón y Mencos habían ido a ver a un teatro de Sevilla durante las vacaciones. Los tres se enamoraron de ella, y él, que se entretenía dibujando cuando le aburría la clase, la pintó dormida en su papel de «La Sonámbula» con una camisa blanca. Villalón, que simpatizaba con él y procuraba agradarle, descubierto el dibujo intercedió, diciendo que Juan Ramón había pintado el cuerpo y él la camisa de dormir encima del cuerpo invisible en el dibujo. Pero el dibujo era de Juan Ramón, para entretenerse de su disgusto de la dichosa clase de catecismo de los domingos por la mañana, que le estropeaba la alegría del día. Y el libro le era odiosísimo, un «mazorral tipográfico» empastado en color chocolate, con un retrato negro del autor, el padre Mazo, y «guardas grises con la casa de pisos del editor en Valladolid» [19].

La docilidad y delicadeza del niño Juan Ramón Jiménez fueron sus peores enemigos en el colegio de los jesuitas. Los demás se desquitaban de sus pequeños grandes disgustos; él, no. Villalón, que era un *niño decente*, a veces se sentía con ganas de romperle la cara a uno de los padres y se atrevía a gastarles burlas y a desafiarlos casi. A Juan Ramón le parecía que había llegado a darle una bofetada al padre Fedriany [20]. Él, sin embargo, estaba siempre dispuesto a confesar sus pequeñas culpas, a contestar sencilla y directamente sus pequeñas grandes verdades. Por ejemplo, cuando escribía a su casa ponía sencillamente Huelva y Moguer debajo, lo cual disgustaba mucho al padre Prefecto, que insistía que lo correcto era provincia de Huelva. Un día él y Villalón tuvieron que ir al cuarto de las reprimendas por hablar de novias y de tonterías y porque Villalón, que era muy burlón, se mofaba del padre Oca, del que decían: «Juan Oca, no te cases».

---

[19] *Ibid.*, págs. 80 y 81.
[20] En una carta inédita en los archivos de J. R. J. en España.

El Prefecto les hizo escribir la consabida carta triste a la familia y al ver que Juan Ramón ponía Huelva en vez de provincia de Huelva y en otro sitio que a la izquierda del sello, como les tenía enseñado, le reprendió, interrogándole duramente por qué no lo hacía bien. Villalón, que había escrito su dirección como era debido, intercedió burlón, diciendo que Juan Ramón lo ponía abajo y a la izquierda porque Huelva estaba al suroeste de Moguer y él ponía la suya bien porque Morón estaba debajo de Sevilla; pero Juan Ramón se limitó a contestar que lo había puesto a su modo porque le gustaba más [21].

Villalón vivía en Morón; pero veía a Juan Ramón en Sevilla porque sus tíos vivían allí. De Sevilla eran los juegos que llevaban al colegio para jugar en un lugar solitario del patio de recreo. Aunque de su misma edad, Fernando Villalón tenía más cuerpo que él y, pese a sus alardes, era un muchacho sensitivo, sabía expansionarse con su compañero Juan Ramón, a quien conmovía cualquier gesto bondadoso. Por eso había recordado siempre a otro compañero, Rafael Aguilar, alumno de la tercera división, que el día del castigo por lo de la Battistini le miró cariñosamente al pasar, manifestándole su simpatía con un roce del codo. Los tres años pasados con los jesuitas, de septiembre de 1893 a junio de 1896, se le metieron tanto por el cuerpo y el alma que llegaron a constituir una larga época pensada por él, la del bachillerato, olvidándose que los dos primeros años los había estudiado en Moguer, en el colegio de don Joaquín de la Oliva y Lobo. Llegó a creerse que había entrado al colegio de los jesuitas en el Puerto de Santa María hacia los nueve años de edad y cuando en 1931 le pidieron unas anécdotas de la vida de colegial de Fernando Villalón, para un home-

---

[21] «Sonrisas de Fernando Villalón ...», *Corriente*, pág. 85.

naje que pensaba hacerle un grupo de escritores, escribió: «Fernando Villalón era de mi misma edad. En el colejio de San Luis Gonzaga, de los jesuitas del Puerto de Santa María, donde estuvimos juntos cinco años, 1889-1894, existió por fuera, entre los dos, una relación constante...» [22]. En el año 1907, menos alejado de su niñez, al hacer su autobiografía para la revista *Renacimiento* de Martínez Sierra, recordaba, con la fidelidad de la distancia menor en el tiempo: «los once años entraron de luto, en el colegio que tienen los jesuitas en el Puerto de Santa María», y en unos apuntes inéditos para una obra en preparación reiteraba: «Los Jesuitas. A mis once años. Preparación para mi obsesión de la muerte». En 1893 fueron sus once años, los había cumplido el 23 de diciembre del año anterior.

Las nostalgias y las tristezas del primer año con los jesuitas, magnificadas, suplantaron todos los demás recuerdos de su estancia en ese colegio; pero mucho después, en las postrimerías de su vida, con ocasión de dedicarle un libro de poemas a su sobrino Fernando Jiménez, que estudió para el sacerdocio en el mismo «Colegio de San Luis Gonzaga», le decía: «A mi querido sobrino-nieto Fernando, en los lugares en que tanto soñé, sufrí y gocé de muchacho...». Le pedía que le mandara retratos con los fondos que recordaba tan bien y con tanto cariño: la glorieta del jardín, con los bancos frente a las escaleras; la montaña rusa que se veía desde la ventana del salón de clases; el patio central abierto al cielo donde se celebraban las mejores fiestas del colegio; la clase de pintura, el comedor, la escalinata que salía a la enfermería y la vista desde ésta de la bahía de Cádiz [23].

---

[22] *Ibid.*, pág. 87. A base de estos recuerdos se fijó la edad de su entrada en el colegio de los jesuitas en *Vida y obra de J. R. J.*, pág. 20.

[23] J. R. hacía el pedido por mediación de su mujer, Zenobia. La carta de ésta, enviada con el libro al sobrino-nieto Fernando, fue re-

En junio 19 y 25 de 1896 el alumno Juan Ramón Jiménez Mantecón, del «Colegio de San Luis Gonzaga», hizo en Jerez los ejercicios del grado de Bachiller y salió aprobado. Por razones poéticas, el colegio pasó a ser, en la obra por escribir, «un colegio grande y frío», y los jesuitas, «los hombres negros». De palabra y por escrito, Juan Ramón Jiménez dejó constancia que había estado a punto de ser jesuita [24]. De algún modo le atrajeron «los hombres negros», que despertaron en él el neto instinto español hacia la simplicidad austera de hondas raíces metafísicas y la consciencia de que la actividad puede ser estimulada por la voluntad cuanto más que por las pasiones. Y del «San Luis Gonzaga» se llevó, con el grado de Bachiller, una gran preocupación por el alma y el cuerpo: una obsesión con la carne y un ansia incomprensible de pureza.

---

producida en parte por Joaquín María Carretero, S. I., en «Juan Ramón Jiménez y el Colegio del Puerto. Nuevos datos para la biografía», *ABC*, Madrid, diciembre 26, 1964.

[24] Fragmento inédito. En los archivos de J. R. J. en España.

CAPÍTULO III

EL AMOR. «VINO, PRIMERO, PURA, ...»: BLANCA HERNÁNDEZ-PINZÓN

Al salir del colegio, hubo algo feliz en mi vida: es que el Amor aparece en mi camino [1].

Se había enamorado de Blanca Hernández-Pinzón, a quien conocía de siempre, porque entre la familia de él y la de ella existía una gran intimidad. Sus padres eran don Antonio Hernández-Pinzón Berruezo y doña Dolores Flores Tello.

Don Antonio, muerto cuando Blanca era pequeña, había sido Juez Municipal de Moguer, además de agricultor acomodado, y tenía, como los Jiménez, negocio de vinos, con una bodega en El Salto del Lobo, un antiguo castillo árabe del que sólo quedaban un par de torreones. El tío de Blanca llevaba el negocio y los dos hermanos, José y Antonio, estudiaban fuera. Blanca y su hermana María Gracia vivían con su madre viuda en una casona de la calle de la Cárcel propiedad de los Hernández-Pinzón. José, el hermano que estudiaba para abogado en la Universidad de Sevilla, era novio de la hermana de Juan Ramón, Victoria Jiménez, a quien él

---

[1] J. R. J., *Renacimiento*.

no le había hecho mucho caso de pequeñito, por haber preferido a Ignacia, la hermana mayor; pero ésta se había casado por los años de su entrada al «Colegio San Luis Gonzaga» y al volver él a Moguer de vacaciones, Victoria «apareció
como la estrella familiar» e iba con él a pasear por los pi-
nares, a verle pintar, a leer juntos. Por Victoria se fijó en
Blanca, y Blanca en él. Nada extraño tendría que se casara
con Blanca cuando fuera grande, pues su hermana Ignacia
se había casado con un joven de una familia como la de
Blanca; se llamaba Pedro Gutiérrez Díaz y era agricultor,
ganadero y vinatero. Blanca estaba en el colegio de doña
Margarita Asencio, un colegio de niñas de Moguer, y en las
vacaciones iba a casa de los Jiménez a hacer crochet con
Victoria y él iba a casa de Blanca de visita. Una vez que ella
se puso enferma, con mucha vergüenza de él, le hicieron
entrar en su cuarto; se acordaba que, como ella tenía mucha fiebre, todo el mundo hablaba bajito (*Cristal*, «El brazo»,
151). El noviazgo de ellos consistía en besarse de prisa, mientras la madre de ella dormía con el rosario en la mano [2].
A él le parecía a veces que Gracia, la hermana de Blanca,
se interponía entre los dos, queriendo que él se fijara en
ella, pero él a quien quería era a Blanca, su novia preferida;
aunque también estaba un poco enamorado de María Teresa
Flores, que también tenía una hermana, Coral, que se interponía reclamando su atención. Por cierto que María Teresa
era pariente de los Hernández-Pinzón, su madre se llamaba
doña Fernanda Íñiguez Hernández-Pinzón, como los de la
epopeya. Su padre era don Antonio Flores, y la familia tenía
también fincas y negocios de vinos. El noviazgo con María
Teresa era una cosa pasajera. Ella estaba interna en un co-

---

[2] Ver «Balada de cuando yo estaba lejos de la luna», *Primeras
prosas*, pág. 264.

legio de irlandesas, donde aprendía algo de inglés y le gustaba traducirle la etiqueta de su frasco de esencia[3].

Sus días en Moguer volvían a tener el encanto de antes, los bellos rincones de su casa volvían a ofrecerle solaz. En el segundo descanso de la escalera de mármol encontró un lugar favorito de soledad, allí leía libros de bandoleros que encontraba por su casa, *Diego Corrientes* y el *Quijote*, y libros de viaje. Su padre había comprado un caballo marismeño vivo y fuerte y él se iba de paseo temprano por la mañana a galopar por las marismas, asustando los grajos que buscaban de comer cerca de los molinos. El caballo se llamaba «Almirante» y tenía un pesebre en el mismo patio de su casa. Se encariñó con él de tal modo que cuando su padre se lo vendió a un monsieur Dupont se enfermó de los nervios, tuvieron que llamar al médico y darle calmantes (*Platero*, XCL, «Almirante»). Desde los días del internado se había vuelto otro, recordaba que entre los trece y los dieciséis años «era violento, terrible, malo» (*Cristal*, «Exijente, feroz, terminante», 263). Si las cosas no estaban en su punto, se exaltaba, «rabiaba y amenazaba». Hizo sufrir mucho a su madre, la gente decía que «le había cojido manía». La hacía llorar, lo que le ponía a él de peor humor, aunque después de pena llorara él mismo, pero no se enmendaba. Se ponía a discutir con sus tíos, que sabían más que él, de cosas de las que él sabía muy poco, como el arte, la literatura, los viajes, y quería ganar siempre. Ahuyentó de la mesa a su única prima-hermana de parte de madre, María Teresa Ríos Mantecón, que comía con ellos y que tenía un padecimiento nervioso que hacía que la mano le diera una vuelta de tirabuzón. Juan Ramón se empeñaba en que era manía de ella y le gritaba, le reñía, la amenazaba, poniendo a la pobre chica más ner-

---

[3] *Ibid.*, pág. 265.

viosa. Después llegaron a parecerle horribles estas cosas; pero se acordaba que sus amigos eran con sus madres lo mismo que él *(Cristal, 264)* y se olvidaba que él y sus amigos atravesaban la crisis de la adolescencia. Recordaba que por esa época le entró un afán loco por las escopetas. Las armas de fuego no eran cosa extraña en su casa, eran parte de los recuerdos de familia, con los libros amarillos que uno de sus tíos había comprado en sus viajes a Londres y a París; con los libros encuadernados de azul con grabados en madera por ahí por los estantes, como el *Museo de las familias, Viajes por España, Viaje alrededor del mundo;* con los daguerrotipos y las cajas intactas de tabaco viejo y seco y los premios de exposiciones de vinos y los lacres. Cuando le dio por cazar, tuvo escopetas de todas clases, de salón, de balines, de dos cañones, de bala. Los días de tiro se iba a la finca «El Cebollar» hasta el vallado final, a cazar gorriones, mirlos, jilgueros, chamarices, palomos, cuervos. «El Cebollar», al lado de Montemayor, la finca de su hermana, era de los primos de Blanca y, como ella pasaba temporadas allí, él iba a cazar por verla. Con lo mal que se portaba él para esa época, le tiraba también a las gallinas y los gatos y le parecía que le había hecho saltar una capa de carey a la tortuga griega, de un tiro *(Cristal, 263)*, o sería en su imaginación, porque «el Sordito» una vez le había dado un tiro para que vieran que de verdad era dura *(Platero, LXXXVII, «La tortuga griega»)*. Se acordaba que de maldad le había matado un águila a Ignacio Ríos Mantecón, su primo, hermano de María Teresa e hijo de su tía Enriqueta, que era hermana de su madre *(Cristal, 264)*[4]. Sus maldades pudieron haber

---

[4] Debido a una errata de imprenta aparece la palabra *ánguila* en vez de *águila* en la relación de este incidente por J. R. Ver «Exijente, feroz, terminante» *(Cristal, 263)*. En Moguer era frecuente que los niños tuvieran un aguilucho o cernícalo como entretenimiento.

sido fantaseos de su imaginación, pero sí fue verdad que un día, cazando, le apuntó a un pajarito que cayó cerca de él herido; cuando lo recogió, aleteaba aún. Tanto le impresionó el incidente, que cuando supo hacer poesía lo pasó a un poema. Le había apuntado «para tener el cielo en las manos» o para ver «el tesoro alto de luz y colores», como dejó escrito en sus apuntes inéditos. Al recuerdo del delito se debe un bello poema de *Olvidanzas*, un libro que estaba componiendo entre 1906-1907: «Yo le tiré al ideal, / creyendo que no le daba. / —¡Tiro negro, cómo abrió / tu culatazo mi alma!—

»La tarde, después del tiro / que le partió las entrañas, / se calló de pronto, oscuro / lo verde, la frente pálida.

»Y oí, allá en mi corazón, / que, saltando, lo esperaba, / el golpe seco del cielo / muerto, cerrado de alas» *(Tercera antolojía poética*, 119).

CAPÍTULO IV

EL 'COLORISMO' Y LOS PRIMEROS POEMAS: SEVILLA

*Hay por Sevilla un jirón de niebla que el sol más claro
no acierta a disipar. Se va de un lado a otro, pero nunca se
quita; algo así como esas estrellas que ven ante sí los ojos
confusos. Es Bécquer. ¿Es Bécquer? ¡Es Bécquer!* [1].

Al aprobar el Bachillerato en el colegio del Puerto de
Santa María, el padre de Juan Ramón decidió que estudiara
leyes en la Universidad de Sevilla. Ingresaría durante el curso académico de 1896-1897 y, como ya le había dado por dibujar, daría clases de pintura. En el colegio de los jesuitas
había hecho preciosas estampas, oraciones iluminadas con
delicadas orlas. Si había de ser buen pintor lo sería estudiando en Sevilla, así es que lo mandaron a estudiar pintura y el
curso preparatorio para los estudios jurídicos. Se hospedó
en un hotel de la calle Gerona, por donde tenían los pintores
sus estudios, y encontró un maestro gaditano, Salvador Clemente, «autor 'colorista' de vendimias de Moguer» [2], que pin-

---

[1] J. R. J., «Sevilla», *Por el cristal amarillo*, pág. 324.
[2] Ver «El 'colorista' nacional», en *J. R. J., La corriente infinita*,
página 57. Reproducido también en *Cuadernos de Juan Ramón Jiménez*. Edición preparada por Francisco Garfias, Taurus, Madrid, 1960,
página 194.

taba también cosas típicas para gustos de turistas ingleses. Con él aprendió Juan Ramón a pintar flamencas, bodegones, campos de sol, un paisaje sevillano con la Torre del Oro, el bobo de Velázquez y un Cristo, que en opinión de algunos se parecía al famoso «Cachorro» del barrio gitano de Triana. Después hizo un retrato de Lord, un *fox terrier* sevillano que se llevó a Moguer.

Los estudios preparatorios, de Filosofía y Letras, no le quitaban mucho tiempo porque él no se lo dedicaba. Sevilla no era como el Puerto, tenía un encanto muy especial para él, que había estado allí muchas veces y conocía bien los escaparates de la calle de las Sierpes, por donde desfilaban sus cincuenta y cinco mil habitantes, y «la quieta jente abejosa» que pegada en grupos comentaba lo que se comentaba por todas partes. Conocía las otras calles que olían a cera por Semana Santa, los teatros, los hoteles y los circos, las azoteas de macetas añiles y hortensias rosadas. Tenía tiempo para pasearse por el Guadalquivir, para ambular por sus acogedoras calles convertidas en casas cuando se les cubría de toldos para cobijarlas contra el ardiente sol canicular; para aspirar el olor a claveles de los puestos regados; para ver a sus anchas la Giralda de verdad, de la que era sólo copia la torre de la iglesia de Moguer. La Giralda le parecía caprichosa, al aire puro de la mañana se ponía transparente, como de cristal; después, al sol primero se ponía alegre y cantora, y vibrante y soñadora a la luz completa de la tarde. Nacida para el sol, veía con pena cómo se ennegrecía en los días lluviosos. Le gustaba también el Alcázar. Todo en la ciudad era armonía y color para él. Notaba sus rubios claros al sol, sus rojos a la caída de la tarde, sus albos blancores a la luna. Paseaba de noche por sus plazas, «penetrada el alma del olor de azahar», y por el río Guadalquivir a ver la luna grande y redonda rielando sobre sus aguas. En Sevilla descubrió a

Bécquer y se entusiasmó con él. Su recuerdo estaba vivo[3], se cantaban las *Rimas* y la gente iba a ver el balcón de las golondrinas. Sevilla tenía además algo que no había en Moguer, el Ateneo, con libros y revistas de todas clases y una peña poética activa. Podía pasar allí el día y la noche leyendo, escribiendo y escuchando la animada discusión de un grupo de personas que todo el mundo conocía, como «El bachiller Francisco de Osuna», es decir, el abogado de Osuna Francisco Rodríguez Marín, que así había firmado sus escritos de joven. Famoso por su erudición, Osuna era autor de poesía y crítica y un notable folklorista, colector de canciones, refranes y dichos populares. Con él se reunían otros hombres de letras, partícipes de un florecimiento intelectual en la región, como Luis Montoto y Rautenstrauch, un poeta fino de transición, y José de Velilla, que tenía una hermana, Mercedes, también poetisa[4]. Oyéndoles hablar empezó a concebir la ilusión de llegar a ser como ellos. Iba descubriendo un mundo nuevo porque en el Ateneo tenían las obras de los poetas gallegos, Rosalía de Castro y Curros Enríquez, a quienes él no conocía. Compró primeras ediciones de *Follas novas* y *Aires de minha terra*[5], descubrió también al poeta catalán Mosén Jacinto Verdaguer, y a Vicente Medina, uno de los nuevos, del que le gustaba la lengua dialectal y la manera lírica de tratar los temas sociales. Se aprendió de memo-

---

[3] En *Vida y obra de J. R. J.* se recogieron algunas de sus impresiones sobre el culto de Bécquer en Sevilla (pág. 34). J. R. alude de nuevo a este tema en la obra de Ricardo Gullón *Conversaciones con Juan Ramón Jiménez*, Taurus, Madrid, 1953, pág. 101. Al volver a referirnos a esta obra abreviaremos el título a *Conversaciones*.

[4] Ver «El siglo xx, siglo modernista», en *J. R. J., La corriente infinita*, pág. 230. Este ensayo está también en la obra de J. R. J. *El Modernismo. Notas de un curso (1953)*. Edición, prólogo y notas de Ricardo Gullón y Eugenio Fernández Méndez, Aguilar, México, 1962, página 54.

[5] Ver Gullón, *Conversaciones*, pág. 101.

ria su «Cansera»: «—¿*Pa qué quiés que vaya? Pa ver cuatro espigas / arrollás y pegás a la tierra, / pa ver los sarmientos ruines y mustios / y esnúas las cepas, / sin un grano d'uva,/ ni tampoco, siquiá, sombra de ella...*». Leyó también al granadino Manuel Paso, que pronto habría de malograrse a causa de la bebida. Su poema «Nieblas» le gustó muchísimo: «*¡Ya pronto anochece! / ¡Qué triste está el cielo! / El aire cimbrea / los álamos secos; / ya hay nieve en la cumbre del monte; / la luna amarilla / se refleja en los campos abiertos*».

El Ateneo le hizo perder el entusiasmo por la pintura, su ambiente serio le gustaba más que el fandanguero del «limbo de los pintores» de la calle de Gerona. Al poco tiempo de estar en Sevilla se dio a la escritura. «Yo empecé a escribir muy temprano —diría después—, entre mi último año de Bachillerato en los jesuitas, mis 14, y mi primero de pintor en Sevilla, mis 15. Lo primero que recuerdo fue un fragmento en prosa y una rima becqueriana. Los dos, que no conservo, me los publicó el director de 'El Programa' de Sevilla en la pájina literaria de su diario»[6]. En las postrimerías de su vida precisó aún más: «Yo empecé a escribir a mis quince años, en 1896. Mi primer poema fue en prosa y se titulaba 'Andén'»[7]. En el otoño de 1896, cuando Juan Ramón fue a Sevilla, no había cumplido los quince, pero los cumplió al poco tiempo, el 23 de diciembre de ese año. Observador atento de lo que le rodeaba, en los viajes por tren entre Moguer y Sevilla, notaría a alguna loca en algún andén, y poetizaría el incidente. «Andén», según sus recuerdos, «hablaba de una loca que esperaba siempre en un tren cualquiera a un hijo

---

[6] En carta a esta autora, reproducida en *J. R. J.*, *Cartas* (Primera selección). Recopilación, ordenación y prólogo de Francisco Garfias, Aguilar, Madrid, 1962, pág. 388.

[7] Ver «El siglo xx, ...», *Corriente*, pág. 229.

que nunca había tenido»[8]. Pudieron haberle publicado el trabajo hacia la fecha en que cumplió los quince. Recordaba que había salido en 1896 en *El Programa* de Sevilla[9].

Lo segundo que Juan Ramón escribió, otro trabajo en prosa, titulado «Riente cementerio», fue recogido en el almanaque de 1899 del diario *Córdoba*[10]. Moguer le proporcionó la sustancia de esta obra: «Riente cementerio» es una alegre y sensual descripción del cementerio de su pueblo, y contiene algunos ligeros detalles morbosos. La mañana es espléndida y el cielo azul, como en Moguer, y como en Moguer, el patio del cementerio es pobre, los nichos y las cruces son sencillas, y las típicas «mariposas blancas juegan besándose entre las flores». Estas mariposas del cementerio de Moguer y sus alrededores, por los Consumos, volverán a aparecer en los poemas de Juan Ramón de la primera época y en los que le siguen, y, como todas las cosas de Moguer, estarán en *Platero y yo*.

A los quince años no había que pensar en los aspectos horribles de la muerte; en «Riente cementerio» todo alza «un grandioso cántico a la Vida, a la Juventud, al Amor, a la Esperanza». Juan Ramón habla de cuatro niños que entran al cementerio una cajita blanca y pequeña, «celeste como la dicha». La cajita de Alfredito Ramos, que él ayudara a llevar de pequeño, tenía que haber sido así. Después, cuatro hombres entran una caja blanca, de una virgen que había muerto so-

---

8 Citado por Francisco Garfias en el prólogo a *J. R. J., Primeras prosas*, pág. 15.

9 J. R. reitera que «Andén» fue su *primer trabajo poético* en la nota siguiente: «Y, a mis quince años, dio *El Programa*, Sevilla, 1896, mi primer trabajo poético, un poema en prosa: 'Andén'». Estas líneas aparecen en «Prosa inédita. Complemento estético», *El Sol*, Madrid, junio 25, 1933.

10 Según información de Francisco Garfias en el prólogo a *J. R. J., Primeras prosas*, pág. 15.

ñando y llorando. «El poeta también llora», decía en «Riente cementerio», pensando Juan Ramón tal vez en Carmen, la bonita tísica de Moguer cuya prematura muerte evocaría después en el capítulo «El cementerio viejo» de *Platero* (XCVII).

«Riente cementerio» es lo que canta un adolescente a la vida por vivir, a la juventud y, sobre todo, al amor por conocer. La expresión anti-poética está llena de ingenuidad: «podridos cadáveres ríen de felicidad bajo las losas de las tumbas»; pero lo sensual halla su cauce poético, el joven autor contiene la respiración para poder empaparse de la fragancia a lirios, a salvia, a violetas y «poseerla un momento como a una bacante hermosísima; un momento dichoso, embriagador...» (P. P., pág. 34). La brisa es una mujer, «una loca chiquilla palpitante de júbilo» que, presa de «los primeros deseos», aprieta al rostro los labios húmedos llenos de besos, caricias, suspiros. Pasa rápida, como una pequeña barca inocente «entre peñascos robustos que quieren encadenarla, abrazarla con sus brazos de piedra, para romper su virginidad [11] con placeres brutales, formidables...». Los sauces no lloran lágrimas, sino perlas, diamantes, en «un alegre lloriqueo de risa frenética, apasionada», porque no hay que pensar «en la muerte horrible», sino en «la vida del amor». «Las violetas y los lirios se abrazan y se besan delirantes, enamorados...; las mariposas juguetean enardecidas juegos

---

[11] Este trabajo se reprodujo en *Primeras prosas* con la ortografía peculiar que J. R. habría de adoptar mucho después, pero que no estaba en los textos primitivos. Garfias, ordenador de las P. P., explica en el Prólogo: «Los textos primitivos no tenían, naturalmente, la ortografía personal que su autor adoptara años después, pero en algunas páginas retocadas aparecen ya *jotas* por *ges*, *eses* por *equis* y demás novedades ortográficas. Tanto Francisco Hernández Pinzón —el sobrino del poeta que tanta luz me ha prestado en este trabajo de rebusca y ordenación— como yo hemos preferido unificar todo el volumen con la ortografía que su autor empleara hasta su muerte» (pág. 27).

de placer...; el sauce besa el sepulcro...; las luces y las fragancias se besan también con besos de color, de frescura embriagadora...» (P. P., pág. 36). La vida del amor es generosa, incluye a la muerte: cuando los niños entran al patio la cajita blanca, «un corazón desesperado ... quiere dar a aquel muerto un beso último de eterna y triste despedida» y el romántico autor termina lamentando la muerte de la «virjen serena». «Riente cementerio» está hecho de retazos sentimentales de la realidad que asoman a través de la descripción de la radiante atmósfera de luces y ondas de Moguer que todo lo traspasa, hasta el cementerio, y revela un contenido afán sensual y erótico que alimenta desde recién nacida la obra juanramoniana.

En Juan Ramón primero fue la prosa, después el verso. Mal o bien, en «El siglo xx, siglo modernista» recordaba que el segundo poema que escribió, en verso, había sido «improvisado una noche febril en que estaba leyendo *Rimas*, de Bécquer, (y) era con copia auditiva de alguna de ellas, alguna de las típicas rimas con agudos», y que lo envió inmediatamente a *El Programa* de Sevilla, donde lo publicaron al día siguiente, después de lo cual siguió «escribiendo y enviando poemas a todos los diarios de Sevilla y Huelva», firmándose, «por vergüenza», J. R. (*Corriente*, págs. 229 y 230).

De los poemas publicados por Juan Ramón en los periódicos de Andalucía el más antiguo que se ha podido encontrar es «Luto», que apareció en *El Progreso* de Sevilla el 4 de septiembre de 1898 con las iniciales J. R. Se conocen también «Consuelo», fechado el 7 de enero de 1899, que apareció el 13 de marzo de 1899 en el *Correo de Andalucía;* «Últimas notas», publicado en el número 31 de *Hojas Sueltas* de Sevilla, del 18 de enero de 1900; «Calma», publicado en *El Progreso* de Sevilla el 14 de abril del mismo año, y «Las niñas» y «A la música inefable», que aparecieron en el núme-

ro 1 del 30 de noviembre de 1900 y en el número 3 del 30
de diciembre del mismo año, respectivamente, de *La Quince-*
na de Sevilla, y varios poemas publicados en *El Programa* de
Sevilla en 1899. Parece que en 1896 Juan Ramón apenas escribía poesía, ni a principios de 1897. Para esa fecha tenía
una novia en Sevilla con un padre poeta y cuando tuvo que
escribirle algo en su abanico, le fue necesario copiar versos
de otro.

Se había encontrado la novia en Sevilla, contemplando,
como siempre, a las mujeres. Primero la vio asomada a un
balcón de la calle de Otumba, después se fue enterando que
era de fuera, hija de un Cronista Oficial de la Isla de Puerto
Rico que estaba documentándose en el Archivo de Indias,
Salvador Brau Asencio, hijo de españoles, romántico escritor
de obras dramáticas con temas de costumbres, de aventuras
y episodios históricos. Defensor en su tierra de la abolición
de la esclavitud, en uno de sus primeros poemas había cantado el dolor de los esclavos y en los Juegos Florales de la
Isla, de 1888, su poema «¡Patria!» ganó la flor natural. Ya
antes un jurado calificador designado por el Ateneo de Madrid había premiado una memoria suya sobre «Las clases
jornaleras de Puerto Rico», presentada ante un certamen del
Ateneo Puertorriqueño en 1882. Buen observador de los pro-
blemas sociales y políticos de su tierra, don Salvador Brau
había escrito varias *Disquisiciones sociológicas* [12], novelas
cortas y biografías. Aunque autonomista, era leal a España;
criticó la equivocada política colonial y había colaborado en
periódicos reformistas de la Isla; pero hacia 1893 se quitó
de luchas políticas y se dedicó de lleno a la literatura y a

---

[12] Salvador Brau, *Disquisiciones sociológicas y otros ensayos.* Introducción de Eugenio Fernández Méndez, Ediciones del Instituto de
Literatura, Universidad de Puerto Rico, 1956. De esta introducción proceden los datos relacionados con la vida y la obra de Brau.

las investigaciones históricas. A raíz de la muerte de un hijo varón, con su esposa y dos de sus hijas, Graciela, mayor, y Rosalina, menor, embarcó para España. Había salido de Puerto Rico en julio de 1894 para dedicarse a hacer investigaciones en el Archivo de Indias de Sevilla y había regresado en diciembre de 1895 en busca de apoyo oficial para continuar la labor. Tuvo éxito, en marzo de 1896 volvió a Sevilla con el cargo de Cronista Oficial de la Isla y con una buena remuneración. Fue entonces que Juan Ramón conoció a Rosalina Brau, es decir, la conoció hacia la segunda mitad de ese año de 1896, cuando él fue a estudiar a Sevilla. Le parecía que ella tenía entonces veintidós años, recordaba que él tenía catorce [13], y, efectivamente, los tenía, habiéndolos cumplido el pasado diciembre de 1895. «Nos enamoramos, sin saber cómo, locamente», escribió después *(ibid.).* Para cuando la familia Brau regresó a Puerto Rico, muy a principios de 1897 *(Disquisiciones,* pág. 89), según Juan Ramón, ya eran «novios».

El breve «noviazgo» con Rosalina Brau se le grabó muy hondo. En su vejez seguía recordando que Rosalina fue su *segunda novia* [14] a los quince años y decía *segunda* porque la primera novia en el orden de sentimiento profundo lo era la bella niña moguereña Blanca Hernández Pinzón, que ya mayor recordaba con sana alegría su noviazgo con Juan Ramón. No así Rosalina Brau, que insistía en que no había sido novia de él en el sentido estricto de la palabra; decía que Juan Ramón «se había enamorado de ella a lo adivino» y «le había dedicado unos versos» [15]. Lo de los versos sería

[13] Ver «Rosalina», en *J. R. J., Por el cristal amarillo,* pág. 257.
[14] En el artículo «Isla de la simpatía», *Asomante,* Puerto Rico, número 1, enero-marzo 1953, pág. 5.
[15] Según un reportaje de su sobrino, E. Ramírez Brau, «Aclara noviazgo de Juan Ramón», *El Mundo,* San Juan de Puerto Rico, sábado 7 de enero de 1958.

después, en la obra *Pastorales*, de 1905, y en *Laberinto*, de
1910-1911, porque Juan Ramón escribió que cuando primero
conoció a Rosalina todavía no hacía versos de verdad, ni
sospechaba que iba a ser poeta: «entonces yo pintaba flamencas y campos de sol, como mi maestro, y no tenía la
menor sospecha de mi porvenir poético», recordaba. Tan poco
poeta era que los versos que puso en el abanico de Rosalina, como él mismo dijo, fueron «copiados» («Rosalina», *Cristal*, 257-258). Ella, en cambio, le copió «una poesía de su
padre —'Mi camposanto'— como si fuera una joya» *(ibid.)*.

A Juan Ramón siempre le pareció que Rosalina le quiso
y que Graciela, la hermana mayor, le quiso tanto o más que
ella [16]. Recordaba con exactitud cronológica, comprobable
con la estancia de los Brau en Sevilla, que cuando éstos regresaron a Puerto Rico a principios de año, él se quedó te-
rriblemente solo «—solo como nunca! », viendo en sus ensueños el buque negro que se llevaba a Rosalina por «los mares
eternos» *(ibid.)*, y escribió después, líricamente, que había
sentido mucho el consentir que Rosalina rompiera las cartas
que le había escrito, algunas de cuyas frases quedaron en él
con «un sentido profundo, lleno de pasión y de voluptuosi-
dad» *(ibid.)*. Pero no fue Rosalina la que rompió las cartas,
sino otra novia, Blanca. Juan Ramón parece haber conocido
bastante a los Brau, un criado negro de esta familia pasó
después por Moguer. Juan Ramón escribió de él en las páginas autobiográficas de *Platero* (LXXIV, «Sarito»).

---

[16] En un libro posterior de J. R., *Laberinto* (1910-1911), Renacimiento, Madrid, 1913, la segunda parte, titulada «Tesoro», está dedicada
como sigue: «A / Graciela / la hermana mayor de Rosalina, / que me
quería / tanto ¡o más! que ella». Esta obra y los primeros libros de
poesía de J. R. están en *J. R. J., Primeros libros de poesía*. Recopilación y prólogo de Francisco Garfias, Aguilar, Madrid, 1959. Al citar de
esta colección abreviaremos el título a P. L. P.

Dibujo de Juan Ramón Jiménez

Dibujo de Juan Ramón Jiménez

Sin Rosalina para engalanar su vida romántica en Sevilla, Juan Ramón se pasaba las noches ensayando a escribir y leyendo, gastaba todo su dinero en libros. Los estudios preparatorios estaban descuidados, daba entonces Historia de la Filosofía, Literatura General y Española e Historia Crítica de España, el curso que más le aburría, por lo que ensayó versos en las márgenes del libro. Contrario a su paso por el colegio de los jesuitas, se iba a acordar poco de su paso por la Universidad de Sevilla, aunque alguna vez en conversación recordaría que en la clase de Literatura se metía en peleas y discusiones sosteniendo que Rubén Darío, escritor nuevo para él, era mejor poeta que Núñez de Arce, hasta que un día lo echaron de la clase [17]. Cuando llegó la hora de examinarse, le suspendieron en Historia Crítica de España. El suspenso no fue, según él, por desconocimiento de la asignatura, sino porque don Federico de Castro, que le examinó en Historia además de Metafísica, le hizo preguntas del prólogo de su obra que nadie había estudiado y «que contenían unos razonamientos muy difusos sobre el concepto de la asignatura» [18]; él se dio cuenta en seguida que iba a ser suspendido, porque antes de preguntarle a él don Federico le había hecho a los otros la misma pregunta. A pesar del suspenso, recordaba con afecto a don Federico de Castro, que después le recordó a don Francisco Giner, y en su vejez diría sencillamente: «Estudié algún tiempo en Sevilla y no me licencié porque un incidente me obligó a abandonar la carrera» [19]. Se acordaría que en esos tiempos se decía de don Federico, en tono ofensivo, «es un krausista», y los compañeros de Universidad le preguntaban: «¿cómo tratas a ese krausista?»,

---

[17] J. R. J. en conversaciones con la autora. Ver *Vida y obra de J. R. J.*, pág. 36.

[18] Ver Guerrero, *Juan Ramón de viva voz*, pág. 235.

[19] Gullón, *Conversaciones*, pág. 57.

porque el serlo parecía pecaminoso. Su profesor de Literatura, Juan Hurtado, autor con González Palencia de la *Historia de la literatura española,* no era *krausista.*

Es probable que Juan Ramón llegara a matricularse en la Universidad de Sevilla para los cursos de segundo año en el año académico de 1897-1898. Conservaba dos libros de texto de asignaturas de segundo, el *Resumen de Historia de la Filosofía,* por José de Castro y de Castro, 2.ª edición de Sevilla (Imprenta de Francisco de P. Díaz, Gayicha, 6, 1897, 668 págs.), y los tomos I y II de la *Historia de la Literatura Griega* de Alejo Pierron, traducida de la 2.ª edición revisada, corregida y aumentada por don Marcial Busquets, Barcelona (Imprenta de Luis Tasso, calle de Guardia n.º 15, 1861); pero para fines de 1897 Juan Ramón ya no vivía en Sevilla sino en Moguer, había regresado a su casa enfermo y recordaba muy bien que los médicos le habían aconsejado a su madre que no le permitiera trabajar; que había estado pálido y que había caído al suelo varias veces sin conocimiento; «pero él era entonces optimista y no le hacía caso a la ciencia ni a la muerte» *(Renacimiento).*

La lectura siguió siendo su pasatiempo favorito en Moguer. En la biblioteca de su casa tenían varias ediciones del *Romancero* [20] y libros franceses que habían pertenecido al hermano de su padre muerto en Francia, y se dio entonces a la lectura de los romances y de los autores que figuraban en el *Morceaux Choisis de Littérature Française* del colegio de los jesuitas. Se aprendió de memoria las *Orientales* de Victor Hugo; le gustó la poesía de Lamartine y el «Intermezzo» y «Las Noches» de Musset [21]. En una antología general de poesía, también de su casa, leyó versos de Goethe, Schiller

---

[20] Ver «El siglo xx ...», *Corriente,* pág. 230.
[21] Ver «Mis primeros romances», *Cristal,* pág. 270.

y Heine, este último le impresionó hondamente; él ya conocía al traductor, José Joaquín Herrero, porque había leído
su poema «Mar adentro», que le parecía muy bueno, y una
traducción que hiciera del poeta Kalidasa [22]. Volvió a leer a
los poetas «del litoral», como Rosalía de Castro, Manuel Curros Enríquez, Vicente Medina, Jacinto Verdaguer, Juan Maragall, Augusto Ferrán [23]. Leyó traducciones en prosa de
poesía árabe-andaluza que en su casa tenían porque circula-
ban mucho entonces [24] y se llenó de un romanticismo «tea-
tral y absurdo», patrocinado, según él, por Bécquer, el convento de Santa Clara de Moguer, la luna amarilla del granadino Manuel Paso, las lechuzas y Blanca Hernández Pinzón,
su primer amor [25]. Escribió febrilmente, fuera de sí, un cuento «moderno» sobre un «rapto de monja blanca y tormenta
y maitines y 'a la mañana siguiente'» se lo leyó, excitado, a
la costurera de su casa, que, después de oírlo, dijo sonriendo «se continuará», como decía en los folletines (*Cristal*, «Se
continuará», 162). Escribía como un loco versos y prosas, algunos de los cuales se los publicaban en los periódicos de
la región. Anhelaba vivir en el cementerio, lejos de todos y
que todos pensaran en él; que le fueran a visitar sus amigos, a quienes les leería cosas terribles. El cementerio se
había convertido para él en «lo más prestijioso, lo más universal» de su pueblo (*ibid.*, 161). Se imaginaba sobre una tumba declamando, «exaltado, pálido, contra el poniente, con un

---

[22] Ver «El siglo xx ...», *Corriente*, pág. 230.
[23] Ver «Mis primeros romances», *Cristal*, pág. 271.
[24] Gullón, *Conversaciones*, pág. 103.
[25] Ver «Se continuará», *Cristal*, pág. 161. En «El siglo xx ...» dice
J. R.: «También leía a un poeta granadino, Manuel Paso, hoy injusta-
mente almacenado, y de donde yo saqué mis 'lunas amarillas':

La luna amarilla
se refleja en los campos desiertos».
(*Corriente*, pág. 230)

hueso en la mano», mientras su maestro en Moguer, Federico Molina, y su amigo Julio del Mazo irían a preguntarle qué hacía allí y las muchachas del pueblo le sonreirían con respeto (*Cristal*, «Romanticismo», 169). Molina y del Mazo le tomaban en serio y alimentaban sus ilusiones de poeta[26], ambos eran personas cultivadas y afables; el primero, maestro nacional en Moguer, y el segundo, un aficionado a la pintura, como Juan Ramón, y además, poeta festivo que celebraba a las personas y sucesos del pueblo, había hecho la carrera de Leyes en Sevilla y era pariente de los condes de Tarifa. Estos amigos entendían su exaltado romanticismo y su gusto por el cementerio.

El cementerio de Moguer fue la inspiración de sus mejores versos primerizos, influidos por Bécquer y los poetas gallegos y catalanes. El temprano poema «El cementerio de los niños», descripción del patio infantil del cementerio de Moguer, repetía, desprovisto de sensualidad y excesos, elementos del temprano poema en prosa «Riente cementerio». Carecía de los elementos morbosos y eróticos que malograban los líricos fragmentos de la prosa y superaba muchas de las expresiones originales, como puede apreciarse en los trozos cotejados a continuación:

«Riente cementerio»	«El cementerio de los niños» (De *Almas de violeta*)
... ese olor viene casi perdido, agonizante, envuelto en la fragancia de los lirios blancos, de las siemprevivas de oro, de la sanguinolenta salvia, de las azules violetas silvestres; ... (P. P., 34.)	Doradas siemprevivas, inmaculados lirios, violetas y jazmines, perfuman aquel mágico recinto. (P. L. P., 1529.)

---

[26] J. R. habla de estos amigos en «Mis amigos de Moguer. Vida». Inédito, en los archivos de J. R. J. en España.

Los sauces no lloran lágrimas...; lloran perlas de sus ramas que se inclinan para besar las humildes cruces... (P. P., 35.)

... los nichos y las sencillas cruces que brotan del suelo...

Mariposas blancas juegan besándose entre las flores; ... (P. P., 34.)

... las mariposas juguetean enardecidas juegos de placer... (P. P., 36.)

allí no llora el sauce su lagrimeo fúnebre y sombrío.

(P. L. P., 1528.)

Azules mariposas, en amorosos giros, imprimen blancos besos en las sencillas cruces de los ni- [chos...

(P. L. P., 1529.)

«Luto», el otro poema primerizo, tiene también algo que ver con las ideas expresadas en «Riente cementerio», es como una proyección del párrafo que dice: «Un corazón desesperado, que quiere dar a aquel muerto un beso último de eterna y triste despedida, levanta la tapa... El muerto es un angelito... ¡También sonríe...! ¡Dichoso...! ¡Murió sonriendo...!» (P. P., 36). La primera estrofa es una descripción del pequeño difunto, como podría aparecer al que destapara el recién cerrado ataúd:

> Vestido de blanco,
> cubierto de flores de leve fragancia,
> estaba su cuerpo
> marchito, sin alma,
> sus ojos, sin vida miraban al cielo;
> su boca, entreabierta, besé yo con ansia,
> creyendo que iba tal vez a animarse
> con dulces palabras...

Es de notarse que en «Riente cementerio» el muerto *sonríe;* no en «Luto», en el que, con más arraigo en la realidad, Juan Ramón describe la boca *entreabierta* del pequeño difunto. Tampoco es dulce la noción de la muerte, como en «Riente cementerio», sino glacial y amarga:

¡Qué duelo, qué pena
pasé aquella noche tan triste y amarga!...
Después, desde el punto
que ya no me animan sus dulces miradas,
el luto conservo, constante en mi cuerpo,
y el luto en el alma.

Este poema, «Luto», no fue recogido por Juan Ramón en ninguna de sus futuras colecciones y no es de extrañarse, porque en su desmedido romanticismo de chico de dieciséis años, hablaba de besar al muerto. El morboso deseo de besar el cadáver del niño o la niña muerta aparece más de una vez en sus primeros versos; pero conviene recordar que entre los españoles el gesto en sí no tiene nada de particular. Para el Juan Ramón de 1897, afectado hondamente por las muertes blancas, el beso es un máximo tributo de amor y dolor. Es curioso comprobar la relación que existe entre todos sus primeros poemas, cuyo tema es la muerte, y lo segundo que escribió, el fragmento en prosa poética «Riente cementerio». En este fragmento Juan Ramón describe a la *virgen* que cuatro hombres llevaban en su blanco ataúd: «Es el cadáver de una virjen serena...; su carita de nieve y violetas ostenta la huella del sufrimiento, del pesar... Murió llorando... Murió soñando ilusiones» (P. P., 36). Estas líneas constituyen el tema de «Tristeza primaveral», uno de sus primeros poemas, que fue recogido en *Almas de violeta*, libro de principiante, publicado en Madrid en 1900:

Yo tan sólo veo
aquel cementerio donde ella descansa...;
yo tan sólo veo
aquella dulzura con que agonizaba,
aquellas pupilas que lloraban muertas,
aquella carita fría y azulada,
¡aquella sonrisa de inmensa amargura

> entre los azahares de la caja blanca...!
> ¡yo tan sólo siento
> aquel beso último empapado en lágrimas...!
>
> (P. L. P., 1524-1525)

En «Nívea», un sentido romance primerizo, vuelve a aparecer la niña muerta por alguien «ciego de rabia y de celos», y de nuevo se describe al cadáver en su caja, sonriendo y en espera del beso:

> su frente pura aguardaba
> el roce del primer beso;
> lloraban sus muertos ojos,
> y sus labios entreabiertos
> parecía que esperaban
> una lágrima del cielo...;
> y entre los blancos azahares,
> al compás del balanceo
> de la caja, iba la niña
> sonriendo..., sonriendo...
>
> (P. L. P., 1528)

Cuando la visión lúgubre de la muerte irrumpe en el poema, Juan Ramón repudia el ansia del beso; pero lo interesante es, claro, que el ansia está allí, como en «Elegíaca», otro poema primerizo incluido en *Almas de violeta*:

> De su ataúd carcomido
> por las entreabiertas tablas,
> se arrastrarán los lagartos
> hasta su carita blanca;
> ....
> ....
> no voy a pegar mis labios
> a su boquita cerrada...!
>
> (P. L. P., 1537-1538)

Los muertos de esta primera poesía son jóvenes como el autor. La ancianidad era entonces para él amargo tema poético y es interesante comprobar la relación que existe en la vida y en la obra en cuanto a esa temprana actitud hacia la vejez. Hacia 1898, don Víctor Jiménez, padre de Juan Ramón, estaba enfermo, paralizado a consecuencia de un ataque al corazón. En el verano, lo sentaban en el patio de mármol de la casa de la calle Nueva hasta que la esposa, doña Pura, o la hija, Victoria, lo llevaban a acostar. Juan Ramón lo veía solo, callado, «como si ya no hubiera nada, mirando todo distraídamente...», pero no se quedaba a hablar con su padre, sino que se iba al jardín, tras el encanto de la noche estrellada, buscando sus fragancias y sus sonidos, y fuera sentía «como una existencia de lo futuro, la pena inmensa» *(Cristal,* «Mi padre», 267-268). Un temprano romance sobre la vejez, titulado «Amarga» y recogido en *Almas de violeta,* expresa esta *pena inmensa.* Juan Ramón agrupa los versos en series, a su antojo, lo que ha de hacer con todos sus romances:

> Con los ojos apagados,
> viejo el cuerpo y vieja el alma,
> sin un ensueño de Gloria,
> sin ilusiones doradas,
> embargados de recuerdos,
> inundados de nostalgias
> de juventudes marchitas
> y primaveras lejanas,
> ¡cuántos pasean por la vida
> su ancianidad desgraciada...!
>
> ¡Yo quiero mejor morirme
> que vivir sin esperanzas...!
>
> ¡Ay! ¡con qué lástima miro
> a los que no esperan nada...!
> (P. L. P., 1526-1527)

Es obvio que la realidad circundante es fuente de la primera poesía juanramoniana. Esta incluía el elemento popular, como en el poema «Últimas notas», cuyo tema es la bien conocida tragedia de amor entre gitanos. Era éste de rima leve, graciosa, en octavillas pentasílabas dactílicas con un decasílabo también dactílico:

> Junto a los hierros
> de la ventana
> cantando amores,
> quejas amargas,
> arranca trinos
> de su guitarra
> el gitano que sufre desdenes
> de su gitana.

A la manera del pueblo, como «la hermosa ingrata» no oye las quejas del enamorado, que le cantaba al pie de la reja, allí mismo el pobre gitano se quita la vida; la ingrata duerme; pero las flores, «más amantes que ella, despiertan / llenas de lágrimas...». Concluye el poema:

> De roja sangre
> están manchadas
> las cuerdas rotas
> de la guitarra...;
> Y entre la brisa
> de la mañana,
> aún parece que flotan tristes
> quejas de un alma...

En otros poemas primerizos aparece también la línea popular. En el titulado «Negra», al que Juan Ramón le atribuirá después influencia de Heine [27], se nota ya, desde el título,

---

[27] Ver J. R. J., «El Modernismo poético en España y en Hispanoamérica», *El trabajo gustoso (Conferencias)*. Selección y prólogo de Francisco Garfias, México, 1961, pág. 220.

que se deriva de la frase popular «pena negra». Recordaba
que lo había escrito al levantarse, que lo había pasado en
limpio en seguida, enviándolo esa misma noche a *Hojas Sueltas* de Sevilla *(Cristal,* «Mis primeros romances», 269). Este
poema fue también recogido en *Almas de violeta* y tiene ese
sentido de lo popular melancólico de la región andaluza:

> Conmigo duermen mis penas
> por la noche, fatigadas
> de la lucha que en el día
> sostuvieron con mi alma...
> ....
> Mas ¡ay! que con el reposo
> igual que yo, ellas descansan,
> y con nueva y mayor furia,
> al despuntar la alborada,
> a mi alma triste despiertan
> para ofrecerle batalla...
>
> (P. L. P., 1530)

Es de notarse que Juan Ramón no usó la frase completa
«pena negra» como título del poema, lo cual constituía en
sí una novedad puesto que le estaba dando a su dolor el
simbólico valor del negro. Pero este valor ya estaba algo manoseado, más novedoso fue el que Juan Ramón empezara a
referirse a las emociones en términos de los colores en esos
poemas de 1897-1899. En su temprano romance «Triste», incluido también en *Almas de violeta,* sus dichas y sus entusiasmos son de color blanco: «el mismo sol que en sus rayos
/ envolvió mis blancas dichas / y mis blancos entusiasmos»
(P. L. P., 1529), y en «Salvadoras», de la misma colección, su
llanto es «blanca dicha» y sus penas son «negras tablas»
(P. L. P., 1539). Después escribe todo un poema titulado «Penas blancas» [28], del que se iba a acordar defendiendo su «co-

_____

[28] Este poema, corregido, aparecerá después en la *Segunda anto-*

lorismo»: «Cuando yo tenía dieciocho años publiqué una cosa llamada 'Penas blancas'. Yo dije en una carta: 'pues, señores, si es negra, si hay penas negras, ¿por qué no puede haber penas blancas?'» [29]. Después tituló otro poema optimista, en que expresaba su alegría, «Azul». Éste pasó también a *Almas de violeta:* «Ya estoy alegre y tranquilo; / ¡sé que mi virgen me adora!...» (P. L. P., 1528).

El colorismo juanramoniano, tan cerca ya del simbolismo, se ha de acrecentar por influencia de la poesía nacional; pero de principio corresponde a una innata actitud hacia la realidad, de la que se deriva su poesía. «Riente cementerio» es ya una obra colorista desde el primer párrafo, que describe un «cielo azul, despejado» que «arroja raudales vivísimos de luz, de color, de vida» (P. P., 33), y el tal cielo no es imaginado, es el cielo de Moguer. A partir de ese primer párrafo, según avanza la descripción, aumentan los detalles coloristas: las arboledas son *esmeraldinas;* las alegres tapias del cementerio *blanquean;* hay un *radiante laberinto de reflejos;* la yerba es una *inmensa nota brillantísima, chillona, de color verde agrio;* las siemprevivas son *de oro;* el lloriqueo *nubla las pupilas con blanco velo.* No es de extrañar, pues, que esta consciencia de los colores pasara, por extensión, a las emociones, amén de que tal cosa estaba ya en el léxico popular.

El arraigado carácter nacional de la incipiente poesía juanramoniana se comprueba una y otra vez. La influencia de Rosalía de Castro y Curros Enríquez es difícil de medir en los primeros poemas, porque se trata de una influencia de fondo más que de forma, o sea, de una misma actitud poética ante ciertas realidades. Juan Ramón se acordaba que había traducido el «¡Ay!» de Curros Enríquez: «*¿Cómo fue?*

---

lojía poética (1898-1918), Espasa-Calpe, Madrid, 1922, pág. 14, y en las sucesivas: *Antolojía poética*, Losada, Buenos Aires, 1944 y en la T. A. P.
[29] *El Modernismo*, pág. 207.

*Me encontraba yo fuera / y las negras viruelas le dieron. /
Me llamó con un parte su madre / y vine corriendo».* Pensaba él que ese poema le había servido de inspiración para uno
primero suyo, escrito a la muerte de una amiguita que enfermó de difteria; creía haberlo recogido en uno de sus dos
primeros libros, *Almas de violeta*, y haberlo publicado, corregido y aumentado en otro libro posterior, *Rimas* [30]; pero
tal cosa se queda sin comprobar porque en *Almas de violeta*
sólo aparecen unos «Cantares» con una ligera relación, por
el tema de la ceguera, con la segunda estrofa del «¡Ay!» de
Curros, como se verá en los versos cotejados a continuación:

«¡Ay!»	«Cantares»
¡Pobrecillo! Sintiendo mis pasos hacia mí revolvía sus ojos. No me vio, y lloró. ¡Los tenía ya ciegos del todo!	Era el pobrecillo ciego, y cantaba sollozando la luz de unos ojos negros. .... ¡Qué divinos eran sus ojos risueños...! ¡pobrecita! ¡llorando una pena quedóse sin ellos! (P. L. P., 1535, 1536)

Más relación con el poema de Curros tiene el titulado
«Aromas y lágrimas» que Juan Ramón recogió en *Rimas*. De
métrica marcadamente romántica, empieza con dos largas
estrofas de versos decasílabos, seguidas de dos largas estrofas de hexasílabos, una de octosílabos y otra última estrofa
decasilábica. En este poema se llora la muerte de una niña
en términos un poco parecidos a los del poema de Curros
Enríquez, desde el primer verso que dice: «¡Pobrecita! ¡Qué
pena tan grande!» a la manera del «¡Ay!» de Curros: «¡Po-

---

30   Ver «El siglo XX ...», *Corriente*, pág. 233.

brecillo! Sintiendo mis pasos...». La madre del poema juanramoniano toma a la hija muerta en los brazos, así como el
padre en el poema de Curros Enríquez:

«¡Ay!»	«Aromas y lágrimas»
No me acuerdo del tiempo que estuve en la cuna de dolor doblado, sólo sé que me erguí con mi niño sin vida en los brazos.	La tenía su madre en los brazos abrazándola muerta de pena, abrazándola loca, anhelando de la muerte fatal defenderla; ... **(P. L. P., 143)**

Pero el poema de Juan Ramón, de noventa y ocho versos, a
veces de encomiable y lírica sencillez, dista bastante de la
maravillosa economía y precisión de sentimiento del de Curros. Un romanticismo exacerbado afea ciertas expresiones:
«Y la muerte volvía espantosa / de su largo viaje de nieblas
/ sonriendo con negro sarcasmo...»; sin embargo, lo mejor
de la expresión poética juanramoniana está, en ese poema,
en las descripciones de la naturaleza, que surgen sin esfuerzo
aparente: «llenas de trinos de alondras / las campiñas despertaban!» o «Limpio el cielo de mayo reía, / y cantaba la
alegre mañana» (P. L. P., 145). El espectáculo extraordinaria-
mente lírico de la naturaleza es verdadera fuente de inspiración juanramoniana y en Moguer este espectáculo es su pan
cotidiano.

El sol, las nubes, el cielo, las marismas, el río, el mar, el
monte, las estrellas, la luna, todo lo que abarcaban sus ojos
en el abierto espacio moguereño le atraía y llenaba de emoción. Recordaba que se subía a la azotea de su casa a inspirarse con la puesta del sol y que a los quince años había
sentido «la primera ansia de poesía pura» contemplando las
nubes rosas que se desvanecían en oro o azul; quería poder
hablar de ellas sin tener que referirse a otras cosas y esto

constituyó una lucha, se había olvidado qué versos había escrito y lo más probable es que no hubiera escrito gran cosa, no a los quince; sin embargo, le quedó muy clara la impresión de «el color, la luz, lo ideal» *(Cristal,* «Nubes», 261). Su pueblo le parecía «una blanca maravilla», un «mundo mágico» [31]; le alegraba mirar «el limpio cielo moguereño» y a veces sentía unos impulsos incontrolables de hacerse uno con el ámbito circundante. Recordaba que la música le afectaba así. Unos parientes suyos, los Núñez-Sáenz, eran muy devotos de la música y a veces presentaban en su casa misma conciertos con músicos traídos de Sevilla. Para Juan Ramón la casa, que él frecuentaba, era como «un santuario de la música» *(Cristal,* «Chopin», 278). Feliciana Sáenz, la esposa, tocaba muy bien, sobre todo los preludios de Chopin y el Preludio 24 tenía una extraña sujeción sobre el joven poeta, que salía de casa de la pianista embriagado de música a vagar por el pueblo y por las marismas, espacio abierto desde donde su vista alcanzaba a ver mar, río, monte y cielo. Ya en las marismas, de noche blancas de luna, se ponía a dar vueltas horas enteras, a veces en círculo, deteniéndose fijo otras veces, en un frenesí como el de quien quisiera escurrirse en el espacio. Se ahogaba de incomprendidas emociones de belleza en el amplio espacio abierto de su pueblo, tan lleno por las noches de cielo nítido, estrellas bajas y luna blanca [32]. El

---

[31] Estos sentimientos están expresados en uno de sus poemas primerizos, titulado «Remembranzas», en el que el poeta da la visión de su pueblo cuando era niño: «Recuerdo que cuando niño / me parecía mi pueblo / una blanca maravilla, / un mundo mágico, inmenso», y pretende que esta visión ha cambiado al regresar él a su pueblo después de «largos vïajes». Para entonces J. R. no había salido de la región andaluza y sus «largos vïajes» eran a Huelva, Sevilla y el Puerto de Santa María en Jerez. El poema, recogido en *Almas de violeta,* se encuentra en P. L. P., págs. 1525-1526.

[32] Ver la descripción de esta experiencia de su juventud en J. R. J., «Chopin», *Por el cristal amarillo,* págs. 278-279.

espectáculo sideral de su pueblo le deslumbraba, recordaba
la acumulación de estrellas en las noches de verano y cuando su casa y el pueblo dormían, él salía al balcón a verlas
brillar y hasta le parecía que las oía sonar [33]. Por eso empezó
a sentir una preferencia por aquellos poetas que sabían cantarle a la noche, como Musset, y le parecía que los poetas
extranjeros, orientales como Kalidasa o septentrionales tal
vez, tenían que haber expresado estas cosas que él veía, que
él quería expresar y no sabía.

A los diecisiete y dieciocho años, la romántica obsesión
con el cementerio se interponía en la poesía de Juan Ramón;
el cementerio era tema y término de comparación: «Recuerdo también que un día / en que regresé a mi pueblo, / después de largos vïajes / me pareció un cementerio», dijo en
«Remembranzas», otro poema primerizo que se recogió en
Almas de violeta (P. L. P., 1526-1527), y en «Calma», un sencillo y bien logrado poema que empieza con una descripción
de las estrellas titilantes, sobre la aldea dormida, y termina, en una progresiva visión, comparando al pueblo con un
«noble cementerio». Primero, es un lecho de obscuro ter-
ciopelo; después, las cabañas le van pareciendo «sepulcros
melancólicos»: «Sepulcros melancólicos / de un noble cementerio, / en donde las pasiones / reposan en el sueño de
la Muerte...» (P. L. P., 1498-1499). Este poema, publicado en
El Progreso de Sevilla el 4 de abril de 1900, y antes en Madrid, fue recogido en otro primer libro, *Ninfeas*, que se publicó en ese mismo año con *Almas de violeta*.

La nota fatídica iba interponiéndose en casi todo lo que
escribía, y él se daba plena cuenta de ello porque así lo
hizo notar en un soneto titulado «Nubes» que pensaba usar
como prólogo a un primer libro del mismo nombre que iba

---

[33] Ver «Continente de estrellas», *ibid.*, pág. 281.

preparando con lo escrito hasta 1899. Decía, al plantear el fenómeno de la inspiración poética:

> De la evaporación del sentimiento,
> —mar grandioso de inmensas oleadas—
> en el alma aparecen condensadas
> las nubes del divino pensamiento.
> E igual que en el capuz del firmamento,
> hay allí puras tintas nacaradas
> y hay fatídicas notas enlutadas
> y luz y frío y sombra y ardimiento...
>
> (P. L. P., 1538)

Al final del soneto, un «sudario fúnebre» cubre el Sol de la inspiración haciendo llorar las nubes. El planeado libro no llegó a publicarse, y el soneto pasó a *Almas de violeta*.

Parte de esta poesía menor, que habría de pasar a los dos primeros libros de 1900, iba viendo la luz en Andalucía, con lo que Juan Ramón iba adquiriendo una pequeña reputación. Para esa fecha, 1897-1899, en Sevilla se publicaban cinco periódicos: *El Baluarte, El Progreso, El Porvenir, El Noticiero Sevillano* y *El Programa*; Juan Ramón publicaba en tres de ellos: *El Progreso, El Porvenir* y *El Programa*, en este último, traducciones de Lamartine, Hugo y Leopardi, que firmaba sólo con una J. *(J. R. de viva voz,* 97). También salían sus cosas en el *Diario* y *Heraldo* de Huelva, en *El Correo de Andalucía* y en dos revistas sevillanas que se ocupaban de lo más moderno, *Hojas Sueltas* y *La Quincena*. La primera era un semanario «con aspiraciones nacionales», según Juan Ramón, dirigido por Dionisio de las Heras, «especie de Quijote del periodismo» [34]. *La Quincena* tenía un buen grupo de redactores, entre ellos Juan Centeno y Timoteo

---

[34] «El Modernismo poético en España y en Hispanoamérica», *El trabajo gustoso,* pág. 220.

Orbe, fundadores de «La Biblioteca», especie de centro cultural con una biblioteca general, mesa de revistas y sala de distracción.

En Sevilla, Timoteo Orbe y don José Lamarque de Novoa, protector de *El Programa* y muy apegado a la poesía corriente tradicional, le aconsejaban. Lamarque de Novoa insistía en que leyera a los poetas de la peña del Ateneo: a Rodríguez Marín, los Velilla, Montoto y Rautenstrauch. Cuando lo que publicaba Juan Ramón le parecía bueno, le enviaba a Moguer cajones de naranjas de su finca de «Dos Hermanas» [35]. Pero no habría de ser la poesía de forma tradicional como el romance o el soneto, la que llamara la atención de los literatos jóvenes españoles que luchaban por darle vida a la prosa y al verso español de finales del siglo XIX. Los dos sobrevivientes de la generación postromántica, Campoamor y Núñez de Arce, seguían ejerciendo la leve influencia de los mayores; pero la nueva sensibilidad pedía una renovación total de las letras. Campoamor, por los ochenta y pico para esa época y enfermo, recomendaba a los que le pedían consejo, que estudiaran mucha metafísica y que no leyeran a Quintana [36]. Núñez de Arce, veinte años más joven, estaba dado a su labor de financiero en el Banco Hipotecario y escribía sólo en periódicos y revistas. Aunque aún le daba el espaldarazo a los poetas jóvenes, y había reaccionado en contra del Romanticismo, no era de los innovadores, pese a que había cuidado mucho de la forma. En la misma línea que Quintana, puso la poesía al servicio de la causa cívica y social y sus poemas de tema ideológico y pseudofilosófico perdían a veces valor poético.

---

[35] *Ibid.*
[36] Andrés González Blanco, *Los grandes maestros. Salvador Rueda y Rubén Darío*, Librería de Pueyo, Madrid, 1908, págs. 119-120.

Juan Ramón Jiménez no había sentido ninguna atracción hacia ellos. Había empezado a cultivar preferentemente el romance y había sido fiel al legado de la versificación romántica; pero poco a poco se iba dando a los ritmos nuevos. Empezó a emplear los menos comunes eneasílabos, dodecasílabos y versos libres, y usaba más y más la silva de versos mezclados de distintas medidas. Por la forma y por el colorismo de algunos de sus versos le iban conociendo como *nuevo* por la región andaluza. Un señor de Córdoba, don Enrique Redel, un influido por la corriente colorista, le mandó su libro *Obras literarias*. Modesto entonces en cuanto a sus virtudes poéticas y honrado en sus juicios, no habiendo leído el libro regalado le escribió al autor: «Yo acerca de él no puedo decirle nada; primero, porque no he hecho más que hojearlo; segundo, porque no sé, ni valgo nada, para darle mi opinión; y después, porque ya sería tarde e inoportuno» [37]. Cuando el señor Redel le mandó el segundo tomo de *Obras literarias*, volvió a excusarse: «Yo alcanzo poco en materias literarias, pero, francamente, me entusiasman sus escritos». Le gustaba la obra de Redel porque reflejaba el corazón de todo el que se sintiera poeta. Ya para entonces, Juan Ramón estaba «muy animado con la poesía» [38]. Le preocupaba mucho cualquier errata de imprenta. Cuando le publicaron una poesía dedicada a Redel, salió con una errata y queriendo que éste tuviera la versión correcta, le escribió: «Ya que a V. iba dedicada, quiero que la tenga V. sin una errata que lleva, y que es la siguiente: en la 2.ª estrofa, en el renglón 3.º, dice:

'Breve soplo *especial* el norte lanza'

---

[37] Carta de Moguer, diciembre 11/98, en *Cartas*, pág. 25.
[38] Así se lo dice a Enrique Redel en otra carta de Moguer, mayo 9/99, *Cartas*, pág. 30. La cita anterior, de la misma carta, en la pág. 29.

y debe decir:

    'Breve soplo glacial el norte lanza'.

Se lo digo, no porque tenga importancia, sino para quitar esa palabra sin sentido» [39].

En marzo de 1899 se enteraron en Madrid que por Huelva había un poeta *nuevo* porque Juan Ramón se atrevió a mandar una de sus poesías largas, «Nocturno», a *Vida Nueva*, que allí se publicaba. El poema salió en el número 42 el 26 de marzo con la firma Juan R. Jiménez; era un poema colorista de tres largas silvas en versos endecasílabos y heptasílabos, macabros, morbosos, eróticos, musicales.

Vida Nueva era una publicación independiente de Madrid, de carácter moderno, dirigida por Dionisio Pérez, un joven de veintisiete años que por su erudición, fecundidad literaria y agudeza habría de llegar a ser un gran maestro del periodismo. El primer número de *Vida Nueva* se había publicado el 12 de junio de 1898 y siguió saliendo todos los domingos hasta el número 94, del 25 de marzo de 1900. En el primer número colaboraron los hombres de nota del momento: el gran orador Emilio Castelar; el entonces célebre autor de novelas de amor eróticas, Jacinto Octavio Picón; el novelista regional valenciano Vicente Blasco Ibáñez; el académico de la lengua y distinguido dramaturgo Eugenio Sellés; el insigne periodista Mariano de Cavia; el gran historiador de la literatura Marcelino Menéndez Pelayo. *Vida Nueva* daba cabida en sus páginas a la obra de los autores *nuevos,* y en el «Nocturno» de Juan Ramón estaban representadas las nuevas corrientes de la época: el poema revestía un tema romántico, filosófico-social, con los recursos técnicos más nuevos. Se trataba de la moderna danza macabra. La primera

---

[39] Carta de Moguer, enero 9/1899, *Cartas*, pág. 28.

estrofa, la mejor, describía un enervado ambiente de luces, perfumes, colores y hermosas mujeres voluptuosas, ricamente ataviadas, en «vértigo de placer y de pasiones». La segunda estrofa contenía viejos resabios pueblerinos de la poesía juanramoniana: describía el paso de un carro mortuorio con un féretro blanco «que llevaría algún ángel al reposo». Este hecho sirve de punto de partida para el elemento didáctico o pseudo-ideológico del poema, que une la visión de la hermosura a la de la muerte, al mismo tiempo que contrasta la belleza de los cuerpos con la escondida podredumbre de sus almas impuras.

Escrito, sin duda, con miras a los lectores de Madrid, el poema señalaba con dedo acusador los vicios de la sociedad, enumerándolos: «odio, escarnio, pasiones, / embriaguez, apetito lujurioso, / envidia, falsedad, torpe impureza, / adulación, ultrajes y ambiciones, / rastrera hipocresía y egoísmo, / farsa, burla, vileza...»; pero la primera estrofa del «Nocturno» era colorista y los mejores poetas del momento eran dos coloristas andaluces, Manuel Reina y Salvador Rueda. En sus versos predominaba el colorido, las luces, la cadencia; las frases que evocaban impresiones táctiles, auditivas, olfativas y la musicalidad íntima. Reina era un cordobés rico que vivía apartado en una finca propia de Campo Real, en Puente Genil. Sus versos, nacionales, tenían un sugestivo y leve nuevo tono lírico. Para 1899, Manuel Reina había publicado seis libros de poemas; pero no se adhería a bandos literarios, ni hacía acto de presencia en Madrid; sin embargo, había pasado a ser el gran poeta lírico de su generación. Juan Ramón le llamaría después *parnasiano*, recordando que «estaba enamorado de los jardines fantásticos, del mes de mayo, del claro de luna, del ruiseñor oriental, de los bandolines, de las espadas a la española, todo revuelto», y decía: «Habló mucho de lo azul y del cristal; tuvo su agua de lago llena de estrellas, sus góndolas de marfil y sus mascaradas rojas y negras» [40].

Salvador Rueda, el otro maestro colorista, ejercía desde Madrid una mayor influencia que Reina y fue el verdadero lazo de transición para la nueva poesía. Rueda era de Málaga, de origen humilde y escasas letras. Desde 1885 estaba introduciendo innovaciones en el verso y defendía las nuevas corrientes, había sido el primer poeta español en emplear metros nuevos, por él Rubén Darío publicó por primera vez uno de sus *raros* poemas en España, el «Elogio de la seguidilla»: «*Metro mágico y rico que al alma expresas / llameantes alegrías, penas arcanas...*». Darío, a su vez, escribió un largo «Pórtico» para el libro *En tropel* de Rueda, de 1892, llamándole: «Joven homérida», «buen capitán de la lírica guerra, / regio cruzado del reino del arte», reconociendo su talento original, influido sólo por su propio temperamento andaluz, temperamento colorista que le llevó a reunir en su poesía, audazmente, todos los elementos de la lírica nueva y vieja.

En el apéndice a *En tropel*, Rueda había hablado de evolucionar *el ritmo* y *el colorido* de la poesía castellana y sugería nociones que después pasarían a ser parte de la esencia del *modernismo:* «Y puesto que nuestro público está cansado de la poesía que ofrece la idea y el sentimiento de un modo *preciso*, ¿qué inconveniente hay en ofrecer sentimiento e idea, por ejemplo, diluidos en la estrofa por medio de la música y del color que ... son naturaleza misma de la poesía? No sabrá el que lea cuándo, en qué momento penetró en él la emoción, o se arraigó en su cerebro la idea; pero dentro de él estarán a buen seguro. Se sentirá invadido poco a poco,

---

[40] «Elejía accidental por don Manuel Reina», *Corriente*, pág. 36.

y así la asimilación intelectual y bella será más suave y dulce e irá revestida de un nuevo halago» [41].

El innato colorismo juanramoniano había sido estimulado por la poesía de Rueda, que para 1899, fecha de la publicación del «Nocturno» de Juan Ramón, había impreso ya dieciséis libros de versos. Juan Ramón conocía *Camafeos*, publicado en Sevilla en 1897, que el mismo Rueda le había enviado. Se trataban por carta. Los poemas de *Camafeos* le habían impresionado por su «belleza colorista indudable y nueva»; recordaba que se le habían quedado «vibrando en la imaginación» y los consideraba después «equivalentes a los poemas de los hispanoamericanos» modernistas, aún le sonaban en la imaginación los versos de los «Pavos reales», de Rueda: *«Cuando vuelvo cantando por los trigales / ya al morir entre púrpuras el sol caído»* [42]. Pero, en conjunto, Rueda no le gustaba tanto como Rosalía de Castro o Verdaguer, que a su vez le llegaban más a lo hondo que Rubén Darío, cuyos poemas aislados había leído en la *Ilustración Española y Americana*, que se recibía en casa de su hermana Ignacia, y en *El Gato Negro*, de Barcelona, que él recibía, y en la misma *Vida Nueva* [43]. En ésta habían publicado un saludo a

---

[41] Citado por González Blanco en *Los grandes maestros*, pág. 294.

[42] «El Modernismo poético en España y en Hispanoamérica», *El trabajo gustoso*, pág. 224.

[43] En «El siglo XX ...», *Corriente*, dice J. R. refiriéndose *al momento de su entrada en la órbita de Darío*: «... y, naturalmente, entré en la órbita de Rubén Darío, de quien ya había leído meses antes *Friso*, en *El Gato Negro*, de Barcelona; *Salutación al rey Óscar*, en *La Ilustración Española y Americana*, y *Urna funeraria*, en *Vida Nueva*» (pág. 232). En «El Modernismo poético ...», *El trabajo gustoso*, dice: «... había leído en la *Ilustración Española y Americana* de casa de mi hermana Ignacia, muy amiga de revistas, el májico poema *Cosas del Cid*, de Rubén Darío; y en *El Gato Negro* de Barcelona, que yo recibía y al que mandaba versos y dibujos, el para mí entonces extravagante *Friso* de Rubén Darío; y en *Vida Nueva*, de Madrid, donde yo colaboraba frecuentemente, *Urna votiva*, esa joya de la palabra

Darío con motivo de su llegada a España en enero de 1899; pero Darío aún no había influido en él; Rueda y el colorismo, sí.

Desde su época de estudiante de pintura en Sevilla, Juan Ramón tenía conciencia del colorismo de la época; Salvador Clemente, su primer maestro de pintura, era colorista. Si «Riente cementerio», lo segundo que escribió, tenía ya aspectos coloristas, se debía a que el autor era entonces más pintor que poeta y veía el cementerio de su pueblo con ojos de pintor, notando las luces y los tonos; pero en el caso del «Nocturno», escrito bajo la influencia de Manuel Reina [44], el colorismo es imaginado. Al alarde de luz, colores y tonos se unen otras expresiones sensoriales de olores, sonidos, texturas:

> Semejaba el salón un gran diamante
> con facetas de mágicos colores...
> Bullicioso conjunto, luz radiante,
> perfumes de mujeres y de flores,
> brazos desnudos, pechos mal velados

---

y el ritmo nuevos, de Rubén Darío» (pág. 219). Es de notarse que J. R. recuerda bien el título de las revistas en las que leyó por primera vez a Darío, aunque equivoque los títulos de los poemas: e. g., «Salutación al rey Óscar» en vez de «Al Rey Óscar», y «Urna funeraria» en vez de «Urna votiva».

[44] J. R. menciona esta influencia en carta a esta autora, sin fecha (escrita en 1949 en Riverdale, Maryland), que pensaba usar en la proyectada obra *Destino*, de modo de poder referirse con naturalidad a sus primeros escritos. «En 'Vida Nueva' —dice— publiqué versos de tipo social entre anarquistas y románticos, era la moda, algunos de los cuales recojí en mi libro, de algún modo tengo que llamarlo, 'Ninfeas'. Entre los que no recojí está el siguiente 'Nocturno', escrito bajo la influencia de Manuel Reina, hoy olvidado y que por entonces se le consideraba como un maestro del Parnaso español:

> 'Semejaba el salón un gran diamante,
> con facetas de májicos colores: ...'».

(Ver *J. R. J., Cartas*, págs. 389-390).

del color de la nieve, y con tersura
de jazmín, de azahares y de rosas;
ricos trajes de sedas y brocados
bellamente adornados
con mil piedras preciosas
de deslumbrante y múltiple hermosura; ... [45].

Este logrado colorismo no pasa de la primera estrofa. La descripción del ambiente cerrado de la ciudad, en la segunda estrofa, carece de gracia:

Cuando salí a la calle, atravesando
la gran mole de carne que ocupaba
la puerta, donde estaba
larga fila de coches aguardando,
negro el cielo, nevaba; ...

(Ibid., 51-52)

Además, en el poema hay un elemento macabro: el paso de un carro mortuorio que lleva el consabido féretro blanco. Al verlo, el poeta-narrador imagina como en un sueño que los coches están llenos de esqueletos asquerosos, símbolos de la destrucción de la hermosura, y al volver en sí sueña despierto una verdad: el mundo que febril gira en satánico baile es un cadáver en cuyo pecho anidan todos los vicios, los cuerpos retratan la belleza; pero las almas son «nidos de impureza, / de cieno, de inmundicia y de gusanos». Así como en «Riente cementerio» desentona la introducción de una mal escogida imagen macabra (que subrayamos), la acumu-

---

[45] Este poema, más otros publicados por J. R. en *Vida Nueva*, fueron reproducidos por Manuel García Blanco en el «Apéndice» a su estudio «Juan Ramón Jiménez y la revista *Vida Nueva* (1899-1900)», *Studia Philologica*, Homenaje a Dámaso Alonso, Gredos, Madrid, 1961, tomo II, págs. 31-72. Se indicará esta fuente dando el nombre de García Blanco y la página, si el poema no está incluido en ninguna colección juanramoniana.

lación de imágenes macabras que constituyen la moraleja del poema «Nocturno» rebajan la poesía:

«Riente cementerio»

«¡Qué alegre cementerio! Si se alzaran a un mágico conjuro las losas de las tumbas, tal vez vería a *los podridos cadáveres* reír de felicidad...»

(P. P., 35)

«Nocturno»

...Vi en cada uno
de los carruajes llenos por la vida
un montón de amarillos esquele-
demacrados, escuetos,   [tos,
gusanos, fetidez, carne podrida,
polvo, tierra, basura,
ojos, labios y pechos carcomidos,
corazones roídos:
la horrible destrucción de la her-
[mosura.

(García Blanco, 52)

Dos meses después de la aparición del «Nocturno», en el núm. 50 de *Vida Nueva*, del 25 de mayo de 1899, le publicaron a Juan Ramón otro poema de tema didáctico y discretos recursos coloristas, titulado «Vanidad», en el que una tela pobre de lana negra disputaba con una tela rica de raso blanco:

Una tela de pobre lana negra
y otra de fino raso, rica y blanca,
de su suerte en el mundo
con caluroso acento disputaban.

(García Blanco, 53)

Disputaban en vano; al fin y al cabo, las dos habrían de acabar en mortajas, pese a que la blanca representaba la belleza y el lujo y la negra la desgracia y la vejez; la primera amortajaría a la virgen y los ángeles tiernos; la segunda, al viejo y la anciana. Decía la tela negra a los alardes de la blanca:

'la misma negra suerte nos aguarda;
porque después de todo
seremos dos mortajas.'

(Ibid., 53-54)

En eso, murió el gran orador Emilio Castelar y Juan Ramón escribió unos endecasílabos altisonantes a su muerte. De niño, le había conocido en persona durante una visita que hiciera Castelar a Moguer, camino de La Rábida. El aviso de su próxima llegada se había recibido en un parte azul de la casa de negocios de sus tíos en Huelva y a él le había tocado llevarlo para avisar a todo el pueblo: a la Iglesia Mayor, al Ayuntamiento, al convento de monjas de Santa Clara, a San Francisco, al Hospital, a las bodegas, pues querían estos sitios abiertos para la visita de Castelar. Él ya había visto su retrato en casa de un «republicano» de Moguer, Rafael Velarde, y como al aperador, que hablaba mucho, le llamaban «Castelar», él tenía la idea de que el tal señor era algo así como un gran loro o una máquina habladora y el día de la visita se pasó la tarde entera mirando la carretera de Palos por si llegaba Castelar *(Cristal,* «Castelar», 118-119). Cuando al fin lo conoció, no fue su pico de oro lo que más le impresionó, sino el kilo de habas «enzapatadas» que le vio comer [46]. La inspiración para la poesía que escribió a su muerte no procedía de ninguno de estos recuerdos, sino de la gran sonora crónica que Darío envió a *La Nación* de Buenos Aires, una crónica suntuosa, regia, sentida, en la que Darío expresaba toda la mezquindad y toda la grandeza del gran pueblo español. Juan Ramón recordaba que Darío había dicho en ella algo así como: «Su caída, buen roble, *estremeció* al mundo»; pero Darío, de veras, había dicho: «*conmovió* al mundo»; lo

---

[46] Ver la nota 1 de la pág. 392 en la carta a esta autora en *J. R. J., Cartas.*

del estremecimiento era más adelante: «Su muerte ha causado un doloroso estremecimiento en España, paralelo al estremecimiento simpático del mundo»[47]. De todos modos, el poema de Juan Ramón, titulado «En la muerte de Castelar» y
publicado en el número 52 de *Vida Nueva* el 4 de junio de
1899, era digno del ilustre orador. La altisonante elegía romántica en cuartetos de tres endecasílabos y un heptasílabo,
empezaba: «¡Murió el genio! Su excelso nombre vuela / cru-
zando los espacios raudamente», y terminaba:

> Las fúnebres campanas dicen: ¡Gloria!
> sus tañidos no son de desconsuelo,
> son un canto solemne que repite:
> ¡¡Vida eterna al coloso!!
>
> (García Blanco, 55)

En el próximo número de *Vida Nueva*, el 53, de junio 11
de 1899, volvieron a publicar otro poema de Juan Ramón de
asunto romántico: filosófico-social y legendario, unas silvas
tituladas «Egoísmo». El egoísta era un río que le tenía envidia a un castillo que se reflejaba en sus aguas. Se le metió
dentro, lo socavó, lo derrumbó; pero al caer el castillo en el
río, se enturbiaron sus aguas y se volvió más mezquino. Así
en el mundo, concluía Juan Ramón, los egoístas hacen su-
cumbir a los grandes, pero se quedan por su acción envile-
cidos. El sentimiento del poema tenía bastante que ver con
su propio sentir relacionado con su colaboración en *Vida
Nueva;* empezaba a «soñar en ser poeta», estaba satisfecho
de su labor y así lo decía en un soneto titulado: «A varios

---

[47] Rubén Darío, «Castelar», *Semblanzas*, tomo II de *Obras completas* («Políticos»), Afrodisio Aguado, S. A., Madrid, 1950, págs. 1070 y
1083. (Al volvernos a referir a esta edición la llamaremos O. C.) En
la carta de J. R. a esta autora escribe una versión corregida del poema a Castelar y usa como epígrafe las palabras atribuidas a Darío:
«Su caída, buen roble, estremeció al mundo» *(J. R. J., Cartas,* pág. 392).

¿amigos?», que salió en el número 56 de esa publicación el
2 de julio de 1899:

> Vosotros que tenéis los corazones
> podridos del placer y de la orgía
> y que pasáis un día y otro día
> entregados al ocio y las pasiones,
>   sin conciencia, sin dignas ambiciones,
> y sin fe, que es la luz que el alma guía,
> ¿impíos os burlasteis de la mía
> porque alentaba ensueños e ilusiones?
>   Semejáis charca inmóvil, cenagosa;
> yo, soy torrente de agua impetuosa,
> y vuestro vil escarnio no me inquieta;
>   ¡infelices! os miro con desprecio...
> ¡Superior a vosotros yo me aprecio
> tan sólo con soñar en ser poeta!
>
> (García Blanco, 56-57)

Ese mismo mes, en el número 59 (de julio 23) le publicaron
un sonetillo octosílabo titulado «La guardilla», inspirado,
según él, por el proceso de los presos de Montjuich[48], en el
que le cantaba a la morada de los pobres y de los artistas,
la bohardilla. La ennoblecía diciendo que en su altura la
mente «eleva mejor el vuelo / a su región esplendente» (García Blanco, 57), aunque él mismo jamás había necesitado de
tal estímulo. No hay duda de que el proceso de los anarquistas de Montjuich, en Barcelona, le proporcionó temas de rebeldía romántica, como en el largo poema en endecasílabos
titulado «¡Dichoso!», en el que un inocente reo condenado a
muerte se despide de su mujer y de su hijo alegrándose de
dejar la «inmundicia» del mundo para entrar en otro más
sublime «donde todos los seres sean hermanos». Este poema,
con bastante abuso de las mayúsculas: Oriente, Tierra, Es-

---

[48] «El Modernismo poético ...», *El trabajo gustoso*, pág. 222.

peranzas, Primavera, Invierno, Natura, Trabajo, Orgullo, Miseria, se salva por el lirismo con que Juan Ramón se refiere a la naturaleza en algunas estrofas que contienen elementos coloristas y hasta becquerianos, como: «las rosadas luces de la alborada alegre», «blancas ilusiones» y «Esperanzas» que volverán «a anidar» como «golondrinas»:

> Mañana moriré... Cuando clareen
> allá en Oriente las rosadas luces
> de la alborada alegre, sonriendo
> despertará la tierra a las caricias
> del nuevo día... blancas ilusiones
> flotarán en los límpidos espacios...;
> gozosas volverán las Esperanzas
> a anidar en el alma de los hombres
> después de su viaje por la sombra
> como las palpitantes golondrinas...
>
> (García Blanco, 60)

Una malograda imagen macabra afea el poema. Aparece en la primera estrofa y en la última, que damos a continuación, subrayada:

> Mañana moriré... Cuando clareen
> allá en Oriente las tranquilas luces
> de la alborada alegre, mi alma hermosa
> *obligada a salir por mi garganta*
> *en horrible patíbulo*, triunfante
> penetrará en el mundo de sus sueños.
>
> (*Ibid.*, 62)

Esta poesía de tema social tuvo mucho que ver con unas traducciones de Ibsen que el director de *Vida Nueva*, Dionisio Pérez, le mandó a Juan Ramón para que las versificara a su antojo[49]. Se trataba de traducciones al español en prosa, no

---

[49] *Ibid.*

del todo acertadas, ya que un «orgue de Berberie» se había convertido en un «organillo de la barbarie» [50], error que persistió en la versión juanramoniana en verso, por no conocer éste los originales. Los versos se publicaron en el número 83 de *Vida Nueva* del 7 de enero de 1900, y eran: «El minero», «Poder del recuerdo», «¡Partida!», «A mi amigo el orador revolucionario» y «Pájaro y pajarero» y llevaban las consabidas mayúsculas románticas para acentuar la idea: Genios, Vida, Esperanza, Diluvio Universal, Tierra, Arca. Influido por «el enigma misterioso de la Vida» de «El minero» de Ibsen y por la especulación de la época, llena de escepticismo y malestar religioso, Juan Ramón escribió entonces unos sonetos inquietos que precedieron a la publicación de las traducciones en *Vida Nueva*. El primero que vio la luz, en el número 67, de noviembre 17 de 1899, se titulaba «Plegaria» y era un soneto un poco rebelde en el que, como «El minero» de Ibsen, Juan Ramón clamaba por descubrir «el enigma misterioso de la Vida». En el poema había indicios de que la muerte le empezaba a preocupar de otro modo que en el colegio de los jesuitas, es decir, ya no era aquello de «Acuérdate que morirás» y, por lo tanto, necesidad de ganar el Cielo en la Tierra; sino una rebelión en contra de la muerte, un deseo de seguir siendo, *existiendo*, aunque tuviera que luchar en la tierra eternamente. El soneto empezaba con la tradicional creencia de que Dios formó al hombre de arcilla:

> Tú, Señor, que de tierra me has creado,
> ¿por qué me has de volver a sucia tierra?
> ¿por qué me has de matar? ¡Yo amo la guerra!
> ¡No quiero ser tan pronto derrotado!
>
> (García Blanco, 57)

---

[50] Ver «El siglo XX ...», *Corriente*, pág. 231.

Después, la expresión tiene que ver con el presentimiento de
otra Verdad, así, con mayúscula, que la que se acepta por ser
parte de la tradición y la cultura:

> Mi pensamiento busca al ignorado
> palacio en donde la Verdad se encierra
> y a conseguir esa Verdad se aferra
> y gime y se revuelve encadenado...
>
> *(Ibid.,* 58)

Pero su fe en Dios aún era firme:

> Yo creo en Ti; mas, abre mis prisiones,
> deja que siempre vague por el mundo;
> deja que libre vuele al fin mi mente...
>   ¿Han de servir mis blancas ilusiones
> para comida del gusano inmundo?
> ¡No me importa luchar eternamente!
>
> *(Ibid.)* [51]

Al mes siguiente, en el número 72 de *Vida Nueva,* del 22
de octubre de 1899, apareció otro soneto titulado «Paisaje»,
que expresa una inquietud en Juan Ramón de carácter más
complejo que el de la «pena negra» de los primeros romances: mirando la hermosura del paisaje, siente una lucha interior opuesta que expresa admirablemente en la metáfora
«oleadas de encontrados mares». Dice en la última estrofa del
soneto que pasó a *Almas de violeta:*

> Y siento oleadas de encontrados mares;
> recuerdos de placer y de amargura,
> y río y lloro dichas y pesares...
>
> (P. L. P., 1527)

---

[51] Entre los papeles inéditos en los archivos de J. R. en España
aparece una versión corregida de este poema con el título «En donde
la Verdad se encierra» y el subtítulo «(Con Víctor Hugo)». Al pie lleva
estos datos: «(Moguer) (Nubes sobre mi corral) (1898) J. R. J.». Al corregir el poema J. R. convierte el título *Nubes* de su primer libro manuscrito que no llegó a ver la luz, en *Nubes sobre mi corral.*

«Paisaje», y otro poema publicado anteriormente, titulado
«El cisne», que salió en el número 70 de *Vida Nueva* el 8 de
octubre de 1899, contenían elementos novedosos. Uno correspondía a esa nueva sensibilidad de la que hablara Rueda en
su apéndice a *En tropel*, tenía que ver con la imprecisión de
la idea y el sentimiento diluidos en la estrofa por medio de
la música y el color. En el caso de «Paisaje», poema al que
nos referimos, el colorismo es poco pronunciado, pero, como
dijera Rueda, *la asimilación intelectual y bella* es *más suave
y dulce* y está *revestida de un nuevo halago*. Esto se puede
apreciar en las primeras estrofas del soneto:

> Es de noche...; la brisa perfumada
> pasa besando con fervor mi frente...;
> poco a poco la luna, por Oriente
> su faz asoma tersa y nacarada...;
>
> filtrando su fulgor por la enramada
> donde canta entre lirios la corriente
> del arroyo, en su linfa sonrïente
> se contempla temblando retratada...

La primera estrofa es romántica, pero la expresión adquiere
una suave dulzura en la segunda sugerente estrofa. Todos
los sentidos participan en la contemplación de la hermosura:
la brisa perfuma y besa con frescor; se ve el fulgor de la
luna, se oye cantar a la corriente. Por lo que perciben los
sentidos se llega al recuerdo y al complejo sentimiento de
dicha y pesar en la ya citada última estrofa de los *encontrados mares*. Este sentimiento que evoca la vista del paisaje
y que se queda sin explicar, constituye una nota lírica nueva
en la poesía española de la época.

La nota nueva en el otro poema, «El cisne», es menos lograda. Se trata de un embellecimiento artificioso en un poema de intención didáctica: el cisne, al pasar por el cenagal,

no se mancha, como tampoco se mancha la inocencia que
pasa por la inmundicia. La descripción del ave es «modernista» en el peor sentido de la frase: el cisne «alza altivo el
elegante / blanco cuello»; «su pluma nacarada / [es] suave,
tersa, fina, hermosa». Con poco tino, el poeta llama al lago
por el que se desliza el ave «espejo de verdura» y «linfa ce-
nagosa». Lo forzado de la rima se nota en algunos versos:

> En el parque abandonado
> de arboleda rodeado,
> está el lago silencioso
> donde el cielo esplendoroso
> jamás mira su azul limpio reflejado.
>
> (García Blanco, 58)

El cultivo de las novedades no impedía que Juan Ramón
siguiera escribiendo versos corrientes destinados a los periódicos de Andalucía, en particular a *El Programa*, que se los
publicaba con frecuencia. Estos versos eran corrientes porque tenían que ver con su propio ambiente y con las consi-
deraciones de carácter moral que eran la norma; además,
eran de estilo colorista andaluz. «El paseo de carruajes», un
poema de este tipo, salió en *El Programa*, en el número 15
del 2 de marzo de 1899.

Como en el «Nocturno» que Juan Ramón mandó a *Vida
Nueva*, en «El paseo de carruajes» se dolía de la orgía mun-
danal, pero esta vez se trataba de una costumbre de su región, con la que estaba familiarizado: el paseo de carruajes
andaluz. Los musicales versos hexasílabos del poema fluyen
con naturalidad y todo es luz y sonido: *dulces armonías, canto risueño, fuentes bulliciosas, agua cristalina, azuladas linfas, surtidores* (que) *bullen y salpican, lluvia de perlas, gotas
diamantinas, reflejos y luces*:

....
olor de azahares,
dulces armonías
del canto risueño
de las golondrinas;
fuentes bulliciosas
de agua cristalina,
de dulce frescura
y azuladas linfas,
cuyos surtidores
bullen, y salpican
en lluvia de perlas
gotas diamantinas;
reflejos y luces,
vagas melodías...
una hermosa tarde
sonriente y tranquila,
de la primavera
de mi Andalucía.

La descripción de los brutos que tiran de los coches es también movida y natural:

Ya llegan los coches,
ya pasan y giran,
tirados por brutos
de fauces henchidas
cuyo limpio pelo
sudoroso brilla,
y mascan espuma
y erguidos relinchan...

La sensual adjetivación de los versos que siguen: *hermosas y provocativas, ojos soñadores, ardiente sonrisa, carnes de rosa*, y la acumulación de sustantivos frívolos: *sombreros y trajes, prendidos y cintas, flores y abanicos* crean el típico ambiente de la fiesta:

> mujeres hermosas
> y provocativas
> de ojos soñadores,
> ardiente sonrisa
> y carnes de rosa;
> ....
> ....
> sombreros y trajes,
> prendidos y cintas,
> flores y abanicos,
> voces argentinas...

Cuando el poeta reflexiona sobre «la triste vida», el tono recogido y sencillo es también natural:

> Es un gran paseo
> esta triste vida;
> vagas ilusiones
> a lo lejos brillan,
> dulces esperanzas,
> glorias y alegrías...

Emocionado por la lectura del libro *Lágrimas de una madre*, de doña María Tixe de Isern, escribió un romántico soneto titulado «Consuelo» que le dedicó a la autora y que se publicó en el *Correo de Andalucía* del 13 de marzo de 1899. Decía en las dos últimas estrofas:

> ¡Qué dura, madre, debe ser tu pena!
> ¡cuán triste tu gemido, qué profundo,
> al recordar el hijo, sin ti muerto...!

> Mas, mitiga el dolor que te envenena,
> pensando, que ya libre de este mundo,
> está la nave en el seguro puerto.

Las cosas de su pueblo seguían siendo motivo de su inspiración. En el soneto publicado en el número 17 de *El Pro-*

grama, el 30 de abril de 1899, titulado «La fiesta de mayo. En la aldea» y dedicado a su buen amigo moguereño Julio del Mazo, describía las procesiones de la Fiesta de la Cruz y el fervor del pueblo:

> Con esplendor y lujo engalanadas
> vienen las santas cruces, rodeadas
> por la plebe que grita delirante...
>
> Y dominando a todo el sol ardiente,
> cual la antorcha de luz resplandeciente
> de la cristiana Fe, viva y triunfante.

En el siguiente número de *El Programa*, el 18, del 1 de junio del mismo año, salieron diecisiete «Cantares», llenos de toda esa sabiduría y amargura que el andaluz pone en la frase popular. Sobre la muerte decía:

> II   No comprendo por qué, niña,
> te causan horror los muertos...;
> eres joven y eres bella;
> ¿no te gustan los espejos?
>
> XIII   «Seré siempre tuya»,
> me dijo en un beso;
> y entonces sonaron con tristes gemidos
> campanas de muerto.

Sobre el alma y el cuerpo:

> IX   Mirad qué arrogante pasa;
> ¡cuánto esplendor en el cuerpo!
> ¡cuánta miseria en el alma!
>
> XII   Aunque muy orgullosa seas,
> en orgullo no me ganas;
> tú, te precias de tu cuerpo,
> yo, me precio de mi alma.

Sobre la fugacidad de la vida:

> XI   Me da pena cuando veo
> en la alegre primavera,
> algún arbolillo seco.

> XV   Volando en el cielo,
> en noches de calma,
> las azules estrellas errantes
> ¡qué pronto se apagan!

> XVII   ¡Cuán pronto tus flores,
> marchitas cayeron!
> arbolito que apenas nacía
> ¡qué joven te has muerto!

Estas sencillas reflexiones constituían el tema de otros poemas más largos, como «La cruz abandonada», que se publicó en *El Programa* en el número 20 del 30 de julio de 1899:

> Hay en el valle alegre donde moro
> una cruz misteriosa y solitaria
> revestida de duelo y de pobreza,
> y, que parece que en constante lloro
> implora al caminante una plegaria
> que alegre su tristeza...

El poema termina celebrando la plegaria que alzan las flores y los ruiseñores a la sencilla cruz.

Al grupo literario de *Hojas Sueltas* y *La Quincena*, y a los literatos de la región andaluza, les gustó esta poesía de Juan Ramón. Salvador González Anaya, un amigo, discípulo e influido de Rueda, dijo en una revista de Málaga que Juan Ramón era «el más pensativo de los jóvenes poetas» y eso le gustó mucho al joven poeta que de veras se consideraba *pen-*

sativo [52]. El Grupo de *La Quincena* dio una reunión en su honor [53] y él les leyó cosas de su manuscrito *Nubes*, compuesto
de la poesía sencilla más primeriza, como los romances, y la
más novedosa, que la gente llamaba «modernista». En «La
Biblioteca» se recibían publicaciones como *La España Moderna*, con noticias de las nuevas corrientes literarias y colaboración de autores hispanoamericanos llamados «modernistas» [54]; pero Juan Ramón no sabía muy bien lo que quería
decir la frase, porque sus amigos literatos de Sevilla andaban
muy lejos de esas cosas. Aun así, una *intelectual* moguereña,
María Francisca Coronel, le había preguntado si él era «modernista» como se comentaba en el Ateneo de Sevilla, ella
quería saber qué era eso de «modernista» *(ibid.*, 218). Por
otro lado, en Sevilla se le hacía la guerra, de palabra, a los
poetas nuevos. Don José Lamarque de Novoa decía de Darío
que era «¡otro cursi, sin duda!», aunque no lo hubiera leído,
y le recomendaba a Juan Ramón que no imitara a «esos ton-
tos del futraque» como Rueda *(ibid.*, 219). Para entonces, el
mismo Juan Ramón empezaba a tener sus dudas acerca de
los coloristas, porque creía que estaban falseando en su poesía el verdadero espíritu de la región, y le había escrito a un
amigo malagueño, José Sánchez Rodríguez, un poeta influido
también por los maestros coloristas pero que, como él, sentía la tristeza andaluza, que la Andalucía de Reina, de Rueda,

---

[52] Ver «Mis primeros romances», en *J. R. J.*, *Cristal*, pág. 272.

[53] El pintor Vázquez Díaz, retratista juanramoniano, en su artículo «Juan Ramón Jiménez, Premio Nobel, 1956», *ABC*, Madrid, noviembre 11, 1956, da el año 1895 como el de la reunión de *La Quincena* en
los locales de «La Biblioteca»: «en una noche de primavera en Sevilla
en la que Juan R. Jiménez lee sus primeros versos». La fecha es errónea; en la primavera de 1895 J. R., un chico de apenas trece años, era
un estudiante interno del colegio de San Luis Gonzaga en el Puerto
de Santa María y no escribía versos ni frecuentaba tertulias de literatos en Sevilla.

[54] Ver «El Modernismo poético...», *El trabajo gustoso*, pág. 223.

de Reyes era falsa [55], sin duda porque estos poetas reaccionaban al estímulo de los aspectos más pintorescos de la región.

Para esta época, a fines de siglo, el único contacto personal con hombres de letras para Juan Ramón era el que le proporcionaba Sevilla. Admiraba entre ellos a Timoteo Orbe, un crítico vasco muy inteligente, en su opinión; le parecía «uno de los más altos representantes de la juventud intelectual española», según dijo en unas «Impresiones» que escribiera después sobre *Rejas de oro*, una comedia de Orbe que se representó con muy poco éxito, se dio sólo una vez. La reseña de Juan Ramón salió en el número 87 de *Vida Nueva* del 4 de febrero de 1900, con el título: «Juan R. Jiménez. *Rejas de oro* [Impresiones]». La obra de Orbe era una honrada defensa del trabajo y del amor en un tono que bien se puede juzgar de las frases finales: «Pan y amor son los polos del mundo; sobre ellos se sustenta el eje de nuestra vida; la mujer es el amor; el hombre es el pan, es el trabajo, la gran ley de la vida, y ¡ay de los que la violen!, ¡ay de los vendidos! ¡Caiga sobre ellos el desprecio de la conciencia pública!». Juan Ramón se unía a los sentimientos de Orbe, que retrataba en su obra la «decadente sociedad» de la época. Lamentaba Juan Ramón que la «sociedad soez, rastrera», después de aplaudir una vez las bellezas de la obra, no quisiera oírla más. Aunque en Moguer la sociedad era la de siempre, él se mostraba muy disgustado con la vulgaridad típica de las ciudades, con la aparente falta de ideales y el materialismo de la época. La reseña de la obra de Orbe le proporcionaba la oportunidad de exponer sus ideas en este particular: «Cuando solo en mi cuarto —decía—, huyendo de la conversación vulgar y baja de miras, me deleito sabo-

---

[55] En carta del 7 de abril de 1900 citada por Guillermo Díaz-Plaja en *Juan Ramón Jiménez en su poesía*, Aguilar, Madrid, 1958, pág. 33.

reando manjares de inspiraciones; cuando lejos de la vida
material y solitario en el rincón de mi pueblo, me olvido del
gran mundo que se agita tras *mis* horizontes, impulsado por
móviles rastreros, pienso amargamente, con desprecio y compasión, en esos seres miserables que no sienten, que no piensan, que no sueñan ni lloran...». Juan Ramón juzgaba al público que asistía a las representaciones teatrales como personas que pronto se olvidaban de las sensaciones estéticas y
pasionales sufridas. Al mismo tiempo, derivaba de su propio
sentido estético ciertas frases y giros nuevos para condenar
a sus contemporáneos y pedía licencia para usarlos: «Después vi que terminaba la representación, que salía la gente...
y aún antes de salir del teatro, ante el espejo de su torpeza,
sorprendí miradas *metálicas* —si se me permite la palabra—».
La crónica terminaba con un juicio de carácter positivista
y muy poca calidad estética: «La sociedad moderna es un
gran organismo material; se traga a los seres; los digiere
penosamente en su vientre ayudada por el jugo aurífero, y
los arroja al exterior en excrementos nauseabundos... Ahí no
puede existir parte alguna de idealismo...».

Timoteo Orbe, causante indirecto de esta diatriba de Juan
Ramón contra la sociedad, habiendo leído el manuscrito de
Nubes, le recomendó que tuviera cuidado «con esos *mercuriales* franceses y de la joven América»[56]. Los *mercuriales*,
naturalmente, eran los autores que colaboraban en el *Mercure de France*, y los de la joven América eran los «modernistas» que ya iban influyendo en Juan Ramón a causa de
Vida Nueva.

Por *Vida Nueva*, el poeta de Moguer había entablado correspondencia con Francisco Villaespesa, delantero de todos
los *ismos* de la época, colaborador también de dicha publica-

[56] Ver «El Modernismo poético...», *El trabajo gustoso*, pág. 222.

ción. Se escribían a menudo y Villaespesa le había mandado su libro *Luchas*, de 1899, influido por los hispanoamericanos y por el colorista Salvador Rueda. En Madrid se le conocía desde 1897 y a su alrededor se congregaban los escritores más nuevos. Hacia 1898 había caído bajo la influencia de Rubén Darío y de los poetas americanos modernistas, que él leía en revistas que le llegaban de América: Díaz Mirón, Casal, Silva, Gutiérrez Nájera, Lugones, Valencia, González Prada, Jaimes Freyre, Nervo, Tablada, Leopoldo Díaz y, sobre todo, Darío [57]. La lectura de la poesía nueva tuvo una adversa influencia en Juan Ramón Jiménez, porque le apartó del estilo sencillo de los romances, que era su estilo mejor. El 3 de diciembre de 1899, veinte días antes de cumplir los dieciocho años, *Vida Nueva* le publicó un poema titulado «Las amantes del miserable», que representaba tendencias variadas en el fondo y la forma: era de contenido social, el poema tenía que ver con la mendicidad, el hambre, el frío, la soledad del mendigo; pero el tema estaba revestido de un sensualismo desmedido: la Muerte y la Soledad, «las amantes del miserable», le poseen y le llevan a la muerte en el deleite de la posesión. Este tema está expresado a la manera romántica, colorista y modernista.

«Las amantes del miserable» se publicó con un retrato del joven autor y unas líneas de encomio que decían que en la concepción de sus poesías «se percibían aleteos de un alma gigante» [58]. El tono tétrico del poema se puede apreciar por las frases escritas con mayúscula: la Tierra, la negra Soledad, la Sombra, la Vida, la derrota de las Vidas, los reinos del Martirio, la Guadaña traicionera, la Muerte, la lóbrega Existencia. Aunque también llevan mayúscula la Esperanza

---

[57] *Ibid.*, 224.
[58] Citado por M. García Blanco en «J. R. J. y la revista *Vida Nueva*», pág. 36.

y el Ensueño. Los detalles coloristas son pocos: «los copos blanquecinos de la nieve», los «pliegues de oro y rosa» de la «veste flotadora» de la esperanza, pero las imágenes son sensuales y el sentimiento está exageradamente exteriorizado: el nublado cielo está «vestido con su veste más compacta»; la nieve cae «en incesante lagrimeo»; los abrazos son «delirantes»; la sombra «sonríe con irónica sonrisa»; la mirada es «cavernosa»; las caricias, «espantosas»; los espasmos, «angustiosos»; las contorsiones, «febriles»; los fulgores, «macilentos»; la alborada, «tétrica alborada taciturna».

Pese a sus defectos, de los poemas que Juan Ramón había escrito hasta la fecha, «Las amantes del miserable» es el de más sostenida melodía, desde la primera estrofa, mejor que las siguientes por más sugestiva:

> ...Hace un frío tan horrible,
> que hasta el cielo se ha vestido con su veste más compacta...;
> cae la nieve en incesante lagrimeo,
> como llanto sin consuelo de algún alma dolorida;
> de algún alma que en los aires
> vaga triste, sin hallar dulce reposo;
> de algún alma que no quiere desligarse de la tierra
> donde viven sus amores más sagrados,
> y le envía su recuerdo
> en los copos blanquecinos de la nieve;
> su recuerdo que entreteje una hermosísima guirnalda
> de suspiros, de blasfemias y de besos moribundos...
>
> (P. L. P., 1491)

El ritmo, sobre todo, y la elección de frases afines en continuidad en el último verso citado evoca el segundo del «Nocturno» de José Asunción Silva: «de murmullos, de perfumes y de música de alas» [59]; recurso que se repite en el poema

---

[59] Para otras apreciaciones breves sobre el tema, véase *Vida y obra de J. R. J.*, pág. 45. También queremos llamar la atención sobre una

juanramoniano en otro verso: «entre besos y quejidos, y caricias». En la tercera estrofa hay repeticiones de la palabra *sombra*, como en el «Nocturno»:

> Al cruzar por una esquina,
> una Sombra llama al hombro del mendigo;
> una Sombra que va envuelta en negra túnica rasgada,
> por la cual asoman huesos carcomidos;
> una Sombra que sonríe con irónica sonrisa, ...
>
> *(Ibid.)*

El melodioso recurso repetitivo aparece en más de una estrofa:

> ha gustado muchas veces sus caricias espantosas,
> sus caricias que son gratas, cuando el alma desespera, ...
> ....
> El mendigo no le teme... Ahora, ahora la desea...
>   La desea; que en el mundo
> ya no tiene quien le deje un dulce beso de consuelo;
> que los hombres lo desprecian
> y se mofan de sus míseros andrajos,
> de sus míseros andrajos, que son timbre de su gloria;
> de la gloria más sublime; de la lucha,
> de la lucha formidable por la lóbrega Existencia...
>
> *(Ibid., 1492)*

No se sabe si Juan Ramón conocía el «Nocturno» de Silva para la fecha en que escribió este poema; pero años después confesó: «José Asunción Silva influye mucho en mí y en to-

---

equivocación referente a este poema en el libro de Gullón *Conversaciones con Juan Ramón*, en el que se le atribuye al poeta esta frase: «No sé si le conté lo ocurrido con la traducción de 'Las amantes del miserable' de Ibsen ...» (pág. 78). El mencionado poema no era una traducción, las traducciones de Ibsen eran otras, ya comentadas en esta obra: «1. El minero», «2. Poder del recuerdo», «3. ¡Partida!», «4. A mi amigo el orador revolucionario», «5. Pájaro y pajarero», publicadas en el núm. 83 de *Vida nueva* el 7 de enero de 1900.

dos, siendo verdaderamente uno de los principales precursores del Modernismo en España» (Guerrero, 149). Pero la erótica morbosidad del poema de Juan Ramón no puede ser influencia de Silva, tan alado en su «Nocturno». En la obra juanramoniana la nota erótica aparece, como ya se ha hecho notar, desde «Riente cementerio»; pero en el poema que comentamos está desprovista de gracia:

> y ahora va a gozar con ella en el silencio de la noche,
> a abrazarla con abrazos delirantes,
> a morder sus flojos pechos que no sacian
> los carnales apetitos...;
>
> *(Ibid., 1491)*

Lo erótico adquiere un tono perverso en los siguientes versos que describen a las amantes del miserable como amigas que se conocen y no sienten celos:

> ...han dormido alegres sueños
> abrazadas en los lechos hediondos
> que abandonan los cadáveres;
> han gozado los placeres más extraños
> celebrando la derrota de las Vidas;
>
> *(Ibid.)*

El mendigo muere en una tétrica orgía carnal:

> ...Ya llegaron... Ya el mendigo cae en el lecho;
> ya el mendigo se revuelca con espasmos angustiosos,
> con febriles contorsiones,
> entre besos y quejidos y caricias
> de sus fúnebres amantes ardorosas, insaciables...
>
> *(Ibid., 1493)*

Los amigos de Juan Ramón se aprendieron el poema de memoria y Francisco Villaespesa le escribió una tarjeta postal invitándole a ir a Madrid. La tarjeta estaba firmada tam-

bién por Rubén Darío. Llamándole *hermano*, le invitaba a ir
a Madrid a *luchar* por el *modernismo* [60]. La invitación tuvo
un efecto fulminante en el poeta de Moguer. Se volvió loco
de contento, le pareció que la casa toda vibraba con el nombre de Darío y treinta y seis años después, acordándose del
suceso, aún trascendía aquel entusiasmo de su juventud:
«Era para mí como si el sol grana que yo veía romper en
cada aurora, en mi caballo galopante, los blancores crudos
y mates de los pinos de mi Fuentepiña, se me hubiese meti-
do en la cabeza. Yo, modernista; yo, llamado a Madrid por
Villaespesa con Rubén Darío; yo, dieciocho años y el mundo
por delante, con una familia que alentaba mis sueños y que
me permitía ir adonde yo quisiera. ¡Qué locura, qué frenesí,
qué paraíso!» *(ibid.).*

Juan Ramón oyó el reclamo «modernista» y se preparó
para el viaje a Madrid. Llevaría con él su libro manuscrito
Nubes, que contenía casi todo lo escrito hasta la fecha y representaba todas las corrientes poéticas del postromanticis-
mo de a fines del siglo XIX: 1) la poesía sentimental subjeti-
va, esencialmente lírica, con influencias de Bécquer, Rosalía
de Castro, Verdaguer, Curros Enríquez. Los primeros romances juanramonianos eran de ese tono; 2) la poesía de inspiración popular, como la octavilla en pentasílabos dactílicos
«Últimas notas»; 3) la poesía de tema ideológico, de preocupación social y de inquietud religiosa; 4) la poesía nueva colorista con predominio de lo descrito, y 5) la poesía modernista musical. De todos estos poemas los mejores eran
los que habían nacido al estímulo de la propia tradición lírica, de los romances, de la tierna y triste expresión de los
poetas del litoral, de Bécquer; y como Juan Ramón sentía la
gracia, el color y la música de su región andaluza, también

---

[60] Ver «El Modernismo poético...», *El trabajo gustoso*, pág. 223.

había escrito muy buenas estrofas coloristas y musicales. Los dos últimos poemas que salieron en *Vida Nueva*, antes de su traslado a Madrid, estaban más a tono con su natural manera de ser y de escribir. Uno de ellos, publicado en el número 83 de la revista, del 7 de enero de 1900, se titulaba «A un día feliz» y consistía en versos polimétricos agrupados de manera desigual y con un gran ritmo interior:

> ¿Por qué te mueres, por qué te mueres, mágico día?
> ¿por qué, inundando mi pobre alma de desconsuelo,
> tiendes el vuelo,
> tiendes el vuelo con somnolenta melancolía?

(García Blanco, 69)

El otro, publicado en el número 93, del 18 de marzo de 1900, casi dos semanas antes de él salir para Madrid, era un *soneto* en versos de dieciocho sílabas sobre una niña pálida desflorada. Se titulaba «Marchita»:

> ....
> ¡Pobre niña pálida, pobre niña amante, pobre confiada
> que en las negras garras de un amor ingrato quedó desflorada!

(P. L. P., 1498)

En Moguer empezaban a florecer los campos cuando Juan Ramón Jiménez, el poeta del pueblo, hacía sus maletas para el viaje a Madrid. El que se marchaba era ya un paladín de las letras en su región. Le había dado el espaldarazo a otro escritor joven de Huelva, Tomás Domínguez Ortiz, en un prólogo que le pidiera para su libro *Nieblas* [61]. En él, Juan Ramón repetía las ideas de algunos de sus poemas de esa época, con las mismas frases: la *envidia* abundaba en su tierra,

---

[61] Imprenta de Agustín Moreno, Huelva, 1900. Prólogo de J. R. J. en las págs. 9-16.

la unión de la juventud era *escasa* y *mezquina;* era difícil
—decía— encontrar un libro en el que fueran enlazadas dos
firmas hermanas como símbolo de hermandad de almas. Consideraba hermano a Domínguez Ortiz porque las ideas de su
libro estaban en consonancia con su manera de pensar. El
libro trataba de la pobreza y la injusticia social y las *Nieblas*
del título eran las *nieblas aplastantes* que coronaban la frente del desgraciado personaje que regaba su pan con *lágrimas
amargas como hieles;* las nieblas tejían sobre su frente «una
punzante corona de espinas que se clavan en ella como ga-
rras metálicas que quieren absorber avaramente su sangre
para trocarla en oro» (pág. 11). Con emoción literaria, el poeta de Moguer hablaba otra vez de la *Miseria* en los mismos
términos que en su poesía sobre el tema: «Nada más grande
que cantar la Miseria; nada tan alto como unir un gemido
desgarrador al sollozo inmenso, entrecortado y lagrimoso que
se levanta de fábricas y talleres; al sollozo agónico de una
Vida que lucha desesperadamente con una Muerte horroro-
sa, que como sol taciturno y misterioso alumbra opacamente
el negro día del Dolor y de la Angustia...» *(ibid.).* Lo que seguía en el prólogo era prosa poética, que muy bien pudo haber sido otro poema de versificación irregular: «El cántico
más solemne, más sublime, es el lúgubre cántico que se
acompaña cadenciosamente con el ritmo del martillo sobre
el yunque..., sobre el yunque donde se forja una cadena...,
una cadena que resuena sarcásticamente, como riendo con
loca carcajada del presente oscuro; como riendo una risa de
anhelos remotos de libertades que la convierten algún día
en dogal; en dogal inquebrantable para ceñir con rabia la
garganta del opresor...» *(ibid.).* Para dar fuerza a su noble
protesta, Juan Ramón situaba a la justicia en un paisaje lúgubre en el que se pudría el cadáver virginal de la Misericordia. Como era su costumbre, representaba en la virgini-

dad o pureza de la carne el más alto valor humano y divino: «una justicia que se ríe, que se ríe burlonamente, viéndose libre, en los morados horizontes de un paisaje brumoso y tétrico, sobre cuyos picos sombrosos se eleva una cruz pesada y negra; un paisaje brumoso y tétrico, de cielo plúmbeo y frío, cruzado por lúgubres grajos que vuelan pesadamente, como rondando el virginal cadáver de la Misericordia, cuyos miasmas flotan en los aires, saturándolos de efluvios podridos, nauseabundos, febricientes..., cielo plúmbeo y frío que pesa como hierro sobre las abatidas frentes de los desheredados, bañándolas en las melancólicas claridades de un sol de Tristeza, aureolándolas de guirnaldas de Amargura...» (págs. 12-13).

Anticipando el aplauso del público para el autor de *Nieblas*, que con tan fuerte coraza se lanzaba a la batalla, Juan Ramón hacía labor de verdadero crítico en el párrafo final del prólogo. Pareciéndole floja la forma del libro, aconsejaba a su autor trabajo y estudio, ya que el tiempo y la experiencia se encargarían de lo demás, puliendo y hermoseando la forma «a la que —dicho sea con sinceridad—» le faltaba bastante «para cantar al unísono con el espíritu que la animaba». En las últimas frases del prólogo daba un juicio crítico sobre las letras: en su opinión, así como el alma era *más superior* que el cuerpo, *materia imperfecta*, el fondo, en literatura, era más esencial que la forma, «no lo más esencial, sino lo necesario, lo indispensable, sin cuyo aliento morirá esa forma como muere el cuerpo cuando se va el alma» (página 15). Importante, por su innata concepción de la literatura, es su declaración de que la percepción de lo bello era el estímulo inmediato del artista para la creación literaria: «los sentidos necesitan una hermosa percepción que los afecte de un modo inmediato, para encontrar un reposo completo» *(ibid.)*. Concluía: «un armónico conjunto llenará siempre más que uno desequilibrado en raro desconcierto». El prólogo estaba firmado en Moguer en febrero de 1900. En menos de dos meses estaría en Madrid el nuevo crítico y poeta de Moguer.

CAPÍTULO V

EL 'MODERNISMO' Y LOS POEMAS *MODERNISTAS:*
MADRID

Mi adolescencia cayó en tentación... y vine a Madrid; por
primera vez, en abril del año 1900, con mis diez y ocho años
y una honda melancolía de primavera [1].

Era Semana Santa. La primavera, que hacía su entrada
en Moguer, se iba retirando según el tren se alejaba camino
a Madrid. Juan Ramón llegó a la corte la mañana del Vier-
nes Santo. Como llovía y estaba nublado, desde que divisó
la ciudad a distancia, le pareció fea. La estación de ferrocarril le pareció aún más fea. Le esperaban Villaespesa, el propio Salvador Rueda y un grupo de escritores que él no conocía, discípulos e influidos de Rueda, entre ellos Julio Pellicer, escritor colorista cordobés, y algunos seguidores de Darío, entre ellos Bernardo González de Candamo. Le llevaron
por autobús a Mayor, número 16, su casa de hospedaje, donde vivía Pellicer, en una calle céntrica y muy transitada de
Madrid. En el camino hablaron a gritos porque el ruido del
autobús sobre los adoquines impedía la conversación en tono

---

[1] J. R. J., *Renacimiento.*

normal. Afectado el ánimo por el frío, la humedad y el cerrado ambiente de ese lluvioso día madrileño, cada nueva
vista de la ciudad le pareció peor. Los dueños de la casa de
hospedaje eran granadinos, el amable ambiente del lugar le
reanimó. No pudo almorzar, Villaespesa se empeñó en que
les leyera sus versos. Su cuarto estaba en el último piso y
después de haber subido los doscientos escalones de sus recuerdos, volvieron a bajarlos para reunirse en un café del
mismo edificio, donde Juan Ramón les leyó *Nubes* entero[2].
Esa noche, sin darle tregua, Villaespesa le llevó por todas las
tertulias literarias modernistas de Madrid.

Los modernistas se reunían en «Pidoux», «El Gato Negro», el «Lion d'Or». En esas tertulias Juan Ramón conoció
a Darío, Benavente, Valle Inclán, Baroja, Azorín, los grandes
escritores del momento. El primer encuentro con Darío y el
modernismo de café fue en la casa de «Pidoux», en la calle
del Príncipe. Darío pedía whisky con soda y coñac Martel
«Trois Étoiles»; Valle Inclán recitaba con «z» «Cosas del
Cid»; los tertulianos aprobaban y desaprobaban lo que se
decía con las palabras de moda: «admirable» e «imbécil»[3].
Hacía dos años que Darío estaba en España, procurado por
los jóvenes y admirado por los maduros. Villaespesa «le
servía de paje», Valle Inclán «lo leía, lo releía, lo citaba y lo
copiaría luego» y Benavente, «príncipe entonces de aquel renacimiento, lo admiraba franco»[4]. Juan Ramón recordaría
los más nimios detalles de ese primer encuentro en Madrid
con los escritores modernistas de primera plana. Al pulcro
señorito andaluz de dieciocho años, correctamente vestido
de macferlan gris y bombín negro, le impresionó el aspecto

---

[2] Ver «Recuerdo al primer Villaespesa», *La corriente infinita*, páginas 63-64.
[3] «Ramón del Valle-Inclán», *ibid.*, pág. 92.
[4] «'Mis' Rubén Darío», *ibid.*, pág. 48.

cansado y los manerismos del grupo, y como buen andaluz los caricaturizó indeleblemente en su visión interior:

«Rubén Darío, recién pelado, bigotito claro, saqué negro y negro sombrero de media copa, totalidad estropeada, soñolienta, perdida...»[5].

«Valle, melena larga untuosa, barba alambresca larga, quevedos gordos, pantalón blanco y negro a cuadros, levita café y sombrero humo de tubo, rozado, deslucido todo»[6].

Benavente, «pequeño y nervioso, con el bigote atusado en curva hasta los ojos, casi sólido de tanto retorcérselo, estaba siempre leyendo entre el humazo de su puro, y en los descansos hablaba susurrante mirando de lado»[7].

Salvador Rueda, «moreno rubial, ojos leonados, entre alegres y tristes, tupé y bigotes floridos. Andaba con paso lijerito y menudo, y, para saludar en la calle, jiraba todo el cuerpo... Hablaba meloso y bajito, con muchos suspiros, modismos e interjecciones populares»[8].

Francisco Villaespesa, «pelado sombrero de copa», «levita entallada», «abrigo levita canela», «empaque d'annunziano», «delantero jeneral, entonces, de todos los ismos habidos y por haber»[9].

De Azorín y Baroja no se acordaría tanto porque «no trasnochaban» como los otros[10]. Se acordaba muy bien de los sitios donde se reunían los modernistas, que no tenían nada en común con los lugares que él frecuentaba en Sevilla. El «Pidoux» de Madrid, de la tertulia de Darío, era un cuarto «estrecho, largo, hondo» con bombilla mosqueada sin panta-

---

[5] «Ramón del Valle-Inclán», *ibid.*, 92.

[6] *Ibid.*

[7] De «Líricos y críticos de mi ser». Inédito, en la «Sala Zenobia y J. R. J.» de la Universidad de Puerto Rico. Citado en *Vida y obra de J. R. J.*, pág. 59.

[8] «El 'colorista' nacional», *La corriente infinita*, pág. 56.

[9] Ver «El 'colorista' ...», pág. 55, y «Recuerdo al primer Villaespesa», pág. 65, en *ibid.*

[10] J. R. J., *El Modernismo*, pág. 78.

lla sobre una mesa larga despintada. Se encontraba incómodo en el amontonamiento alrededor de la mesa, en sillas tan
diversas como los tertulianos. Nada disimulaba la fealdad
y suciedad del lugar [11]. En el café de Valle Inclán, en la calle
de Alcalá, había más espacio. Valle entraba allí como en su
casa y al ir con él, las simpáticas camareras le acogieron con
alegría. Aunque el «éstasis» había sido «amable y murmura-
dor», el sitio le fue también desagradable: «helado, duro, sonoro, incómodo» como las mesas de hierro y mármol [12]. Nada
dijo del «Lion d'Or», donde Benavente tenía su tertulia, o
de «El Gato Negro», donde tenía otra tertulia «más jeneral»;
pero recordaría haber oído leer a Benavente «con voz intensa» poemas de Guillermo Valencia, «Los camellos» y «Las
cigüeñas», y que a Darío y a los hispanoamericanos se les
leía y releía por todas partes [13]. También se recitaba por
todas partes el «Nocturno» de Silva.

Apadrinado por Villaespesa y adorando «de lejos» a Darío, Juan Ramón gustó, palpó, olió, oyó y vio el modernismo
español en su momento de lucha y en todos sus aspectos.
Cinco meses antes, Darío había escrito para *La Nación* de
Buenos Aires que los ataques de la prensa de Madrid a los
modernistas y decadentes eran infundados, porque en España, con excepción de Cataluña, no existía ninguna agrupa-
ción que cultivara el arte según el movimiento de los últimos tiempos. El españolismo estaba muy arraigado —decía—, las bibliotecas no tenían «obras de cierto género», era
necesario encargarlas, muy pocos escritores y aficionados a
las letras estaban al tanto de la producción extranjera y
aquellos escritores que estaban haciendo una obra distinta

---

[11] Ver «Ramón del Valle-Inclán», *Corriente*, págs. 91-92.
[12] *Ibid.*, pág. 93.
[13] De «Líricos y críticos de mi ser», citado en *Vida y obra de
J. R. J.*, pág. 59.

como Valle Inclán y Jacinto Benavente y que eran llamados simbolistas, decadentes y modernistas, no lo eran [14]. Sin embargo, en una crónica anterior, «La joven literatura», del 3 de marzo de 1899, Darío había llamado a Benavente un «modernista castizo en su escribir» (O. C. III, 106). Darío buscaba en la poesía española el extranjerismo de la propia y, no encontrándolo, le negaba modernidad, o modernismo, que al fin y al cabo resultaría ser la misma cosa. Las letras españolas se estaban modernizando por el jugo de sus propias raíces y a Darío le faltaba perspectiva para poder verlo así. Comentando la poesía española de la época en una crónica del 24 de agosto de 1899, «Los poetas de España», celebraba con justicia a Campoamor y Núñez de Arce y mencionaba a algunos poetas del momento que sólo llegaron a ser estrellas fugaces en el firmamento poético de fin de siglo. Aquellos que habían contribuido a la renovación de la poesía y que habrían de ser recordados, como Manuel Reina, Salvador Rueda, Vicente Medina y Ricardo Gil, fueron celebrados por Darío; pero sin concederles importancia como modernistas. Terminaba castigándoles de algún modo y a veces con la mayor sutileza. De Reina decía: «Cada poeta le da su reflejo, y él aprovecha la sugestión felizmente» (O. C., 253); de Rueda: «los ardores de libertad ecléctica... parecen ahora apagados... Volvió a la manera que antes abominara; quiso tal vez ser más accesible al público, y por ello se despeñó en un lamentable campoamorismo de forma y en un indigente alegorismo de fondo. Yo, que soy su amigo y que le he criado poeta, tengo el derecho de hacer esta exposición de mi pensar» (*ibid.*, 255). De Ricardo Gil: «He buscado sus obras, las he leído; no tengo que daros ninguna noticia nueva» (*ibid.*);

---

[14] Rubén Darío, «El Modernismo», crónica del 28 de noviembre de 1899 en *España contemporánea*, tomo III de *O. C.* («Viajes y crónicas»), páginas 302-303.

de Vicente Medina: «lo monocorde de su manera llega a fatigar, con la repetición de la queja, una queja continua, picada de diminutivos, que por su copia llegan a causar otra impresión que la buscada por el poeta» *(ibid.,* 256). Villaespesa, figura capital española del modernismo de la época, figuró en la crónica de Darío en el párrafo que le dedicó a «otros escanciadores de sol y manzanilla». Decía, con razón, que era de la familia de Rueda y lo despachaba con dos líneas de encomio: «bello talento en vísperas de un dichoso otoño» *(ibid.).*

En 1900, momento del encuentro de Juan Ramón y Villaespesa, éste encarnaba en su bohemia vida la decadencia española del siglo pasado, y en su obra, las grandes posibilidades literarias del siglo naciente, aunque, como dijera Juan Ramón, él mismo no se diera cuenta «de lo que era el modernismo ni de lo que no era, de lo que no podía ser o podía ser»[15]; pero tampoco lo sabía el poeta de Moguer, ni habría de saberlo hasta muy tarde. Villaespesa exteriorizaba bien, Juan Ramón interiorizaba mejor; Villaespesa nacionalizaba las tendencias nuevas, las divulgaba, su verso era palatable al gusto español. Villaespesa «embobaba a la juventud provinciana», dijo Juan Ramón comparándolo con García Lorca en ese sentido; «era él solo todo el modernismo exotista español, hispanoamericano y portugués. Los demás no fuimos sino accidente momentáneo. Él fundó y mudó sucesivamente todas las revistas del modernismo, 'peleó todas sus batallas' con la maza del '¡imbécil!' siempre en alto, como un verdugo de su Apolo»[16]. Con Villaespesa, Juan Ramón bebió de las confusas aguas del momento modernista del Madrid de 1900; como los demás, se aprendió de memoria

---

[15] «Recuerdo al primer Villaespesa», *Corriente,* pág. 72.
[16] *Ibid.,* pág. 69.

los versos de Darío; como los demás, trató de imitarle, a él y a los otros poetas hispanoamericanos. Nadie estaba más al tanto del modernismo hispanoamericano que su amigo Villaespesa, sólo él tenía esas «joyas misteriosas» de América: *Ritos*, de Guillermo Valencia; *Castalia Bárbara*, de Ricardo Jaimes Freyre; *Cuentos de color*, de Manuel Díaz Rodríguez; *Las montañas del oro*, de Leopoldo Lugones; *Perlas negras*, de Amado Nervo.

Los poetas hispanoamericanos, con sus obras novedosas y bellas, deslumbraron a los poetas jóvenes españoles, en los que estaba ya, por instinto, la voluntad de renovación. «Rubén Darío era mi sol, era el sol de Nicaragua y de muchos muchachos y países más. Y aquel sol fue de aurora para los españoles, y esa aurora venía, nadie lo duda, fuera por donde fuera, de la América de nuestra lengua»[17], declararía Juan Ramón años después. En la lucha modernista se habían vuelto a unir España y América, un hecho que Juan Ramón notó y lamentó que nadie lo escribiera[18]. Los poetas jóvenes se unieron en una hermandad modernista con Darío, el «modernista ideal» como guía y maestro. Él influyó en todos ellos, ya fueran «exotistas» o «castellanistas», como decía Juan Ramón[19]; porque les llevó a los españoles en la lengua propia y con amor, todas las novedades poéticas de fuera, en ese momento del 1900 en que su poesía estaba cargada de cosmopolitismo y del espíritu francés, un hecho que Darío proclamaba con orgullo y le hizo saber al *castellanista* Unamuno, un modernista sin consciencia de ello. En una crónica del 10 de abril de 1899 sobre «Un artículo de Unamuno» (O. C., III, 155), Darío comentaba el hecho de

---

[17] «El Modernismo poético en España y en Hispanoamérica», *El trabajo gustoso*, págs. 225-226.
[18] *J. R. J., El Modernismo*, pág. 233.
[19] «Recuerdo al primer Villaespesa», *Corriente*, pág. 70.

que Unamuno desde su Salamanca había criticado las letras americanas con un desconocimiento total de la producción literaria modernista de esa época en América, y decía: «Por lo pronto, nos nutrimos con el alimento que llega de todos los puntos del globo. Hemos tenido necesidad de ser políglotas y cosmopolitas... Decadentismos literarios no pueden ser plaga entre nosotros; pero con París, que tanto preocupa al señor Unamuno, tenemos las más frecuentes y mejores relaciones». En ese momento, solamente Darío representaba en España esas corrientes.

Rubén Darío vivía a la vuelta de la casa de Villaespesa con la española que hacía un año había tomado por mujer, Francisca Sánchez, ocupando un piso bajo en la calle del Marqués de Santa Ana, 29. Juan Ramón, que iba tres o cuatro veces al día a casa de Villaespesa, entraba con él, o sin él, a la de Darío. A veces lo encontraba sentado en la cama, en camiseta, o escribiendo sobre la cómoda, muy vestido. Villaespesa le abría los paquetes de libros que le traía el cartero, libros de América, de sus amigos modernistas, que Darío regalaba a sus amigos modernistas españoles. Juan Ramón se acordaba hasta de las cubiertas. A él le había regalado *Castalia Bárbara*, de Jaimes Freyre: «cuadrado, cubierta rosa y oro», y a Villaespesa, *Ritos*, de Valencia: «cubierta celeste y alargado sutil»[20]. El día que Darío recibió un telegrama de *La Nación* diciéndole que tenía que marcharse a

---

[20] «El Modernismo poético en España y en Hispanoamérica», *El trabajo gustoso*, pág. 228. En otra ocasión, J. R. dice que él se quedó con el ejemplar de *Ritos*: «Rubén Darío, como recibe todos los libros hispanoamericanos y nos los da a nosotros, sus jóvenes amigos, nosotros tenemos, yo tuve, me quedé yo, me lo regaló Darío, el primer ejemplar de *Ritos*, de Guillermo Valencia, dedicado a Darío; que lo tengo yo, de la edición primera, en el año 1899». Ver *El Modernismo*, página 231. (J. R. equivoca la fecha, *Ritos* se publicó por primera vez en 1898.)

París para la Exposición Universal de 1900, Juan Ramón estaba allí. Él, Villaespesa, Valle Inclán, Ramiro de Maeztu, Francisco Grandmontagne y Antonio Palomero fueron a despedirle a la estación [21]. Por Valle Inclán, también buen amigo de Darío, éste había conocido a Francisca Sánchez, al visitar la Casa de Campo de Madrid, propiedad real. En esa ocasión, Francisca, la hija del jardinero, que procedía de Ávila, les regaló a cada uno una rosa del jardín [22]. Valle estaba en Madrid desde 1895, había escrito libros de carácter erótico (*Epitalamio, Cenizas, Adega, Corte de amor*) y de estilo modernista, en el sentido que tendían «a refinar las sensaciones y acrecentarlas en el número y en la intensidad». Con su figura estrafalaria, su sonrisa abierta, sus gritos, sus aspavientos y sus lecturas ceceantes de los poemas de Darío, Valle comunicaba *dariísmo* y contagiaba a los jóvenes. Juan Ramón consideraba que en ese momento de lucha modernista, Valle «dio con su instinto mucho más de lo que nadie, ni él mismo acaso, pudieron prever» [23], y notó de él, sobre todo, la lengua viva: «Valle Inclán se recojía en su lengua, se hundía hasta la raíz de su lengua, le hacía dar flor y fruto a su lengua. Cada palabra suya era una lengua» (*ibid.*). Si los demás encontraron a Valle estrafalario, Juan Ramón vio mejor en él al hombre «sencillo, grato, correcto, cumplidor, digno» [24], y sin darse cuenta aprendió de él, como había aprendido de su madre y de su región, que la lengua propia era un verdadero tesoro.

Ni Darío ni Valle se ocuparon de él con la asiduidad que Villaespesa, su guía y amigo fiel durante esa estancia en Ma-

[21] Ver «'Mis' Rubén Darío», *Corriente*, pág. 49.
[22] Antonio Oliver Belmás narra este incidente en *Este otro Rubén Darío*. Prólogo de Francisco Maldonado de Guevara, Editorial Aedos, Barcelona, 1960, págs. 90-91.
[23] «Ramón del Valle-Inclán», *Corriente*, pág. 100.
[24] *Ibid.*, pág. 102.

drid. Villaespesa le iba a buscar a su casa y Juan Ramón entraba y salía gustosamente con él, que, recién casado, vivía rodeado de mujeres finas: su mujer, Elisa, y sus cuñadas, las hermanas de Elisa. Elisa, «eco de luna y de jazmines», era para el poeta de Moguer como las princesas del modernismo, «la representación de la femenina dignidad esbelta, como una encarnación de las heroínas de Poe, de Maeterlinck, de Rubén Darío» [25]. En la casa de los Villaespesa Elisa tocaba al piano «El alto de los bohemios», que le había servido a su marido de título para un libro de versos y un poema, y la poesía se leía, se discutía y hasta se gritaba. Después, con todas las finas mujeres de la familia, se iban a «La Moncloa» y en los lugares serenos: fuente, bosquecillo, glorieta, recitaban versos de España y América, versos propios y de los demás hasta la hora del crepúsculo: de Bécquer, Rosalía, Rueda; de Darío, Casal, Silva, Lugones; de los «hermanos» modernistas del momento: José Durbán Orozco, de Almería; Almendros Campo, de Jaén; José Sánchez Rodríguez, de Málaga; Ramón de Godoy, gallego, y de Juan R. Jiménez y Francisco Villaespesa [26].

Con Villaespesa, Juan Ramón recorrió todo Madrid: calles, plazas, iglesias, paseos, fábricas, cementerios, cafés, museos, jardines. Comían y bebían «a cualquier hora, en cualquier sitio, cualquier cosa» [27], y se retiraban a las cuatro o las cinco de la mañana para volver a levantarse a las ocho. Era una vida loca, rica, con sueños de inmortalidad, con los sentidos abiertos por primera vez a «los colores del mundo». Acordándose de aquel mágico momento modernista, Juan Ramón diría después: «Todo era nuestro, y despreciábamos

---

[25] «Recuerdo al primer Villaespesa», *Corriente*, pág. 74.
[26] *Ibid.*, pág. 65.
[27] *Ibid.*, pág. 66.

todo lo que no fuera la gloria, es decir, nuestra gloria, puesto que nos creíamos y éramos, por tanto, dioses»[28].

Villaespesa le llevaba cuatro años a Juan Ramón. Era de
tierra mora, Laujar de Andarax, en Almería, y tenía todas
las características de su raza: era apasionado, sensual, arre-
batado, de palabra fácil y espontánea. Se preocupaba con los
mismos ardores por la carne y por el espíritu. Era también
suave, melancólico, tierno y generoso y su poesía recibía
toda la descarga emocional de su temperamento. Juan Ramón sentía que dentro de Villaespesa corría un río oscuro
que él no entendía bien; que tomaba una barca y volvía por
sitio insospechado; en sus relaciones amistosas había instan-
tes raros y extraños; pero se nivelaban —decía— sin preguntas de lo misterioso[29]. Como Juan Ramón, Villaespesa era
en su poesía, a veces morboso y a veces misterioso y delicado. Se le veía la influencia de Bécquer en poemas como «La
última cita» de su primer libro *Intimidades*, de 1893[30]:

> '—¿Me olvidarás?', te dije, entre mis manos
> estrechando tus manos delicadas...
> '¡Jamás!', me respondiste, en mis pupilas
> clavando tus pupilas de esmeralda, ...
>
> (P. C. I, 26)

En un poema «A Juan R. Jiménez» de la obra *La copa del
Rey de Thule* (1898-1900), de Villaespesa, se puede apreciar
su opinión del poeta de Moguer. Le parecía un «Lohengrin
misterioso» que vagaba solo, «sobre un cisne de alas negras»
conversando con las sombras de sus sueños. Celebraba sus
versos claros, sencillos y melancólicos; pero le impresiona-

---

[28] *Ibid.*, pág. 74.
[29] *Ibid.*, pág. 66.
[30] En Francisco Villaespesa, *Poesías completas*. Ordenación, prólogo y notas por Federico de Mendizábal, tomo I, Aguilar, S. A. de Ediciones, 1954. Abreviaremos a P. C. al citar poemas de esta edición.

ban más los lúgubres poemas que Juan Ramón iba escribiendo en Madrid, en los ratos que él le dejaba libre; estos poemas despertaban pasiones morbosas en Villaespesa, le parecía que sus amadas muertas surgían de sus negras sepultu-
ras a acariciarle en las sombras «con sus manos descarnadas
de esqueleto»; Juan Ramón era «un mártir» llegado «de las
islas tenebrosas» y al encomiarlo en sus versos salía a relucir la psicosis mórbida del cantor y del cantado:

> ...las panteras de la fiebre devoraron tus entrañas;
> con la sangre de tus venas se han nutrido los murciélagos;
> y las hienas, con los lomos erizados,
> dando aullidos de alegría, en la arena del desierto,
> han saciado sus feroces apetitos
> con la carne corrompida de tus muertos;
>
> esperanzas e ilusiones que se pudren lentamente
> en el fondo de tu alma, devoradas
> por los lívidos gusanos de tus propios pensamientos.
>
> (P. C. I, 125-126)

Villaespesa no exageraba del todo. Como tantos otros en ese
momento de confusión modernista, Juan Ramón malenten-
día el refinamiento de las sensaciones que constituía un aspecto de la mejor poesía hispanoamericana, que Darío, sobre todo, expresaba con belleza y elegancia. Faltándole los
estímulos naturales de su sencillo ambiente moguereño, sus
días frescos de sol, sus noches deslumbrantes, la inspiración
juanramoniana se nutría solamente del artificio, la frase se
recargaba, el fondo surgía tétrico y erótico de los impensa-
dos pozos de la subconsciencia. Como andaluz al fin, en Juan
Ramón había impulsos pasionales y morbosos, aunque lo
morboso le diera malestar. Él mismo contaría después algún
incidente de su vida en el que el impensado pozo le había
hecho actuar de modo extraño. Recordaba que en Moguer

alguien le había llevado a ver una pelea de gallos. Le repugnó el olor a vino, a chorizo, a tabaco, las caras congestionadas, los gritos, el calor; el cruel desgarramiento mutuo de los gallos de pelea; recordaba que, habiendo podido marcharse, se había quedado (*Platero*, LVIII, «Los gallos»). En Madrid, le repugnaba el ambiente de las tertulias ruidosas, vinolentas, humeantes, de los cafés; los manerismos y excesos modernistas del momento; pero no los evitó. A las dos semanas de estar en la capital, le pareció *podrida;* pero allí se quedó, contrariado, alimentando su verso en su encono. En una carta de abril 13 de 1900 le escribía a su amigo andaluz José Sánchez Rodríguez: «Yo aconsejaría a usted, como buen compañero, que no viniera a esta corte podrida donde los literatos se dividen en dos ejércitos: uno de canallas y otro de ... maricas. Sólo se puede hablar con cinco o seis nobles corazones: Villaespesa, Pellicer, Martínez Sierra, Darío, Rueda y algún otro más» [31].

Cansado y aburrido de Madrid y sin el admirado Darío que se había marchado para París, a los dos meses de estancia, Juan Ramón quiso regresar a Moguer. Demoró el regreso esperando la publicación de sus obras, para las que al fin había encontrado editor, después de recorrer con Villaespesa muchas imprentas. Sus versos habían parado en una tipografía de la calle del Espíritu Santo, regentada por un amigo de Villaespesa que les hacía «trastadas» con las pruebas. No pudiendo esperar más, regresó a Moguer a fines de mayo, dejando los libros al cuidado de Villaespesa. El 2 de junio de 1900, ya en su casa, le escribió a Darío para que le hiciera un prólogo que le había prometido. Darío le había dado el título de uno de los dos libros que había dejado en la imprenta,

---

[31] Citado por Guillermo Díaz-Plaja en *Juan Ramón Jiménez en su poesía*, pág. 33, nota 3.

Almas de violeta, y Valle Inclán le había dado el título del otro libro, *Ninfeas,* que ya había usado en una viñeta de 1899 Ricardo Baroja, el hermano de Pío, ambos del grupo modernista. Como en ese momento el colorismo era lo más modernista que había en las letras españolas, un libro iba a ser violeta, como el título, y el otro, *Ninfeas,* iba a ser verde; los verdes estaban muy de moda. La tinta sería también violeta y verde para la impresión en papel «plantin» bueno. *Almas de violeta* se vendería por 2,50 pesetas y *Ninfeas* por 5 pesetas. Estos libros estaban compuestos de algunos de los poemas del libro manuscrito *Nubes* que Juan Ramón había llevado de Moguer y de los versos escritos en Madrid bajo la mal entendida influencia del modernismo hispanoamericano. Puesto que los poemas eran de tono dispar, los amigos de Juan Ramón en Madrid le habían aconsejado su publicación en dos libros. A *Almas de violeta* pasaron veinte poemas, de ellos, diecisiete estaban escritos en la línea española cultivada desde el principio por Juan Ramón, versos románticos sobre muertes y amores blancos, como los ya comentados «El cementerio de los niños», «Tristeza primaveral», «Nívea», «Silencio», «Elegíaca»; versos subjetivos, íntimos, que expresaban estados de alma, como «Negra», o que interiorizaban impresiones derivadas del paisaje, de su pueblo, de la contemplación de la vejez, como «Amarga». Sus títulos eran «Remembranzas», «Paisaje», «Azul», «Triste», «Solo», «Roja», «Nochebuena», «Nubes», «Salvadoras», «Cantares». Tres poemas habían sido escritos bajo las confusas influencias encontradas en Madrid: «Ofertorio», «Almas de violeta» y «Marina». El primero describía el contenido del libro: tristes canciones de muertos, penas sangrientas, dulces amores; el segundo, una «sinfonía», era un poema de ocasión que decía en estrofas alejandrinas de dos versos que las violetas eran las flores tristes de sus muertos Amores, así con mayúscula, que el poeta había colocado en las heridas de su alma; y el tercero, «Marina», decía que la Vida era un lago terrible que se cruzaba por frágiles barcas con los remos de la Fe y la Constancia, loable y tradicional pensamiento que en el poema adquiría un tono lúgubre debido a las imágenes: el lago es «furioso» y la lucha «funesta y amarga»: el hombre «¡tendrá que pasar todo el lago, / abrazado a la fúnebre tabla / de sus penas! / ¡tendrá que pasar todo el lago / con lucha funesta y amarga, / combatiendo el terrible olëaje / de recuerdos, dolores y sangre del alma...!» (P. L. P., 1535). Este poema se parece más en el tono a los del otro primer libro, *Ninfeas;* y también en la forma, por sus versos irregulares y sus estrofas asimétricas.

Ninfeas constaba de treinta y tres poemas, seis, del tono general de los de *Almas de violeta:* «Recuerdos», «Cementerio», «Paisaje del corazón», «Mi ofrenda», «Calma» y «Otoñal». Los veintisiete restantes eran de tono arrebatadamente sensual; si se excluyeran dos poemas elegantes, «El alma de la luna» y «Perfume», de marcada tendencia rubendariana, de los otros poemas podría hacerse el diagnóstico de la psicosis juanramoniana durante ese momento en Madrid: once eran poemas eróticos sobre la carne y dieciséis eran poemas de llanto; pero en más de la mitad el poeta llora por un ideal perdido. Juan Ramón había ido a Madrid en busca de un ideal poético, representado para él, como para todos los demás escritores del grupo, en el modernismo de Rubén Darío; pero el modernismo de Darío era de él y de los hispanoamericanos y el de Juan Ramón y los otros autores españoles tenía que ser de ellos y de los españoles. En el «Ofertorio» de *Ninfeas* está representado este conflicto, que muy bien pudo haber sido el del resto de los modernistas españoles en el período confuso del primer modernismo. El Juan Ramón de «Ofertorio» explica que, anegado en reflejos, perfumes, colores, placeres voluptuosos y cadencias encantadas, quiso su alma soñadora imitar sus sensaciones; no pudo y surgió una horrible lucha. Las canciones resultaron dolorosas, «despojos del vencido», desgaste de ilusiones y de fuerzas. «De mi sangre se nutrieron las estrofas de estos cantos», dice el poeta en la estrofa final (P. L. P., 1466) [32].

En el laberinto psíquico-poético de Juan Ramón Jiménez al contacto abierto con el modernismo rubendariano, el leve vocabulario con el que antes expresara su melancolía queda relegado a segundo lugar. El léxico de lo sensual le proporciona adjetivos y sustantivos exagerados, torturantes, agónicos. La maravillosa y deslumbrante forma modernista de Darío impedía ver que toda forma corresponde a un fondo, que antes que surja la forma ha de existir la sensibilidad que la hace surgir. La sensibilidad modernista no era patrimonio de Darío ni de los hispanoamericanos, estaba en España en los coloristas como Reina y Rueda y en los melancólicamente angustiados como Juan Ramón, angustiado en la car-

---

[32] A continuación, los versos de la segunda y última estrofa, respectivamente, del poema que comentamos:

...en los brazos marfileños de las Musas delirantes,
por su pórtico dorado penetró mi noble alma,
anegándose en reflejos, en perfumes y en colores,
en placeres voluptuosos y en cadencias encantadas...
Al volver de su vïaje, quiso mi alma soñadora
imitar sus sensaciones con los ritmos de su harpa;
pero el harpa miserable, no entonaba las endechas
que en las sombras de mi mente con dulzuras resonaban...;
y al sentir que su harmonía no imitaba mis canciones,
por mis ojos exaltados desbordáronse las lágrimas...
¡Lucha horrible la del alma sollozante que quería
retener en sus estrofas las cadencias encantadas...
....
De mi sangre se nutrieron las estrofas de estos cantos;
son las flores de mi alma, ...

(P. L. P., 1465 y 1466)

ne y angustiado en el alma. De allí que, equivocando el fondo de la nueva corriente modernista, tratando de imitar una forma que no entendía del todo y abandonando su poesía natural creara sus artificiosos poemas de Madrid en los que los adjetivos preferidos son: *doliente, llorante, melancólico, suspirante, muriente, gimiente, silente, febriles, furiosos, lasciva, orgiástico, neurósicos, turgentes, mórbidos, horribles, helados, débiles, horrendo, glacial, tétrica, fantástico, lloroso, trémulo, marchitos, inmenso, sarcástica, macilenta, lívidas, abrasadores, atormentado, obscura, negrura, enrojecidas, sanguinolentas, hirvientes, palpitantes, moribundo, espantoso, lúgubre, angustioso, voluptuoso, espumosos, vidriosos, lívidos, venenoso, sangriento, brumoso, medrosa, febriciente, nauseabundo, espectrales, pentélicos, báquicas, falsos, enardecido, inflamada, incitante, hirviente, convulsivo, desgarrada, nebuloso, ceniciento, amedrentada, odiosa.* Los sustantivos y verbos modificados por dichos adjetivos son también excesivos en relación al contenido del poema: *delirios, martirios, noche, alma, carne, ayes, gemidos, trenos, muerte, quimera, lirio, demonios, ensueño, desencanto, placeres, lágrimas, dolor, llanto, sangre, horas, pesares, luna, olvido, injusticia, sombras, crepúsculos, nostalgias.*

Los temas de los poemas modernistas en los que Juan Ramón hace gala del mencionado léxico son: el Amor, la Vida y la Muerte. El amor ha perdido su primer encanto: los besos no son blancos, sino rojos, y las almas, encarnadas; los labios no son sonrientes, sino espumosos; el llanto es hirviente, convulsivo; la noche no es de estrellas, sino medrosa; las puestas de sol son cremaciones; el alma de la nieve solloza; las niñas desfloradas se mueren de deliquios de ardores; el cuerpo es inmundo y mísero; la tarde extiende su sudario ceniciento y el Alma llora en el silencio. Esta excesiva emoción tiene poco que ver con la elegante decoración

de los buenos versos de Darío. En el poema más rubendariano de *Ninfeas*, «Perfume», aunque sin interiorizar el sentimiento, como en otros poemas del paisaje, Juan Ramón
consigue una expresión galante no indigna del maestro, y la
sostiene hasta la última estrofa:

> ¡Oh rosas, oh azahares, oh nardos, oh jazmines!
> ¡oh flores virginales de los frescos jardines!
> dad al Azur tranquilo vuestra pura canción...;
> enlazad vuestros pétalos..., y en corona nevada,
> ceñid la noble frente de Flora desposada...;
> ¡cubrid de besos blancos su blanco Corazón!
>
> (P. L. P., 1490)

Un *soneto* de esa época que no se recogió ni en *Ninfeas*
ni en *Almas de violeta* muestra lo bien que Juan Ramón puede imitar la supuesta fórmula rubendariana. El poema, dedicado a R. Baroja y sin título, sigue la métrica del famoso
«Venus» de Darío:

> La nueva primavera con sus besos al mundo cubría
> y eran las almas flores de un alegre y fragante vergel,
> y entre todas las almas, sólo mi alma doliente vertía
> en vez de suave aroma una lágrima fría de hiel.
>
> La nostalgia en mi pecho su brumoso amargor desleía,
> y olvidando el ensueño de un glorioso y eterno laurel,
> mi alma herida, llorando se abismaba en la azul lejanía
> tras un amor perdido, alborada divina y cruel.
>
> Era una tarde triste: en el lago del parque nadaban
> dos amorosos cisnes; en mi alma nadaba el dolor.
> En la senda florida dos rosales sus rosas besaban,
>
> y en mi alma sin flores el pesar embriagaba al amor.
> Dos dulces ruiseñores en la fronda dormida cantaban,
> y se ahogaba en la sangre de mi alma mi fiel ruiseñor! [33]

---

[33] Copia manuscrita en letra de J. R. (circa 1898-1900), en la «Sala
Zenobia y J. R. J.» de la Universidad de Puerto Rico.

En sus primeros poemas modernistas, Juan Ramón no sabe soslayar la pasión sensual. El modernismo se nutría de las sensaciones y ninguna mayor que la que nace del amor. El amor en la poesía modernista rubendariana era expresión sublimada de lo erótico. En el *Azul* de Darío las blancas ninfas se bañan desnudas, los tigres se aman en el mes del ardor en un idilio monstruoso; Darío imagina éxtasis siderales; los besos de Darío son rojos besos ardientes, el amor ruge; pero Juan Ramón y Villaespesa, sus discípulos y admiradores, andaban muy lejos de poder exteriorizar esta sensualidad con el acabado arte con que lo hacía el maestro, ni tampoco eran por naturaleza de la misma disposición que el gran nicaragüense. Entre sí tenían bastante en común, por andaluces, y este parentesco de patria chica se puede apreciar en su obra. Algunos de los poemas escritos «febrilmente» por Juan Ramón en Madrid, a la sombra de Villaespesa, tienen mucha relación con los poemas más apasionados del Villaespesa de 1899-1900, recogidos en *Luchas*, de 1899, y *La copa del rey de Thule*, de 1898-1900. En esta época Villaespesa escribió también poemas melancólicos muy delicados, a la manera del suave romanticismo español y en la misma vena que la poesía primeriza juanramoniana; y otros versos musicales de métrica modernista que pudieron haber servido de modelo para el rítmico poema «Las amantes del miserable», del poeta de Moguer, escrito en Moguer, antes del contacto directo con el grupo modernista. Como Juan Ramón, Villaespesa había logrado imitar a Darío con éxito en poemas como «Pagana» [34]; pero en la exteriorización de la pa-

---

[34] De *El alto de los bohemios* (1899-1900). A continuación, el poema:
  El cisne se acercó. Trémula Leda
  la mano hunde en la nieve del plumaje,
  y se adormece el alma del paisaje
  en un rojo crepúsculo de seda.

sión sensual sus versos se volvían a veces morbosamente
eróticos, se malograban, y en este aspecto coincidía con Juan
Ramón.

Al comparar los versos que Juan Ramón y Villaespesa se
dedicaron en ese momento en que se cruzaron sus vidas y re-
cibieron las mismas influencias modernistas, resaltan ciertas
curiosas afinidades y diferencias. El poema del primero, titulado «La canción de la carne», apareció en *Ninfeas*, y el del
segundo, titulado «Los crepúsculos de sangre», apareció en
La copa del rey de Thule. En los sensuales versos a continuación se trata de un mismo tema: Juan Ramón imagina
bacantes desnudas en el bosque y Villaespesa ve bacantes
en las flores y las frutas del jardín:

«La canción de la carne»	«Los crepúsculos de sangre»
... y entre los ramajes de hojas cristalinas,	A su paso, como besos lujuriosos de unos labios de escarlata,
surgieron desnudas, radiantes y blancas,	triunfalmente se entreabren los claveles,
hermosas bacantes	y sus rojos dientes muestran, son-
que al beso plateado de la Luna tersa, de la Luna pálida,	riendo
parecían vivientes estatuas de nie- ve,	como lúbricas bacantes, las grana- das.

La onda azul al morir suspira queda;
gorjea un ruiseñor entre el ramaje,
y un toro, ebrio de amor, muge salvaje
en la sombra nupcial de la arboleda.

Tendió el cisne la curva de su cuello,
y con el ala —cándido abanico—
acarició los senos y el cabello...

Leda dio un grito, y se quedó extasiada...
Y el cisne levantó, rojo, su pico,
como triunfal insignia ensangrentada.

(P. C. I, 186-187)

parecían estatuas
de marmóreos pechos, de muslos
    pentélicos,
de espaldas turgentes, ebúrneas y
    albas...
                (P. L. P., 1484-1485)

La pureza de sus senos les ofrecen
    los jazmines,
y se agitan rumorosos, entonando
    himnos de gloria,
los laureles que despiden resplan-
    dores de esmeralda.
                (P. C. I, 106)

El afán sensual, contenido en las estrofas citadas, se desbor-
da en las que les siguen:

Se enlazaron todas en abrazo ar-
    diente,
y al compás sonoro de sus car-
    cajadas,
en un loco vértigo febril e inci-
    tante
giraron lascivas en lasciva danza...
                (P. L. P., 1485)

Así cantan las adelfas:
'Nuestras flores son sangrientas
como carnes desgarradas
a mordiscos lujuriosos...
                (P. C. I, 109)

En el poema de Juan Ramón, la expresión de lo sensual es
más contenida que en el poema de Villaespesa. Cuando él
habla de la carne desgarrada en el poema que comentamos,
lo hace más simbólicamente, con más idealismo: e. g. «cuando el noble amado la helada Inocencia de la virgen rasga»
(P. L. P., 1486). Si se comparan los poemas en que Juan Ramón
y Villaespesa tratan de un mismo asunto en su totalidad,
como ocurre en «Spoliarium», tema modernista, se notan
marcadas diferencias. El poema de Villaespesa, en su intenso realismo, anticipa tendencias tremendistas; Juan Ramón,
por el contrario, rehuye estos excesos. Al describir ambos al
vencido en la última estrofa de sus respectivos poemas, el
poeta de Moguer se ancla en su proverbial idealismo, mientras que éste, en cambio, no aminora el excesivo realismo de
la visión de Villaespesa. El poema de Juan Ramón es de *Ninfeas* y el de Villaespesa, de *La copa del rey de Thule*:

(JUAN RAMÓN)

Y ya muerto,
de sus ojos vidriosos escapó una
   gruesa lágrima,
que, rodando por su cárdena mejilla,
sin que nadie la enjugara con un
   ósculo,
sin que nadie la bebiera,
se perdió en el negro charco
de la sangre que arrojaba su
   aplastado Corazón...

(P. L. P., 1497-1498)

(VILLAESPESA)

Vampiros de alas negras revolo-
   tean ansiosos
sobre la rota frente ensangrentada;
y con sus hocicos húmedos y vis-
   cosos
se beben la sangre coagulada
en las anchas heridas, y cierran
   con su vuelo
las pupilas inmóviles,
que aún esperan, abiertas, la bendición del cielo...

(O. C. I, 139)

Juan Ramón no le debía al modernismo del Madrid del 1900 su sensual visión artística. Su segunda y recurrida producción poética, el poema en prosa «Riente cementerio», es toda de carácter sensual, con sus toques lóbregos y sus toques eróticos; pero en los versos escritos en Madrid parece como si al reconocer la propia sensualidad buscando en ella inspiración, hubiera descubierto un pozo horrible. Esto le ocasiona una experiencia traumática que se expresa en sus versos. El último poema de *Ninfeas*, titulado «Y las sombras...» y dedicado: «Para mi alma», pudiera encerrar la clave de la psicosis juanramoniana. Cuenta en él que un alma noble y generosa, que gozaba en el silencio y gustaba de pasear los cementerios y asomarse a los sepulcros entreabiertos y mirar cómo a la tarde se alegraban las cenizas de los muertos, amén de otras tales lúgubres diversiones, empezó a vivir una espantosa vida lejos en espera de la victoria y el laurel. El paralelo entre el contenido de este poema y algunos incidentes de la vida real de Juan Ramón es marcado, nos referimos a su afición al cementerio de Moguer y su viaje a Madrid, lugar que le disgustó desde su llegada; pero en donde permaneció algún tiempo para darse a conocer y publicar sus dos primeros libros. En el poema que comentamos, el alma, simbólicamente, pasea por la orilla de las sombras de unos ojos negros, que pudieran ser los propios. No es arriesgado pensar que Juan Ramón usara los ojos en el poema como símbolo de una mayor percepción tanto en la vida como en la obra. A continuación, las estrofas comentadas:

> ...Siguió el Alma solitaria por la orilla
> de las sombras de sus ojos negros...
>
> (Era un Alma noble y generosa,
> que sufría un Dolor eterno...:
> le agradaba pasear los cementerios...,
> y asomarse a los sepulcros entreabiertos...,
> y mirar cómo, a la tarde,
> se alegran las cenizas de los muertos...,
> y besar los cráneos chicos,
> y pensar en Agonías lúgubres,
> al mirar los gestos raros de los sucios esqueletos...
> ....
> ...Era un alma que gozaba en el Silencio...)
>
> (P. L. P., 1512)

En una estrofa posterior, hace su aparición Eros y entonces el Alma cae «en el combate del Olvido»; dejó de reír, la visión de los ojos negros fue alterada, si miraba los ojos en el día de las rosas blancas, los ojos parecían besos; si en el día de la nieve, los ojos parecían tan helados como el cielo; si en el día de los muertos, los ojos parecían dos espectros. En el día de los sueños, el Alma soñó tristezas. Los ojos sonreían a otros ojos y el alma lloraba en el silencio.

El simbolismo del poema es obvio: Eros o la sensualidad afecta la visión interior oscura y lúgubre y la hace identificarse con la visión exterior, la de los sentidos; pero en el proceso, según el poema, pierde el idealismo, de allí el llanto del alma. El poema de Juan Ramón está hecho a base de imágenes sombrías, como el título: e. g., *sombras de sus ojos negros, Crepúsculos de Invierno, Sirenas de enlutados peplos, ola de negruras, luto risueño*, etc., pero la descripción de Eros es clara y alegre:

> ...Y al pasar sola la orilla
> de las sombras de los ojos negros,
> vio en su fondo un Corazón alegre
> que cual nave de oro y rosa
> navegaba por la Vida...
> ¡y en ella remaba Eros...!
>
> (P. L. P., 1513)

Nótese el asombro en el poema ante el descubrimiento de Eros en el fondo de los ojos y del corazón. Es curiosa la relación de este poema de Juan Ramón con su propia experiencia literaria. Desde sus primeros escritos Juan Ramón muestra esa inclinación a acercarse a las cosas a través de la percepción sensorial, lo que a su vez le lleva a expresarse sensualmente y, a veces, eróticamente; pero de manera completamente natural y espontánea. El contacto directo con el modernismo le hace tener conciencia del papel de la sensualidad en la poesía nueva; al mismo tiempo, la sensualidad, ahora rebuscada, le da una poesía perceptiblemente excesiva que raya en lo morboso y le lleva a lamentar la pérdida de un idealismo que sólo está extraviado.

Para la misma fecha, Villaespesa iba adquiriendo un concepto más claro del modernismo. En el «Atrio» que le escribiera a Juan Ramón para *Almas de violeta* califica al arte nuevo de «liberal, generoso, cosmopolita», con las ventajas y defectos de la juventud, «inmoral por naturaleza, místico por atavismo, y pagano por temperamento» (P. L. P., 1517).

En ese mismo «Atrio» decía, con gran acierto, de su amigo de Moguer: «Es un alma enferma de delicadezas; alma melancólica que, asomada a la ventana del Éxtasis, espera silenciosa la llegada de algo muy vago... El Amor... la Gloria... Tal vez la Muerte» *(ibid.).* Consideraba que la poesía de Juan Ramón respiraba dolor: «no ese Dolor brutal que ruge y blasfema, sino el otro, el más profundo..., el inconsolable, el Dolor resignado de la Desesperanza» *(ibid.).* Villaespesa no conocía la frase para ese dolor juanramoniano, porque la frase no estaba hecha; la sensibilidad, sí. Se trataba de la *angustia existencial,* ya presente en poemas como el comentado.

Aún más certero que Villaespesa en su juicio sobre la poesía juanramoniana, lo fue Darío en el «Atrio» que escribió para *Ninfeas.* Con plena consciencia de que el joven poeta apenas empezaba la pelea, le aconsejaba, temiendo tal vez que no la resistiera:

> Tienes, joven amigo, ceñida la coraza
> Para empezar valiente la divina pelea?
> Has visto si resiste el metal de tu idea
> la furia del mandoble y el peso de la maza?
>
> Te sientes con la sangre de la celeste raza
> Que vida con los números pitagóricos crea?
> Y, como el fuerte Herakles, al león de Nemea
> A los sangrientos tigres del mal darías caza?
>
> (P. L. P., 1464)

Darío anticipa que el camino de Juan Ramón es otro que el de la lucha, y en palabras proféticas, en las dos últimas estrofas del soneto, se refiere a la identificación del discípulo con el paisaje y a su actitud pensativa:

Te enternece el azul de una noche tranquila?
Escuchas pensativo el sonar de la esquila
Cuando el Ángelus dice el alma de la tarde

Y las voces ocultas tu razón interpreta?
Sigue, entonces, tu rumbo de amor. Eres poeta.
La Belleza te cubra de luz y Dios te guarde.

(Ibid.)

Al aludir a *la razón* de Juan Ramón como *intérprete de las voces ocultas,* Darío presiente su futuro acercamiento intelectual a la poesía; además, reconoce que su rumbo poético es *de amor,* como en su propio caso y en el caso de la poesía modernista de expresión más trascendental. Al desear que Juan Ramón alcance la luz por la Belleza, con mayúscula, no ya romántica, sino modernista, Darío la eleva a una categoría divina, categoría que ha de alcanzar después en la poesía juanramoniana.

El *Dios te guarde,* última frase del soneto de Darío, implica una necesidad de divina protección. Por uno de esos aciertos de carácter intuitivo tan propio de los poetas, en las tres últimas líneas del soneto Darío junta los elementos que habrán de ser esenciales en la futura gran poesía juanramoniana: el reclamo a la inteligencia («¿Y las voces ocultas tu razón interpreta?»); el amor como fuerza instigadora («Sigue, entonces, tu rumbo de amor»); el conocimiento a través de la Belleza («La Belleza te cubra de luz») y la necesidad de Dios («y Dios te guarde»).

Para la fecha de su partida de Madrid, Juan Ramón iba adquiriendo consciencia de lo que debía ser la nueva poesía. Villaespesa le había pedido un prólogo para *La copa del rey de Thule,* en lugar del que Darío no llegó a hacerle debido a su marcha precipitada a París, y aunque en el mismo tono sentimental retórico que en sus versos y con la fraseología que él consideraba modernista, Juan Ramón expresó ideas claras sobre la nueva sensibilidad artística. Acreditando a los hispanoamericanos como responsables por la evolución literaria de España y sin mencionar a Reina y a Rueda, a quienes él mismo debía bastante, señalaba como el genio que predijo el nuevo movimiento a Gutiérrez Nájera, a Darío que le siguió con *Azul* —decía—, a Leopoldo Lugones y *Las montañas del oro*, a Leopoldo Díaz, a Ricardo Jaimes Freyre, Guillermo Valencia, José Juan Tablada, Amado Nervo y José Asunción Silva, indicación de que conocía la obra de estos autores. Lo más significativo del prólogo, respecto a lo que habría de ser el verdadero modernismo español, está en que Juan Ramón encomia el *simbolismo* en los versos de Villaespesa. Decía que «la forma, la substancia o materia de la poesía es también pensamiento, y pensamiento del artista»; que la forma tenía que corresponder a la idea y ser como ella intangible y vaga: el oro del verso no podía ser «masa pesada», sino «oro etéreo». Hacía una defensa directa del simbolismo: «Y a propósito del simbolismo: han dado ahora los padres de la literatura —los señores que hacen aún la vida literaria de los siglos XVI y XVII— el aplicar como denigrante el epíteto simbolista. No puedo comprenderlos; simbolistas fueron los más inmortales poetas. Heine, el genio más cosmopolita de todos, fue simbolista... Nuestro gran San Juan de la Cruz, de cuya prosa ha dicho Menéndez Pelayo que 'no es de este mundo', fue también eminentemente simbolista, y pocas inspiraciones resistirán una lectura después de las inspiraciones sublimemente hermosas del gran cantor místico» [35]. Declarándose partidario del simbolismo, reiteraba su preferencia por las sensaciones sobre las formas

---

[35] J. R. J., Prólogo a *La copa del rey de Thule*, de Francisco Villaespesa, *Obras completas*, Imprenta de M. García y Sáez, Madrid, 1916. Referente a las otras ideas mencionadas, ver las págs. 9, 11 y 15.

gramaticales, «aun cuando para producir una sensación haya que metaforizar o simbolizar ideas de la manera más atrevida», y le parecía suprema la frase de Hugo: «L'art c'est l'azur» *(ibid.,* pág. 18).

Sin saberlo él mismo, Juan Ramón entendía al fin que el modernismo era la poesía de las sensaciones, abierta caja de Pandora que habría de revolucionar para siempre la expresión artística en las letras hispánicas.

CAPÍTULO VI

LOCURA, 'SIMBOLISMO' Y *RIMAS:* FRANCIA

El libro en que trabajaré D. m. después de terminar 'Nin-feas' (nueva edición) y 'Recuerdos sentimentales' será uno en que pondré toda mi alma, titulado 'La muerte'; en prosa, algo así como una autobiografía, llena del horrible presentimiento mío, y de los paisajes tristes que han desfilado ante mis ojos, en esta triste enfermedad, empezando por la muerte de mi padre[1].

Desde su regreso a Moguer a fines de mayo de 1900, Juan Ramón andaba «huido, desasosegado, esquivando la muerte»[2]. Su padre, enfermo desde antes de su viaje a Madrid, se había agravado. Ante la inminencia de su muerte, todas las ideas supersticiosas de su pueblo que nada significaron para él antes, se convirtieron en realidad: la lechuza que pasaba por la montera abierta del patio de mármol, la mariposa negra, el moscón, el aullido del perro, eran vaticinios de muerte. Andaba huraño y aislado, su único aliciente era la escritura. A pesar de que él y Madrid no se entendieron, había

---

[1] Inédito. En los archivos de J. R. J. en España. Las obras en proyecto no vieron la luz.

[2] «El solano», *Cristal*, pág. 89.

salido de allí lleno de ideas, anticipando la posibilidad de dar
más libros a la imprenta. Lo primero que hizo a su llegada
a Moguer fue ocuparse de que Darío le mandara el prólogo
para *Ninfeas*, le escribió diciéndole que la tirada del libro
estaba suspendida esperando el prólogo, le mandó las pruebas y le habló de sus proyectos, pensaba entonces que pronto podría publicar seis libros más y tenía hasta los títulos,
que habrían de anunciarse en *Ninfeas* y *Almas de violeta*.
Llevaba bastante adelantados dos libros de versos, *Besos de
oro* y *El poema de las canciones*, y había puesto toda su fe
en el primero, un libro dividido en dos partes tituladas
«Bruma» y «Luz»; en la primera irían «las poesías de ensueño, de dolor y de nostaljias», y en la segunda, «las poesías
cerebrales, fábulas mitolójicas, etc.; una parte de plata y
otra de oro». En cuanto a *El poema de las canciones*, iba a
incluir dos de las canciones de *Ninfeas*, la de «la carne» y la
de «los besos». Prometía enviarle a Darío, para que fuera
conociendo los nuevos libros, dos poemas de *Besos de oro*,
«El jardín de cipreses» y «El palacio negro» [3]. Las otras obras
en gestación eran *Siemprevivas* y *Laureles rosas*, en verso,
y *Rosa de sangre* y *Rubíes*, en prosa.

Ninguno de estos libros se logró. Había regresado de Madrid nervioso, la tensión nerviosa aumentó con la gravedad
de su padre, que murió al fin el 3 de julio de 1900 de un segundo ataque al corazón. Murió de noche, de repente, cuando la casa dormía. Los gritos de su hermana Victoria despertaron a Juan Ramón. La muerte, cuya llegada había atis-
bado, le defraudó, burlándose de él, cogiéndole de sorpresa
cuando dormía. Esa noche y las demás noches se convirtieron en una pesadilla, sintió que la muerte le habría de coger
otra vez desprevenido, aunque él la esperara. El espanto le

---

[3] Carta de Moguer, 2 de junio de 1900, en *Cartas*, pág. 32.

hacía galopar el corazón, entonces le daba trabajo respirar, se espantaba más hasta que ahogado caía al suelo sin sentido. Le vieron los médicos, prescribieron calmantes y que no escribiera más. Buscó a Dios, fue a la iglesia, marchó en las procesiones, sus pensamientos se tornaron místicos y para mayor amparo de la muerte quiso estar constantemente con el médico al lado. No pudiendo escribir, sometió a escrutinio lo escrito; *Besos de oro* le pareció profano. Lo rompió. En el medio de su desaliento, aparecieron al fin sus dos primeros libros en septiembre de 1900. Le irritó comprobar que Villaespesa había dispuesto de algunas cosas a su antojo. Juan Ramón había dedicado la mayor parte de los poemas con la preposición «Para...», según la costumbre del momento, a los amigos de antaño, como Federico Molina y Julio del Mazo, de Moguer; Salvador Clemente, Timoteo Orbe y José Lamarque de Novoa, de Sevilla; José Sánchez Rodríguez, de Málaga; Dionisio Pérez, de *Vida Nueva;* a los amigos de la lucha modernista, Rueda, Reina, Villaespesa, Martínez Sierra, Benavente, Valle Inclán, Julio Pellicer, Bernardo G. de Candamo, Pedro G. (González) Blanco; a familiares, como José H. (Hernández) Pinzón, a su hermano y a Rubén Darío. Villaespesa, por su cuenta, dedicó el resto de los poemas a poetas hispanoamericanos y amigos de pluma, algunos de ellos completamente desconocidos de Juan Ramón, que por lo menos había leído a Jaimes Freyre, Valencia, Leopoldo Díaz, Tablada, Díaz Rodríguez; pero ignoraba quiénes eran Miguel Eduardo Pardo, venezolano que acababa de publicar en 1899 una sátira titulada *Todo un pueblo;* o Pedro César Dominici, otro venezolano que había fundado la revista modernista *Cosmópolis* de Caracas; apenas conocía a Enrique Gómez Carrillo, el guatemalteco que para esa fecha andaba por París y publicaba sus cosas en Garnier; o a Luis Berisso, traductor del drama *Belkiss,* de Eugenio de Castro.

Casi toda la tirada de *Ninfeas* y *Almas de violeta* fue vendida a un librero hispanoamericano, y los ejemplares que circularon en España tuvieron muy mala acogida de parte de la crítica. «Jamás se han escrito ni se han dicho más grandes horrores contra un poeta», diría después Juan Ramón en su autobiografía para *Renacimiento*. Su fiel amigo, Timoteo Orbe, vio el verdadero fondo de poesía en estos dos primeros libros y así lo dijo en la reseña que publicó en 1901 en el periódico *El Porvenir* de Sevilla: «*Almas de violeta, Ninfeas*, dos tomos de poesía por Juan R. Jiménez». Orbe señaló los manerismos y excesos de las obras, el llamar «Atrio» o «Pórtico» al prólogo; el abuso de puntuación y letras mayúsculas; la profusión de diéresis para disolver diptongos; la abundancia de expresiones de sentimentalismo retórico; pero al mismo tiempo notó que Juan Ramón era poeta de sentimiento y pensamiento, que jamás se le escapaba un prosaísmo de fondo, un concepto bajo, un pensamiento innoble; le pareció que tenía lo esencial, un gran temperamento de artista y de poeta, y que lo demás vendría con los años: la moderación, la prudencia, el vivo sentido de las cosas justas. Concluía: «Jiménez llegará donde los buenos: yo creo en él».

Truncadas sus ilusiones literarias, Juan Ramón empeoró. Darío le escribió un poema desde París alentándolo: «Jiménez, triste Jiménez, / no llores; el mundo es alegre, / la vida es hiriente»; le llamaba poeta de la «emoción infinita» y cantor de «canciones antiguas / del corazón de España que estaba en su alma misma». Este poema-carta de Darío tenía treinta y nueve versos polimétricos, de tres a catorce sílabas con predominio de versos octosilábicos, y en él Juan Ramón era una víctima de las nacientes pasiones, tempestades, según Darío, que estallaban de pronto «en nuestras miserables armazones / hechas para los sueños y las hadas»; en el laberinto psico-poético juanramoniano percibía «una gaviota blanca» que quería y no podía volar al azul: «En la red de tus sueños / Está presa, Jiménez, / Una gaviota blanca. / Ella pide las inmensidades / De esos ratos azules / que buscan y no hallan»[4].

La carta-poema de Darío le pareció a Juan Ramón muy inferior a su poesía normal, pensó que la había escrito en un sopor alcohólico; pero la conservó como una joya. La intuición poética le había dado a Darío una acertada imagen: la *gaviota blanca* no era cisne modernista; su gracia dependía de lo firme y certero de su vuelo airoso sobre el mar; criatura del aire, con equilibrio, lograba también mantenerse sobre la frágil arena de la playa. Darío prometía esperar a Juan Ramón «a la puerta de la esperanza»; se confesaba cansado, con necesidad de suaves pláticas, de hablar de las ideas, de las almas, de leer bellas poesías y de reír de las musas falsas.

Superando su crisis nerviosa, Juan Ramón escogió de lo ya escrito para colaborar en *Electra*, una nueva revista modernista que preparaba Villaespesa con los hermanos Machado, Antonio y Manuel, ausentes de España durante la estancia del joven poeta moguereño en Madrid. Los Machado, que trabajaban en París como traductores de la editorial Garnier, regresaron a su tierra poco después de partir Juan Ramón de Madrid. *Electra* se publicó semanalmente, el primer número salió el 16 de marzo de 1901, y el último, el 11 de mayo del mismo año, nueve números en total, con colaboración juanramoniana en el segundo, tercero, cuarto y quinto números, y colaboración modernista de Rueda, Valle Inclán, Baroja,

---

[4] Inédito. Copia del manuscrito de Darío en posesión de esta autora. J. R. nunca quiso dar a la publicación este poema y hemos respetado su deseo.

Azorín, Villaespesa, los Machado y dos amigos del grupo: Unamuno y Ramiro de Maeztu, entre otros.

El primer poema de Juan Ramón publicado en *Electra* (año I, núm. 2, 23 de marzo de 1901, pág. 51) era una canción de catorce estrofas de cuatro versos cada una en decasílabos dactílicos, como en las canciones antiguas; pero con elementos modernistas. Se titulaba «Las niñas» y había sido publicado anteriormente en el número 1 de *La Quincena*, de Sevilla, el 30 de noviembre de 1900. En esa fecha, los sentidos alertas tanto como el espíritu, Juan Ramón veía en la niña a la mujer, abismo carnal, y a la virgen, cuya pureza le obsesionaba. En el poema asociaba la pureza con la muerte, como en tantos de sus poemas sobre la muerte blanca:

> Me embrïagan las niñas... Semejan
> florecientes abismos... Mi anhelo
> es besar las estelas que dejan
> cuando vuelven en paz hacia el cielo...

El poema era galante, pedía que a la primera alborada de mayo florecieran las niñas, heroínas con frentes de perla y espumas, mejillas de nardo y violeta, bucles de seda y oro; pero las niñas, como las flores, morían:

> Sólo sé que se mueren... Y adoro
> sus mejillas de nardo y violeta,
> y en sus bucles de seda y de oro
> doy mi beso mejor de pöeta...

Bajo el título del poema, que ocupaba toda una página de la revista designada «Los poetas de hoy», aparecía este anticipo: «Del libro en prensa *Besos de oro*», pese a que Juan Ramón había repudiado dicha obra en la mística expurgación de sus versos después de la muerte de su padre. Pero «Las niñas» era uno de esos poemas suaves, delicados, musicales, espontáneos, sin las complejidades psico-poéticas que caracterizan los versos escritos en Madrid. La voluntaria expurgación de su poesía se nota también en los otros versos que se publicaron en *Electra*, dos de ellos llevaban el título «Mística», uno salió en el número 3 del 30 de marzo de 1901 (página 88) y el otro en el número 5 del 13 de abril del mismo año (pág. 156); el otro poema publicado en la revista, en el número 4 del 6 de abril, era uno de los buenos de *Ninfeas*, «Paisaje del corazón»: «...¿A qué quieres que te hable...? / Deja..., deja...; / mira el cielo blanquecino, mira el campo / inundado de tristeza...» (P. L. P., 1495).

Los poemas «Mística» de *Electra* eran bellos sonetos alejandrinos dirigidos a una amada de ojos verdes, pura y serena, a quien el poeta quería coronar de flores. En el primer verso del primero, la invitaba a presenciar la alborada: «Amada, te convido a un goce embriagador...», y concluía:

> Clavarás en el cielo tu tranquilo mirar,
> y en tus verdes pupilas veré las silenciosas
> perlas que las estrellas vierten al expirar.

En el segundo poema la llamaba «Virgen»: «Virgen, ¿no te entristece la penosa agonía / de esta tarde?», quería adorarla en la fronda, triste ella, soñando con sufrir, para llorar ambos extáticos «en un mudo delirio» el martirio del lento morir de la tarde.

Muy lejos en la realidad, de la expresión serena de estos versos, el desasosiego de Juan Ramón, sus destemplanzas y su obsesión con la muerte alarmaron a su familia, a las amistades, al pueblo. La madre de Blanca Hernández Pinzón ya no veía con buenos ojos las sentimentales relaciones entre ambos. Una mañana, estando él en la finca Fuentepiña, le amaneció en el umbral de la casa del doctor Almonte, que vivía casi al lado, impelido por esa necesidad de estar cons-

tantemente con un médico que le socorriera cuando sentía
que se ahogaba, cuando se le comprimía el pecho, cuando no
podía respirar. Empezaron a circular historias fantásticas
sobre él; como le bajaba la temperatura y sentía frío y se
encerraba en su cuarto, la gente empezó a decir que se encerraba para no dejar entrar la muerte, después se corrió la
voz de que tabicaba las ventanas. Su familia, sabiéndole enfermo, optó por proporcionarle la debida atención médica.
Por mediación de los Contenac, una familia de Burdeos que
representaba en esa región el vino de los Jiménez, se le encontró acomodo en un buen sanatorio de los alrededores, en
Le Bouscat, un poco más allá de Burdeos, en la «Maison de
Santé du Castel d'Andorte», 342 Avenue de la Liberation, dirigida por el doctor Pierre Charon. El doctor Lalanne, psi-
quiatra del cuadro de médicos de la *Maison*, se haría cargo
del joven enfermo.

En mayo de 1901, Juan Ramón salió de Moguer, lloroso,
con destino a Madrid, para pasar de allí a Francia [5]. En Madrid lo llevaron a la consulta del doctor Luis Simarro, un
destacado neurólogo. Llegó al sanatorio francés sintiéndose
delicado «del pecho y del cerebro», a punto de volverse loco,
sin poder fijar la atención. Hacía mucho tiempo —decía—
que no sabía nada de literatura, que sufría continuos ataques
de amnesia que le dejaban extenuado [6]. A la primera impresión, el sanatorio le intranquilizó aún más: en el mismo parque estaba el manicomio y se podía ver a los pobres locos
por los jardines y a los enfermeros luchando con ellos. El
doctor Lalanne, «un hombre reposado y tranquilo, de larga

---

5 «Pasé por Madrid en mayo de 1901, camino de Francia», dice J. R.
en «Recuerdo al primer Villaespesa», *Corriente*, pág. 67.
6 En una carta de Burdeos a José Sánchez Rodríguez, de la que
Guillermo Díaz-Plaja cita un párrafo en la pág. 34, nota 1, de *J. R. J.
en su poesía.*

barba blanca y aire patriarcal», tratando de distraerlo, le
llevó al jardín a ver su colección de pájaros enjaulados: loros, cacatúas, palomas, colibríes, tórtolas, faisanes, lo que
aumentó la melancolía del enfermo, que sintió con las aves
la perdida libertad. El doctor le enseñó también su laboratorio y ante los restos humanos enmohecidos y empolvados
o preservados en alcohol, le invadió una tristeza infinita. Las
noches le aterraban como antes, o más, porque entre el ladrido de los perros oía los ruidos extraños procedentes del
manicomio. Con el tiempo y la constante presencia de los
médicos se fue acostumbrando al lugar, después notó el ambiente elegíaco y la estancia se le fue haciendo más placen-
tera, finalmente llegó a encontrarse muy a gusto y la casa le
pareció «encantadora», había encontrado en ella otro amor,
y en Francia, otros amores.

En la «Maison de Santé du Castel d'Andorte» Juan Ramón vivía en familia, con el doctor Lalanne que tenía dos
hijos pequeños, buenos chicos: Marthe y Andrés, cuyos juegos le entretenían. Tenía predilección por la niña, que se dejaba querer. Cuidaba a los niños una muchacha sencilla, fina
y dulce de quien se enamoró y a quien llamaría en la obra
Francina [7]. Por los alrededores había otras mujeres atentas
que no eran indiferentes a sus galanteos románticos y sentimentales, entre ellas una Jeanne Roussie que acostumbraba
leer en el jardín donde él la aguardaba lleno de ilusión, para
caminar con ella de regreso a su casa.

---

[7] J. R. le dijo a esta autora, en conversación (en Riverdale, Maryland, por el año de 1949), que Francina era el nombre poético que él
le había dado a una muchacha que conoció en Francia durante su estancia en el Sanatorio de Castel d'Andorte. El nombre de Francina
está incluido, con el de otras personas reales, en las notas inéditas del
poeta en las que menciona *las fuentes humanas* de su poesía, y aparece en otra lista inédita titulada «Fuentes de mi poesía», ambas en
los archivos de J. R. J. en España.

Con los médicos de la «Maison de Santé», ya fuera el doctor Lalanne o cualquiera de los internos, como monsieur Debaude, el poeta pasaba estancias cortas y largas en otros bellos sanatorios y lugares de descanso al sudoeste de Francia: en Nérac; en la bella ciudad de Pau, al pie de los Pirineos; o en Arcachon, en la costa sur de la bahía de ese nombre, sitio de veraneo muy popular y muy recomendado en invierno para los enfermos. Regresaba de allí lleno de «la visión alegre y dulce de sus pinos y del mar bajo el crepúsculo rosa». En Arcachon conoció a una franco-española, Filomena Ventura, que le inspiró también sentimientos románticos. Cuando su médico y amigo de Moguer, el doctor Rafael Almonte, llevó a un hijo tuberculoso a Lourdes, confiando más en el milagro que en la ciencia, Juan Ramón fue a verle acompañado de monsieur Debaude, que bebió más de lo justo en el trayecto, tanto que temió se le muriera en el camino de apoplejía, él que se había hecho acompañar del interno para que le cuidara de la muerte.

En Lourdes Juan Ramón se sintió sobrecogido de nuevo por sentimientos místicos y humanitarios, renació su devoción a la Virgen, le impresionó el espíritu de compasión y humanidad entre los enfermos, el cariño con que los trataban, la fe de los que allí iban. Embargado de emoción, escribió unos sonetos a la Virgen, que era para él como una novia ideal[8]. No los conservó todos; pero recordaba una estrofa de uno de ellos:

> Lírico vaso de agua virjinal
> vierte en mí tus balsámicos torrentes
> dame a beber del agua de esas fuentes
> ricas de fresco olor primaveral[9].

---

8 Inéditos. En los archivos de J. R. en España. Garfias cita ampliamente de esta fuente en el Prólogo a *Primeras prosas*, pág. 22.

9 Inédito. En los archivos de J. R. en España.

De Lourdes fue a Orthez, el pueblo de Francis Jammes. Se interesó en su obra, la leyó y le gustó por su amor al campo y a las bestias del campo. En un breve viaje a Lausanne descubrió a Amiel.

En la biblioteca del doctor Lalanne Juan Ramón encontró el *Mercure de France* y se suscribió a él; leyó a los simbolistas, a Baudelaire, Verlaine, Laforgue, Mallarmé después; leyó por primera vez al parnasiano Leconte de Lisle y leyó a los italianos D'Annunzio, Carducci, Pascoli[10]. En esa época se revisaba en Francia la obra de los simbolistas y en particular la de Verlaine, muerto en 1896, y la de Mallarmé, muerto dos años después. Burdeos, ciudad esencialmente vinatera y comerciante, era también amante de las letras y las artes; de Le Bouscat, donde vivía Juan Ramón, se podía ir a la ciudad por tranvía y le fue fácil frecuentar las librerías del lugar y adquirir las obras de los simbolistas. Inspirado en su lectura, sintió la necesidad de escribir nuevos poemas. Volvió a identificarse con la poesía española sencilla, sugestiva, vaga, misteriosa, como la de Bécquer y los poetas del litoral que tanto le impresionaran antes. Se acordó del *Romancero*. En las noches de luna, la serenidad del lugar y su propia tristeza le recordaban versos como «A la noche», de Espronceda: *Salve, oh tú, noche serena, / que al mundo velas augusta, / y los pesares de un triste / con tu oscuridad endulzas.* Añorando a España, escribió romances de su propia tristeza. Volvió a inspirarse a la vista del paisaje y el tono poético de su melancolía superó al de sus romances anteriores:

> Estos crepúsculos tibios
> son tan azules, que el alma
> quiere perderse en las brisas
> y embriagarse con la vaga

---

[10] Ver Guerrero, *Juan Ramón de viva voz*, pág. 69.

> tinta inefable que el cielo
> por los espacios derrama,
> fundiéndola en las esencias
> que todas las flores alzan
> para perfumar las frentes
> de las estrellas tempranas.
>
> *(Rimas*, P. L. P., 89)

Estos versos son los primeros del primer romance que escribió en Burdeos: «Primavera y sentimiento». En él se funde con el paisaje, el *aroma* de *la rosa* de su alma se eleva *al azul:*

> Los pétalos melancólicos
> de la rosa de mi alma,
> tiemblan, y su dulce aroma
> (recuerdos, amor, nostalgia),
> al desleírse en su mágica
> suavidad, cual se deslíe
> en un sonreír la lágrima
> del que sufriendo acaricia
> una remota esperanza.
>
> *(Ibid.)*

La simbolista intuición poética se expresa en el clásico romance octosílabo, forma métrica que Juan Ramón cultivará con empeño, modernizándola. Anteriormente ha separado los versos del romance en series, después ha de separarlos en estrofas. «Primavera y sentimiento» consta de cinco partes, las dos primeras de diez versos cada una, seguidas de una parte de veinte versos, otra de treinta y otra de ocho. En la tercera parte, que sigue a la citada, continúa la descripción del paisaje de un modo sugestivo y misterioso:

> Está desierto el jardín;
> las avenidas se alargan
> entre la incierta penumbra

de la arboleda lejana.
Ha consumado el crepúsculo
su holocausto de escarlata,
y de las fuentes del cielo
(fuentes de fresca fragancia),
las brisas de los países
del sueño, a la tierra bajan
un olor de flores nuevas
y un frescor de tenues ráfagas...
Los árboles no se mueven,
y es tan medrosa su calma,
que así parecen más vivos
que cuando agitan las ramas;
y en la onda transparente
del cielo verdoso, vagan
misticismos de suspiros
y perfumes de plegarias.

(*Ibid.*, 89-90)

Esta parte prepara a maravilla para el sentido lamento que
constituye el principio de la que le sigue:

¡Qué triste es amarlo todo
sin saber lo que se ama!

Al recordar, muchos años después, sus primeros romances,
Juan Ramón notaría que en éste se fundieron el de Espronceda «Está la noche serena» de *El estudiante de Salamanca*,
«el escaso romance de Bécquer 'Sobre el corazón la mano'»
y el «Primaveral» de Rubén Darío [11].

Bastaría fijarse en dos versos del romance que comentamos para hacer destacar el grado de superación de la poesía
juanramoniana de 1901. Antes de esta fecha, sus recursos,
para describir, por ejemplo, la puesta del sol, eran de lo más
corriente, como puede comprobarse en *Almas de violeta*, de

---

[11] «Mis primeros romances», *Cristal*, págs. 272-273.

donde proceden los ejemplos a continuación, del largo poema « ¡Solo! »:

> 1) Después..., una tarde hermosa,
>   al bajar el Sol del cielo
>
>   (P. L. P., 1532)
>
> 2) Ya el Sol se hundía en Ocaso...;
>   a sus últimos reflejos,
>
>   (P. L. P., 1533)
>
> 3) El Sol estaba ya muerto...;
>   Allá en Oriente, la Luna
>   se elevaba sobre el cielo,
>
>   *(Ibid.)*

No había sido más original en los poemas de *Ninfeas*, pese al colorismo de las imágenes; como se puede apreciar en estos versos de «Somnolenta», «Otoñal» y «Tropical», respectivamente:

> 1) El Sol muerto derrama morados fulgores
>   inundando de nieblas la verde espesura
>
>   (P. L. P., 1477)
>
> 2) el Sol moribundo se hundía en Ocaso,
>   de rojo sudario cubierto...;
>
>   (P. L. P., 1499)
>
> 3) ...Con sus hojas caídas, al mar alfombra
>   la rosa de escarlata del Sol muriente...;
>
>   (P. L. P., 1494)

En «Primavera y sentimiento» Juan Ramón sintetiza en dos versos logradísimos el momento final de la caída de la tarde y su cambiante esplendor:

> *Ha consumado el crepúsculo*
> *su holocausto de escarlata.*

Con la nueva consciencia artística, el poeta en Francia se dedicó a rehacer su obra y a expurgarla de los excesos incurridos durante la tumultuosa estancia en Madrid. Quería publicar un libro nuevo que incluyera lo escrito en Burdeos, lo escrito en Moguer sin publicar y las buenas poesías ya publicadas. Rechazando los pensados títulos anunciados anteriormente, escogió, por influencia de Bécquer y el simbolismo, *Rimas de sombra;* pensó dividir el libro en tres partes: «Paisajes de la vida», «Primavera y sentimiento» y «Paisajes del corazón» [12]. Aún no se había librado del todo de la influencia del modernismo hispanoamericano que no supo asimilar. En un poema de versos endecasílabos titulado «Sombras» juntaba elementos que desentonaban: esquilas, lechuzas, selvas, ahorcados, calaveras. La forma métrica es la del romance heroico; pero en series:

> El viento lleva sones melancólicos
> de distantes esquilas que se quejan,
> y por la luna grande y amarilla
> cruzan silbando las lechuzas viejas;
> la noche gime su canción medrosa
> y allá en el fondo helado de las selvas,
> colgados de los árboles se pudren
> los lúgubres ahorcados, con la cuerda
> salpicada de sangre bajo el hielo
> de las torvas y horribles calaveras.
>
> (*Rimas*, P. L. P., 129)

La selva del poema, elemento ajeno al ambiente del poeta, pudiera provenir de la lectura de los poetas franceses o del hispanoamericano Jaimes Freyre y aparece más de una vez en los versos de *Rimas:* «Una vez que la noche sorprendióme en la selva, / me dormí entre los árboles, al amor de los cielos» («Alborada ideal», P. L. P., 131); «Al cruzar por la selva sombría, / estallaba mi pecho en sollozos» («Apagábase

---

[12] Estas tres partes están representadas en las «antolojías» con los mismos títulos. Ver Guerrero, *Juan Ramón de viva voz,* pág. 163.

el día», P. L. P., 178). En otros poemas de *Rimas* hay ecos de Darío, Martí, Gutiérrez Nájera, tal es el caso en los titulados «Florecita», una endecha, y «Cuento», otro romance heroico con ingenuos elementos exóticos. Ambos son narraciones altamente sentimentales: «Florecita» lleva al pie la nota: *Nérac. Jardín del Rey*, lo que indica que se escribió allí o que la inspiración procede de la visita al lugar, lo cual apoya ampliamente el contenido del poema:

> En los jardines del rey,
> entre perfumes y brisas,
> un día de primavera
> nació llorando una niña;
> su padre era el jardinero,
> y al verla todos tan linda,
> en vez de llamarla Estrella
> la llamaron Florecita.
>
> (P. L. P., 112-113)

En «Cuento», una reina blanca que soñaba tener «un niño hecho de nardos y camelias», da a luz un príncipe negro. La narración ingenuamente omite mención alguna de la lógica o hechizada razón para el suceso, el principito es negro porque sí y la madre que le dio vida le odia por ser negro; el pobre bebé muere de pena. Por el tema exótico y la profusión de elementos bellos: nieve, azahares, azucenas, espuma, armiño, nácar, perlas, alburas, lirios, jazmines, el poema está más cerca del modernismo hispanoamericano representado por Darío que cualquiera de los escritos por Juan Ramón en Madrid. Esta vez Juan Ramón no acrecienta las sensaciones revistiéndolas de formas musicales, sino que se vale del tono sugerente para pintar un paisaje melancólico, como en la primera parte del poema, separado por versos encabalgados:

> Al caer de la tarde perfumada,
> nació el príncipe. El beso de la quieta
> luz morada del plácido crepúsculo,
> henchía las penumbras de la tierra
> que entregaba sus valles al olvido
> y a la esperanza sus montañas; lentas
> ascensiones de ensueños ondulaban
> en el aire suavísimo.

(P. L. P., 148)

Juan Ramón ha dado con otra expresión poética original y bella para hablar de la caída de la tarde; decir «la tierra / que entregaba sus valles al olvido / y a la esperanza sus montañas» es decir que la luz del sol ya no daba sobre los valles, pero coronaba suavemente las montañas. Más adelante, en una estrofa *blanca*, reúne un sinnúmero de elementos blancos bellos que hacen resaltar la negrura del tierno principito:

> La nieve y la azucena,
> el azahar, la espuma y el armiño
> de la cuna de nácar y de perlas,
> envolvieron el tierno cuerpecito;
> las alburas de luz que fueron hechas
> por las manos más blancas de la corte
> para abrigar las cándidas ternezas
> de unas carnes de lirios y jazmines,
> al envolver las carnecitas negras
> parecieron más blancas.

(P. L. P., 149)

«Florecita» y «Cuento» tienen elementos comunes al poema «De blanco» de Gutiérrez Nájera, al poema «A Margarita Debayle» de Darío y al poema «Para Cecilia Gutiérrez Nájera y Maillefert» de Martí, y sus exquisiteces no malogran lo cándido y puro del tema.

El que Juan Ramón conociera o no estos poemas no importa, el de Darío, por ejemplo, fue incluido en el libro *Poema del otoño y otros poemas*, de 1910, que, naturalmente, estaba por hacerse; lo importante es su asimilación, al fin, de las artes modernistas, que se puede comprobar en los versos de *Rimas*. En el titulado «El invierno», por ejemplo, cantando su tema favorito, el de las vírgenes muertas enterradas en el cementerio, encontramos bellos versos modernistas como el siguiente: «mandarán besos de plata / desde el trono de un lucero!» (P. L. P., 167). En el titulado «Versos de niños», también sobre el repetidísimo tema, la visión de lo tétrico se enaltece con el recurso de lo bello: «Cerró un hombre el ataúd / (en la tela de la tapa / había una cruz celeste / y una guirnalda dorada)» (P. L. P., 173). Aun así, en un fondo o paisaje falso, el verso de Juan Ramón se empobrece; cantándole al amor bajo el cielo estrellado de su pueblo, el poema es un logro; si la amada está en un parque ajeno o pensado, no lo es. Esto se puede apreciar en los poemas a continuación:

(Ambiente real)

—¿Por qué te vas? —He sentido
que quiere gritar mi pecho,
y en estos valles callados
voy a gritar y no puedo.
   Y me dijo: ¿Adónde vas?
Y le dije: A donde el cielo
esté más alto y no brillen
sobre mí tantos luceros.
   La pobre hundió su mirada
allá en los valles desiertos
y se quedó muda y triste,
vagamente sonriendo.
      («Aquella tarde, al decirle»,
      Rimas, P. L. P., 83)

(Ambiente imaginado)

   Sobre la calma del parque
elevábanse hacia el cielo
afelpadas araucarias
y floridos magnolieros;
   y entre ramas y entre flores,
sumido en dulce misterio,
se adivinaba el palacio
allá al fondo del sendero.
   Ella no alzaba los ojos,
y le dije: Te prometo,
si perdonas mis agravios,
cambiarte por mis ensueños.
      («Vi que estaba tras la verja», *Rimas*, P. L. P., 194-195)

Hacía tiempo que Juan Ramón sentía la necesidad de expresar el espectáculo del firmamento moguereño cuajado de estrellas, los versos: «A donde el cielo / esté más alto y no brillen / sobre mí tantos luceros» corresponden con admirable sencillez y emoción a una tal visión; pero «afelpadas araucarias / y floridos magnolieros» y «el palacio / allá al fondo del sendero», que no corresponden a la visión natural del paisaje propio, carecen de emoción artística. Aun así, el joven poeta no cae en los errores del primer modernismo, pese a que repite ciertos temas. En una estrofa del poema «A una niña mientras duerme», fechado en 1901 en Le Bouscat [13], reaparece el tema del beso en la noche, usado ya en «La canción de los besos» de *Ninfeas*. El tratamiento es radicalmente diferente, pese a que apenas hay un año de diferencia entre la primera inspiración y la segunda. El erótico sensualismo ha desaparecido y también el excesivo artificio. En el poema de *Ninfeas* el beso de oro, separado de persona alguna y rodando por la noche, se convierte en beso de fuego, beso de nieve, beso de grana, beso de rosa, beso de sangre. En el poema de *Rimas* «A una niña mientras duerme» el ambiente y los besos están relacionados con la durmiente y realzan sus sueños:

«La canción de los besos»	«A una niña mientras duerme»
En la calma solemne de la Noche apacible, de la Noche serena; en la calma solemne turbada tan sólo	Esa lumbre apacible que derrama la pura suavidad de sus tintas en tu plácido sueño, lleva un alma de rosas que deslíe su esencia

---

[13] Años después, J. R. publica una versión corregida de este poema, con la procedencia al pie: Le Bouscat, 1901, y el título: «A Denise dormida». El nuevo poema está recogido en *Cuadernos de Juan Ramón Jiménez*, pág. 72.

por la risa de plata de las verdes
   estrellas,
un Beso de oro cantaba risueñas
   canciones,
cantaba canciones risueñas...;
era un Beso de amores virgíneos,
era un Beso de efusiones tiernas,
que al salir de unos labios más
   fragantes y puros
que una pura y fragante Azucena,
buscando iba otros labios amantes
al país de las Flores Eternas...

            (P. L. P., 1467-1468)

en la esencia que exhalan tus delirios serenos.
Sobre ti flota un algo de visión
   errabunda,
un efluvio virgíneo, ese vago misterio
de la niebla opalina de los lagos,
   la onda
perfumada que sube de un jazmín
   entreabierto.
En la noche hay más flores que
     en la luz; por la sombra
brillan giros, torrentes y ascensio-
   nes de pétalos
irisados, y el alma de unos nardos
   de bruma
a los niños dormidos da fragancia
   de besos

            (P. L. P., 96)

El tema del beso está usado con empalago en los primeros libros de Juan Ramón; pero en los versos destinados a
Rimas adquiere un refinamiento que raya en narcisismo:

> Nadie me besa, y a veces
> nostalgia de labios siento,
> y estoy siempre triste y solo
> con mis penas y mis versos!

> Cuando vuelvo por las tardes
> pensativo y soñoliento,
> sobre mi espejo me inclino
> y me embriago de besos.
>   (P. L. P., 139)

Los nuevos refinamientos disimulan el carácter sensual
de los versos de amor, y el conflicto patente de una búsque-
da del erotismo y la pureza en la carne, muy obvia en «La

canción de los besos» y muy sutil en «A una niña mientras duerme»:

«La canción de los besos»

'..
voy buscando a una pobre Inocencia
que se fue de su pecho ardoroso,
cuando el lúbrico amado entreabría riendo
la incendiada y fragante prisión
de los gozos...;
y ¡ay! me muero, me muero y no
encuentro
a la blanca Inocencia que busco
amoroso...'

(P. L. P., 1469-1470)

«A una niña mientras duerme»

Tu belleza infinita; la cascada
de bucles
que en tu frente derraman los dorados cabellos;
el jardín de tu carne, saturado de
rosas,
de jazmines, de nardos, de violetas; tu tierno
palpitar..., ¡todo, todo para ti es
una muerte!

(P. L. P., 97)

En el primer caso la imagen erótica se prolonga en dos versos elaborados: «cuando el lúbrico amado entreabría riendo / la incendiada y fragante prisión de los gozos»; en el segundo caso la imagen es breve: «el jardín de tu carne». Tratándose de una niña que duerme, la frase nos parece demasiado sensual. Llama la atención que en ambas estrofas interviene la muerte; la sensualidad, la inocencia o pureza y la muerte andan siempre muy mezcladas en la poesía de Juan Ramón.

En los poemas destinados a *Rimas* el tema de la muerte adquiere una alta dimensión estética al ser enlazado directamente con la naturaleza y el paisaje. En «Tétrica», uno de los poemas de *Ninfeas*, el Alma y la Carne se despiden junto al lecho de un enfermo moribundo, el enfermo es lo de menos en el poema, como si la carne y el alma tuvieran fuera de él separadas existencias; habla el Alma, habla la Carne y el artificio es excesivo y el poema resulta aparatoso y melodramático. En «Crepúsculo de abril», un poema alejandrino escrito en Arcachon en 1901, al tratar del mismo tema, es decir, de una enferma moribunda, no se libra ninguna lucha fuera del proceso natural de la muerte que va disputándola a la vida, hasta el momento final en que muere también el crepúsculo primaveral. En la comparación de estrofas de ambos poemas se pueden apreciar los defectos del uno y las excelencias del otro:

«Tétrica»

Habló el Alma:
'Ya me voy...;
me arrebatan unos brazos invisibles...;
¡ay! ¡qué horrible es separarse, Carne amada!
¡ay! ¡qué horrible es separarse para siempre,
tras un Día de Placeres y de Amores embriagantes...!
Yo te adoro,
yo te adoro, dulce Carne...;
....
....
¡cuántas veces, enlazada en otra Carne,
me colmaste de delirios que sin ti no habría hallado...!
¡ay! ¡qué horrible es separarse para siempre...!
mas... los brazos invisibles me arrebatan...;
¡ya me voy...!'

(P. L. P., 1475)

«Crepúsculo de abril»

Las mejillas de lirio de la enferma tuvieron
ilusiones de vida en su frío de muertas:
se tiñeron de un rosa dulce y vago...; diríase
que en su nieve crecía una lumbre secreta.
Se apagó lentamente la magnífica nube;
se apagaron las rosas de la pálida enferma.
Resonaban distantes las esquilas, temblaban
en el cielo profundo las divinas estrellas;
empezaron las flores a dormirse... Moría
uno de esos crepúsculos de la azul primavera.

(P. L. P., 116)

En Francia, la poesía juanramoniana va adquiriendo una natural delicadeza simbolista. Los tonos del paisaje se suavizan: el rojo y el fuego del ocaso se convierten en vagos matices violetas, el verdor ya no se le atribuye artificiosamente a las estrellas, sino a lo que en sí es verde, como el jardín; las sensaciones favoritas, como la calma y el silencio, adquieren nuevos valores cromáticos. Nótense estos efectos en un poema viejo, de *Ninfeas,* y uno nuevo escrito en Burdeos en 1901 e incluido en *Rimas:*

«Melancólica», de *Ninfeas*

Infinito montón de cenizas pare-
    cen los cielos;
infinito montón humëante, despo-
jo del fuego del día,
donde algunas estrellas verdosas
como chispas postreras titilan...

El silencio y la calma
melancólicos alzan canciones dor-
    midas...

(P. L. P., 1503)

«Paisaje», de *Rimas*

Hacia Oriente, las gasas del mo-
    ribundo día
funden jardín y ciclo con la dulce
    armonía
de sus vagos matices; sobre un
    cielo violeta
destiñe sus verdores el jardín. En
    la quieta
placidez del conjunto no hay golpe
    vigoroso
ni alegre, que distraiga; es éste un
    religioso
desleimiento de tonos delicados; ...

(P. L. P., 160)

Otras estrofas de «Paisaje» muestran ese mayor dominio poético que Juan Ramón va adquiriendo. En «Quimérica», viejo poema de *Ninfeas,* parece postrarse ante la hora del crepúsculo para adorarla; pero en el nuevo poema se identifica con el crepúsculo y siente sus agonías:

«Quimérica», de *Ninfeas*
....

Hora santa
¡yo te adoro!;
tú el altar has sido siempre en
    que mi alma

«Paisaje»
....

                    Entre mis ideales
miro cómo agonizan estos prima-
    verales
crepúsculos; yo siento sus dulces
    agonías

anhelante, apurar quiso un cáliz
    blondo,
cáliz mágico que forjan mis deli-
    rios,
dulce cáliz que es el cuerpo nebu-
    loso
del magnífico Ideal de mis quime-
    ras,
cuyo borde son sus frescos labios
    rojos;
dulce cáliz que contiene el rico
    néctar
del amor voluptüoso...
Hora santa del crepúsculo del
    sueño
¡yo te adoro!

                (P. L. P., 1505)

porque mueren sus lumbres como
    mueren las mías.
Todo tiembla. La luz va extin-
    guiéndose lenta;
en mi alma va cayendo la sombra
    soñolienta.
Oigo una voz distante que lloran-
    do me llama.
Mi corazón me dice que hay al-
    guien que me ama...

                (P. L. P., 161)

En los nuevos poemas, Juan Ramón toca conceptos tras-
cendentales yendo a ellos de las cosas. Al describir el paisaje
en «El palacio viejo», pasa progresivamente a expresar la
nostalgia del tiempo pasado y la muerte que en sí lleva lo
vivo:

> El jardín ha enlazado la arboleda frondosa
> de sus calles sombrías. En el lago, las piedras
> de algún puente han caído carcomidas; el musgo
> ha cubierto las fuentes. Una onda serena
> de quietud, baña a todo.
> No es terror, no es tristeza
> esa sombra que vaga;
> es la amarga hermosura de lo viejo, la esencia
> que en el mundo dejaron otras flores, la música
> de otras liras, la ronda de las áureas bellezas
> que se van; es la vida que respira la muerte,
> es la luz de la niebla...
>
>   (P. L. P., 92-93)

En esta poesía está también la antigua atracción por los cementerios; pero esta morbosa preferencia ha ganado una
misteriosa dimensión, dándole un tono de naturalidad a la
psicosis del poeta; de nuevo, el punto de arranque es el paisaje; como en este poema destinado a *Rimas*, sin título:

> Los sauces me llamaron, y no quise
> decir que no a las voces de los muertos:
> abrí la verja y penetré tranquilo
> en el abandonado cementerio.

(P. L. P., 187)

El elemento macabro persiste a veces; pero ya no se trata
de un «atahúd carcomido» o «los gusanos asquerosos», como
en el poema «Elegíaca» de *Almas de violeta* (P. L. P., 1537-
1538), sino de lo macabro embellecido por lo que no lo es:
la losa es de *alabastro*, el esqueleto está *cuajado de rocío*:

> Un sepulcro caído, desde el fondo
> del patio, me llamó con su misterio:
> su losa de alabastro estaba rota
> sobre la yerba exuberante, y dentro,
> con espantosa mueca, sonreía,
> cuajado de rocío, un esqueleto.

(P. L. P., 187)

Juan Ramón ha aprendido también a expresar el sentimiento religioso de otro modo, enalteciéndolo artísticamente.
La Virgen María, de quien era devoto, había sido tema de
sus primeros poemas; una comparación del tratamiento de
este tema entonces y después muestra lo mucho que ha ganado su lira al pasar del mero colorismo de la primera época
al simbolismo. En los poemas que vamos a comentar el poeta que canta es un ser vacilante que recurre a la Virgen en
busca de alivio y consuelo. En el primer caso se trata de un
poema anterior a 1901, el titulado «¡Solo!», que fue incluido

en *Almas de violeta* y que corresponde a las romerías de la Virgen de Montemayor de Moguer, según el ambiente que se desprende de sus versos. En el segundo caso se trata de un poema de 1901, titulado «A la Virgen María», que no fue recogido por el poeta en ninguna colección y que corresponde a las romerías de Lourdes, según el ambiente que de él se desprende:

«¡Solo!»

Malo, muy malo yo estaba
cuando se fue aquel invierno...;
no sé de qué, pero el caso
es que mis dichas murieron;
y me llevaron al campo
a respirar aires buenos...
....
....
....

(P. L. P., 1531)

«A la Virgen María»

¿Por qué mi pobre corazón de lirio
No te ha buscado siempre, sombra azul?
Muerto de sed, de ensueño y de martirio,
¿por qué mi pobre corazón de lirio
no te ha buscado siempre, sombra azul?

(Sala Z. y J. R. J. de la U. de P. R.)

Los versos citados son los primeros de ambos poemas. En el primer caso el poeta usa veintidós versos más describiendo su mal, sin mencionar a la Virgen, que aparece a partir del verso veintinueve; pero en el poema de 1901 el enfermo y el objeto de su devoción quedan relacionados desde los dos primeros versos de un bello e indirecto modo: por la frase «corazón de lirio» que el poeta se aplica y la frase «sombra azul» que le aplica a la Virgen. Del mismo modo, en el primer caso se usan más de cincuenta versos antes de establecer la devoción de los fieles; en el segundo caso esta devoción está patente en la segunda estrofa, de una concisión artística envidiable:

«¡Solo!»   «A la Virgen María»

....
¡era la fiesta del pueblo! [verso 53]   Supe que iban a ti por bendi-
Hombres, mujeres y niños   ciones,
hasta la ermita subieron,   como se va por flores a un jardín,
todos llenos de alegría,   todos los desgarrados corazones;
todos felices, contentos...   y nunca fui yo a ti por bendicio-
             (P. L. P., 1532-1533)   nes
                                            como se va por flores a un jardín.

La armónica relación entre el poeta triste y los tristes que
van a la Virgen en el segundo poema, no existe en el primero, lo cual le resta unidad artística a la obra. También se
puede apreciar, en la comparación, la maestría de la descripción sugestiva de la Virgen en el segundo poema, sobre la
descripción directa del primero:

....
la Virgen pobre y bonita   Madre, tu dulce aroma de azu-
con los labios entreabiertos   cenas
en una triste sonrisa...;   inunde de quietud mi corazón;
la patrona de la aldea   da lo azul de tus ojos a mi pena,
que se parece a mi niña,   madre, tu dulce aroma de azu-
con su carita morena,   cenas
con sus rosadas mejillas,   perfume mi dormido corazón.
con sus ojos melancólicos
y su pura frente altiva...;
             (Ibid., 1532)

Las frases «dulce aroma de azucenas» y «lo azul de tus ojos»
expresan toda la dulzura, pureza, suavidad y melancolía que
encierran las gastadas «labios entreabiertos», «triste sonrisa», «ojos melancólicos» y «pura frente altiva» del primer
poema. Del mismo modo, aun cuando el primer poema adquiere su tono mejor cuando el poeta vuelve la vista al paisaje, la sugerente alusión del segundo poema le aventaja:

«¡Solo!»

Ya el Sol se hundía en Ocaso...;
a sus últimos reflejos
salió de la ermita blanca,
la Virgen...; hubo un momento
de majestad infinita...;
reinó un profundo silencio...;
el campo calló...; tan sólo
sonaban allá a lo lejos,
el clamor de las campanas
que cantaban en el pueblo,
....

«A la Virgen María»

Esta noche, en lo azul lleno de
  estrellas,
un ángel blanco y bueno, lirio y
  luz,
se ha llevado mi alma hasta tus
  bellas
moradas, a la luz de tus estrellas,
un ángel blanco y lirio, blanco y
  luz!

(Ibid., 1533)

Habiéndose escapado del laberinto poético en que se encontraba, Juan Ramón se dedica a corregir la obra escrita
para su inclusión en *Rimas de sombra,* desechando los morbosos y apasionados poemas de *Ninfeas.* Las correcciones
fueron menores y mayores: quitó la excesiva ortografía romántica y pseudo-modernista, suprimiendo puntos suspensivos, signos de admiración e interrogación y mayúsculas in-
necesarias; suprimió las dedicatorias de Villaespesa a las
personas desconocidas y las dedicatorias sentimentales como
«Para mi Alma», cambiando el inusitado «para» al corriente
«a»; suprimió algunos títulos como «Paisaje del corazón»,
«Tarde gris», «Nívea», «Azul», «Negra» y «Elegíaca» [14]. En la
comparación de la primera y segunda versión de «Azul», un
pequeño poema de *Almas de violeta* que habría de incluirse
en *Rimas,* se pueden apreciar estos cambios. Además de co-

---

14 Existe un estudio largo, por Elaine C. Riccio, sobre las correcciones del poeta: «Juan Ramón Jiménez's revised poems from 'Ninfeas' and 'Almas de violeta' through the 'Antolojías'». Tesis de licen-
ciatura (M. A.) inédita. The Catholic University of America, Washington, D. C., julio de 1966.

rregir la puntuación, Juan Ramón suprime el título y la dedicatoria:

«Azul»

Para mi Alma

Ya estoy alegre y tranquilo;
¡sé que mi virgen me adora!
¡ya en el rosal de mi alma
abrieron las blancas rosas!

Fuera, en el mundo hace frío;
el otoño triste llora...
Mas... ¿qué me importa que caigan
de los árboles las hojas...?

(P. L. P., 1528)

Ya estoy alegre y tranquilo:
sé que mi virgen me adora;
ya en el rosal de mi alma
abrieron las blancas rosas.

Fuera, en el mundo, hace frío;
el otoño triste llora;
mas ¿qué me importa que caigan
de los árboles las hojas?

(P. L. P., 100)

Otros poemas sufrieron correcciones mayores: cambio de palabras y versos y hasta de estrofas, amén de suprimir algunas, lo que a veces le da otro tono al poema. Tal sucede con «Salvadoras», que pasa a ser «A mis penas», título sentimental pero más apropiado a su contenido. En la versión original el poema termina en una nota de desesperación y las expresiones del sentimiento son triviales; en la versión corregida las penas causan un sentimiento inefable sugerido por las frases «oro de mis sueños», «amor de mi lira», «flores que entreabren sus cálices en mis días», «perfume de mi vida». A continuación, la última parte de ambos poemas:

«Salvadoras»

¡Penas mías, yo os bendigo!
¡yo os bendigo, penas mías!
¡negras tablas salvadoras,
salvadoras de mi vida!

«A mis penas»

¡Penas mías, yo os bendigo!
¡Yo os bendigo, penas mías,
negras tablas salvadoras
del perfume de mi vida!

mi alma es vuestra, vuestra sólo;
yo no codicio alegrías,
yo gozo cuando estoy triste,
es mi llanto blanca dicha
que me embriaga de dulzuras,
de gratas melancolías...;
¡nunca, nunca me olvidéis
en el mar de mi desdicha!
¡entristeced a mi alma!
¡entristeced a mi vida!
¡que yo gozo con las penas
más que con las alegrías!
¡que jamás puedo olvidarme
de vuestra fiel compañía,
cuando solo, solo, solo,
sin auxilio me perdía;
cuando llegó aquel momento
en que aborrecí la vida;
cuando lloraba yo tanto,
cuando yo tanto sufría...!
                        (P. L. P., 1539-1540)

Nunca, nunca me olvidéis
en el mar de mi desdicha,
entristeced mis amores,
entristeced mis delicias,
que yo gozo con las penas
más que con las alegrías,
que jamás puedo olvidarme
de aquella playa bendita,

en donde me embriagasteis
de las nostalgias divinas.
Todo el oro de mis sueños,
todo el amor de mi lira,
todas las flores que entreabren
sus cálices en mis días,
todo el fuego de mis ojos,
todo el placer de mis risas,
es sólo para vosotras,
adoradas penas mías,
adoradas salvadoras
del perfume de mi vida.
                        (P. L. P., 184-185)

La autocrítica juanramoniana será ejercida desde esta época en adelante y las correcciones darán la medida exacta del progreso del poeta, preocupado cada vez más con librar a su obra de vicios y excesos. Al rechazar los poemas pseudo-

modernistas de *Ninfeas*, Juan Ramón repudiaba las influencias equivocadas, el modernismo malamente imitado. Cuando
cayó en sus manos *Azul*, de Rubén Darío —recordaría después—, él, «que era entonces 'modernista', y social, y ancho,
y largo, y que soñaba con una ristra de libros en alejandrino, no quería ser más 'delicado' y no escribía romances» [15].
Pero para su nuevo libro *Rimas* escogió los romances y canciones de su obra primeriza, sobre todo los romances y otros
poemas de forma tradicional, además de unos pocos versos
polimétricos y escasos alejandrinos. Pese a la lectura de los
simbolistas franceses, sus pensamientos estaban con la poesía nacional y con Bécquer, el más simbolista de los poetas
españoles de esa fecha, admirador de la poesía del pueblo.
En el prólogo al libro *La soledad*, de Augusto Ferrán, que
Juan Ramón conocía [16], Bécquer exaltaba las formas de expresión poética del pueblo, «síntesis de la poesía», y dividía
la poesía en dos clases, una: «el fruto divino de la unión del
arte y de la fantasía», la otra: «la centella inflamada que
brota del choque del sentimiento y la pasión». La primera
era «una poesía magnífica y sonora; una poesía hija de la
meditación y el arte que se engalana con todas las pompas
de la lengua, que se mueve con una cadenciosa majestad,
habla a la imaginación, completa sus cuadros y la conduce
a su antojo por un sendero desconocido, seduciéndola con
su armonía y su hermosura». El aspecto del modernista que
Darío representó en España en las postrimerías del siglo XIX
y principios del XX corresponde a esta definición. La otra

---

[15] «Mis primeros romances», *Cristal*, pág. 272.
[16] J. R. hizo reproducir este prólogo en una publicación del estu-
diantado de la Universidad de Puerto Rico, Río Piedras, cuya sección
literaria él asesoraba: *Universidad*, vol. 5, núm. 69. Suplemento sin
fecha, correspondiente a abril de 1953, págs. 3-4. De esta fuente derivamos las citas.

poesía, según la clasificación de Bécquer, es la «natural, breve, seca, que brota del alma como una chispa eléctrica, que hiere el sentimiento con una palabra y huye, y desnuda de artificio, desembarazada dentro de una forma libre, despierta las mil ideas que duermen en el océano sin fondo de la fantasía». Bécquer consideraba que la primera era la poesía de todo el mundo y la segunda la de los poetas, y que la poesía popular era la breve y seca, desnuda de artificios.

Comentando el carácter conciso y profundo de los cantares de Ferrán, Bécquer expuso conceptos que se podrían aplicar a Juan Ramón: «Esa impaciencia nerviosa que siempre espera algo, algo que nunca llega, que no se puede pedir, porque ni aún se sabe su nombre; deseo quizá de algo divino, que no está en la tierra y que presentimos, no obstante.

»Esa desesperación del que no puede ahuyentar los dolores, y huye del mundo, y los tormentos le siguen, porque su tortura son sus ideas, que, como su sombra, le acompañan a todas partes».

La impaciencia nerviosa, la inquietud, un deseo inefable, un perenne dolor caracterizaban la obra del poeta de Moguer. Un poema escrito en Arcachon, titulado «Inefable», refleja este estado que se transmite al ambiente; el poema pasó a *Rimas:*

....

En el aire embriagado de serenos olores
se dormía el recuerdo y se ahogaba el pesar.
De lo lejos venían los tranquilos rumores
con que canta la muerte de las tardes el mar.

(P. L. P., 181)

En sus versos más íntimos, los de amor, otra vez a la manera sencilla de sus principios, es decir, en verso octosilábico de rima asonante, completamente carente de artificios, estaba esa nota de dolor y de reproche del que huye del mundo:

....

> ¿Por qué la olvidé? Pensando
> que pronto me moriría
> me acariciaba con lágrimas
> de una ternura infinita.
>
> ¿Por qué la olvidé? Sintiendo
> la tristeza de mi vida,
> me envolvía con sus ojos
> y llorando sonreía.
>
> *(Rimas*, P. L. P., 130)

La sencillez con que Juan Ramón expresa los sentimientos imponderables es conmovedoramente humana, a veces lo hace en términos tan corrientes que se creería que la expresión es común, que podría ocurrírsele a cualquiera; pero no se trata de una expresión común, sino de una poesía elusiva, por leve, como en esta estrofa de «Muerta»:

> Yo sé que está bien muerta; pero, a veces,
> por el sendero de mi vida pasa,
> y ¡es ella!, ¡es ella!, el corazón me grita:
> mas no, no puede ser..., será un fantasma.
>
> *(Rimas*, P. L. P., 151)

José Enrique Rodó notó las esenciales calidades becquerianas de estos poemas. En carta del 2 de julio de 1902, en la que le agradecía a Juan Ramón el envío de las para entonces publicadas *Rimas*, encareció el parentesco espiritual del poeta de Moguer con Bécquer, su más acentuado acento heiniano y las nuevas influencias de su poesía *más adaptadas al gusto dominante*, influencias benéficas, en su opinión, para la poesía hispánica *tan inmovilizada* en *viejos moldes* [17]. La opi-

---

[17] La correspondencia entre J. R. y Rodó, incluyendo esta carta, aparece en José Enrique Rodó, *Obras completas*. Editadas con introducción, prólogos y notas por Emir Rodríguez Monegal, Aguilar, Ma-

nión de Rodó interesa, puesto que estaba libre de las presiones del círculo modernista inmediato a Juan Ramón y libre de prejuicios españolizantes. Admirador de Bécquer, amonestaba: «Esa manera alada, suave, desdeñosa del efecto plástico y dotada de recóndita virtud sugestiva, no debe dejarse perder en el verso castellano», y notaba que por su esencial lirismo, la forma poética nueva creada por Bécquer podía persistir cualesquiera que fueran el gusto y el sentimiento en poesía (pág. 1332). Hondo en su valoración, Rodó se refirió tres veces a la originalidad de la poesía de Juan Ramón y exaltó cuatro veces su carencia de artificios:

> No se equivocaron, por cierto, al presentármele a usted como un pariente espiritual del soñador de otras *Rimas,* sin mengua de la originalidad de su fisonomía personal. (Pág. 1332.)
>
> ...y, sobre todo, tiene usted personalidad propia y distinta, y la sincera y simpática sencillez, con que nos le manifiesta imprime en su libro el *interés humano,* ... *(Ibid.)*
>
> ... porque nada más natural y verdadero que su manera de sentir, y nada más sin artificios que sus tristezas, ... *(Ibid.)*
>
> ... tratándose de quien, como usted, tiene suficiente personalidad propia y pulcritud y delicadeza de gusto ... *(Ibid.)*
>
> ... veo transparentarse en las páginas de su libro una verdadera alma de poeta, muy llena de naturalidad y delicadeza en el sentir, muy enseñoreada de los tonos suaves de la descripción y de la sencillez y elegancia de la forma; ... (Págs. 1332-1333.)

En Le Bouscat, Burdeos, en la «Maison de Santé du Castel d'Andorte», Juan Ramón cumplió veinte años. Se marchó de allí a principios de 1902. Sucesos posteriores en su vida indican que en Francia tuvo amores carnales que entonces le parecieron naturales; pero que en el más recatado ambien-

───────
drid, 1957, págs. 1331-1335. Derivamos de esta obra las citas de la carta de Rodó, que van seguidas del número de las págs. correspondientes. Según nota de Rodríguez Monegal, J. R. publicó partes de la carta de julio 2, 1902, en *Renacimiento,* tomo II, núm. 7, septiembre 1907.

te español llegaron a parecerle pecaminosos. El recuerdo de estos amores se convirtió en obsesión, causándole un conflicto personal y artístico que habría de desembocar en la poesía.

CAPÍTULO VII

«VESTIDA DE INOCENCIA ...»: SOR AMALIA
Y EL SANATORIO DEL ROSARIO

Con aquella mimosa dulzura, mordiéndose el lunar de su labio —viene usted, Juanito, a ver nacer la luna?

Dejándose tirar del velo que le ponía tirante la frente y doblando atrás la cabeza, cerraba los ojos como las muñecas al tenderse [1].

La muñeca era Sor María del Pilar de Jesús, Hermana de la Caridad del Sanatorio del Rosario de Madrid, donde Juan Ramón se recluyó a su regreso de Francia, por intervención del doctor Luis Simarro, que consiguió que le dieran un dormitorio y una sala, como en un hotel, porque él no podía soportar los ruidos del centro de Madrid [2]. Desde el Sanatorio del Rosario, en la primavera, Madrid era otra cosa: «campo verde pasado de soles ponientes, con vacas en paz y Guadarrama azul y nieve» [3]. Su reconciliación con la Corte

---

[1] «Recuerdos. (Sor Pilar)». Inédito. En los archivos de J. R. J. en España.

[2] Ver «Simarro», J. R. J., *La colina de los chopos*. Selección, ordenación y prólogo de Francisco Garfias, Taurus, Madrid, 1965, pág. 173. Al referirnos a esta obra abreviaremos a *Colina*.

[3] J. R. J., «Velázquez 96», *Colina*, pág. 178.

empezó en el año de 1902, en las noches de primavera, según florecían los jardines. La nostalgia de su tierra y su familia le había hecho regresar a España; pero, lleno como estaba del «verdor, humedad, dulzura y sensibilidad» del paisaje francés, el paisaje castellano le pareció aún más árido [4], hasta que, pasado el invierno, empezó a atisbar la llegada de la primavera por las ventanas del sanatorio: por las del salón, las de su cuarto, las de los cuartos deshabitados y bajando al jardín lleno de acacias en flor. Por entre los senderos de rosales veía pasar las blancas figuras de las novicias y las negras figuras de las monjas viejas. Notó que también en Madrid el ocaso era de oro y que la luna rosa llenaba el campo de luz; por la ventana abierta entraba el olor a acacias; a veces oía el suave canto de los pájaros y a veces el sitio se llenaba de oro, luz y jardín.

Al segundo día de estar en el Sanatorio del Rosario Juan Ramón conoció a la hermana Pilar, Pilar Ruberte. Ella y otra hermana, de nombre Manuela, entraron corriendo a su cuarto a decirle que fuera a ver los fuegos de la Guindalera; de momento, llamaron abajo y él y la hermana Pilar se quedaron solos. Desde entonces se sintió románticamente atraído hacia ella. De los balcones del salón principal, que daba de la casa al jardín, miraban juntos los fuegos de la Guindalera y a veces ella le invitaba a ver nacer la luna. La dulce hermana blanca de ojos negros le parecía una Venus de Milo, «como resurjida de la espuma de algún sueño» [5]. Las monjas jóvenes: Sor Pilar, Sor Amalia, Sor Andrea y Sor Manuela, eran todo ternura, él veía en ellas a la mujer buena ausente por tanto tiempo, la madre, la hermana, la novia, la niña; algunas veces las pensaba santas; otras veces se las

[4] Ver J. R. J., «Arias tristes», *ibid.*, pág. 168.
[5] J. R. J., «El salón», *ibid.*, pág. 164.

imaginaba pecadoras. Cuando los pacientes se iban de veraneo, él jugaba con ellas por los pasillos como si fuera un
chiquillo; otras veces, paternalmente, les regalaba golosinas
que ellas, demasiado jóvenes para estar acostumbradas a la
disciplina, se comían alrededor de la estufa del cuarto de él.
Sabiendo el miedo que el poeta tenía a las tormentas, al
estallar éstas pretendían refugiarse en su cuarto, con gran
aspaviento. Se distraían distrayéndole como a un niño, ves-
tían de monja a una escoba y la sentaban en el sofá de su
pequeña sala, o le ponían en la cama, arropada, la fotografía
de la amiga francesa [6]. Él, sufriendo aún de una crisis personal y religiosa, se debatía entre los impulsos perversos y
el exacerbado sensualismo que a veces le dominaba, y los deseos de pureza. Dominado por la sensualidad, quería llegar
hasta la carne que castamente protegían los hábitos. La hermana Pilar le parecía un mármol de museo que él ablandaba
y calentaba. A Sor Andrea, rubia, de ojos negros, se atrevía
a tocarle las manos para confusión y vergüenza de ella, que
se ponía nerviosa. A él le parecía que ella quería y no quería
irse; que ella le apartaba con los brazos pero le atraía. Cuando Sor Amalia Murillo descorría las ventanas verdes de la
galería y el cuarto se encendía del color de la tarde, él quería
retenerla. En las noches de verano las monjas se sentaban
en la terraza y, en busca de la brisa, se quitaban las mangas
interiores, manteniendo los brazos en alto agarradas al res-
paldo de las mecedoras. Al verlas así descubiertas, embargado de sensualidad, le parecía que acariciaba el brazo desnudo de la hermana Amalia, «largamente, hasta llegar al pecho», y se imaginaba los pechos «menudos, medrosos, sólo

6 Sobre las relaciones de J. R. con las monjas del Sanatorio del
Rosario, de Madrid, véase, en la parte 5, titulada «Sanatorio del Re-
traído», de *Colina*, además de los trozos ya citados, «Mi Venus de
Milo», pág. 165, y «Las niñas», pág. 171.

vistos por las manos, porque el hábito no se podía quitar fácilmente»[7]. Su afición a las novicias llegó a ser causa célebre y llegó el momento en que le enviaron las comidas con una monja mayor que a él le pareció viejísima[8]. Peor aún, a la hermana Amalia, la preferida, por culpa de él la trasladaron súbita y calladamente del Sanatorio del Rosario. Después se dio cuenta de que la hermana había querido despedirse y lo contó así en sus «Recuerdos»: «Unos pasos suaves y precipitados llegaron hasta la puerta que se abrió momentáneamente y el rostro pálido y descompuesto de la hermana Amalia miró con angustia. Casi no miró. Aquello fue menos de un segundo. Mi profesor de alemán estaba conmigo, ella no lo sabía. Y los pasos huyeron otra vez apresuradamente. Yo sentí confusamente algo que no pude explicar entonces. Era que aquellos pasos se alejaban... para siempre...».

A la partida de la hermana Amalia le volvió a invadir una honda tristeza. Se figuraba que se había marchado «enferma y triste» y que no la vería «hasta el Cielo». No podía olvidarla, su toca blanca —decía— y sus ojos negros habían llegado a hacerse de su alma[9]. Todos conocieron su tristeza, volvió a inquietarse y a pensar en la muerte. En la angustia de ese primer invierno que pasó en el sanatorio de Madrid le alentaba sólo la presencia del doctor Simarro, que llegaba siempre inesperadamente, a última hora[10]. El doctor y su mujer eran su apoyo moral, a menudo le invitaban a su casa a comer, y algunas veces el doctor hacía que le acompañara a la Institución Libre de Enseñanza. Cuando Mercedes Roca,

---

[7] «Recuerdos». Inédito. En los archivos de J. R. J. en España.

[8] Anécdota de María Martínez Sierra al contestar personalmente en su residencia de Buenos Aires, en julio de 1968, a unas preguntas por escrito de esta autora.

[9] J. R. J., «Páginas dolorosas», V, *Primeras prosas*, pág. 59.

[10] Ver J. R. J., «Simarro», *Colina*, pág. 173.

la esposa de Simarro, le iba a visitar al sanatorio, le llevaba antojos. El pintor Emilio Sala, que vivía cerca, le mandaba con ella «unas setas cocinadas exquisitamente» [11]. A veces Sala le visitaba con Mercedes. Estaba viejo, pero aún daba clases de pintura, y le hizo posar para un retrato. Lo pintó como el romántico poeta que era a los veinte años. Le llevaba a Juan Ramón los libros de Ángel Ganivet porque la hija de éste era una de sus alumnas. El pintor Sala era un hombre comprensivo, con quien se podía contemplar sin disimulos las acacias.

En el verano los Simarro se fueron de Madrid de vacaciones y Juan Ramón buscó apoyo moral en el cura del sanatorio, un capellán joven, andaluz, suplente, con fama de ignorante, por lo que se decía no le habían asignado parroquia. Le llamaban «Candileta» porque, en vez de decir en buen latín «Quam dilecta tabernacula tua», decía algo que sonaba a «can dileta» [12]. Cuando Juan Ramón se acordara de él después, lo describiría «feo, ignoble —como decía Villaespesa», y además, bajo, bizco, con nube en un ojo, deslenguado y comilón [13]. Las hermanas lo despreciaban y le hacían maldades y el capellán se vengaba de un modo poco edificante: poniendo tinta en las pilas de agua bendita de la capilla. Pese a sus muchas faltas, como el poeta necesitaba tener siempre a su lado a quien, en su opinión, podía protegerle de la muerte, se hacía acompañar de él. El ministro del Señor era una gran protección espiritual por su oficio, no por sus dotes individuales. Su confianza en el capellán flaqueó un nevado día en que, paseando por Colón en una berlina cerrada, después de almorzar, le dijo, «jirando el ojo

---

11 «Don Emilio Sala», *ibid.*, pág. 170.
12 Anécdota de María Martínez Sierra a esta autora.
13 «El Sanatorio del Retraído. (Don Adrián Bugada)». Inédito. En los archivos de J. R. J. en España.

terrible y reluciente su colmillo blanco: —Juanito, dejémonos de tontería, ¿qué hay en esta vida ni en la otra como pasearse en una berlina, satisfecho el estómago y un buen puro en la boca? Y [le] dio un codazo en el estómago mientras soltaba una carcajada cerrado de boca y abierto de piernas»[14].

Los *hombres negros* que Juan Ramón conoció en el «Colegio de San Luis Gonzaga», los jesuitas, le fueron adversos por su severidad; pero de ellos aprendió que el ascetismo y la pureza eran ideales cristianos. Preocupado por la propia sensualidad, abominó el exceso del capellán destinado a darle buen ejemplo y jamás le perdonó la grosería. No tuvo mejor suerte con otro capellán interino del Sanatorio del Rosario en quien también quiso encontrar apoyo moral en ausencia de sus médicos. Según sus recuerdos, «el Padre —un andaluz de Jaén, alto, seco, rojo y con ojos azules corridos de carne rosa, lujoso de sanatorio —seda y moaré —zapatos —hebilla de plata —y de sombrero —Villasante», le hizo «una confidencia grosera sobre sus amores con una jamona de la Plaza Mayor»[15]. Escribió sobre ello con turbación: «Aquello que él consideraría tan natural era para mí algo terrible, desconcertante, espantoso. Me sentí de pronto como aislado, solo entre mis ideas de catástrofe, desorientado como en un desierto sin salida. El sostén de mi voluntad se había quebrado. Yo creo que si aquel hombre negro y rojo hubiera sido un hombre intelijente, si me hubiera hablado con ciencia o con razón de la vaciedad del Cielo, si hubiera sido un platónico, mi corazón no habría notado la transición del ideal y hubiese seguido latiendo tranquilo. No, aquella negación de lo espiritual era soez, burda, de sacerdote que debiera haber sido en la estación de las pulgas mozo de cuerda

---

14   *Ibid.*
15   «Recuerdos». Inédito.

o tabernero del Rastro, y el golpe fue espantoso, terrible, sin solución». El poeta dijo que lloró por dentro y se quedó «arrinconado, medroso y triste como un niño perdido —como un niño que llora en la noche, que grita por la luz!» *(ibid.).* El incidente había sido más que «una confidencia grosera», según Juan Ramón le confió después en una carta a uno de sus médicos: «¿Y el sinvergüenza del padrecito? Buena broma me hizo pasar. ¿Se lo conté a usted? Me introdujo en casa de una señora que él disfrutaba y que empezó a echarme a su hija, una boba con la cara sucia, ¡figúrese usted lo demás! Yo vi que aquello marchaba mal y me fui» [16].

Las relaciones de Juan Ramón con los capellanes del sanatorio durante su aguda crisis nerviosa y espiritual fueron negativas y contribuyeron a su anticlericalismo. De los dos andaluces (el otro era de Granada y jaranero), conservaba la más mala impresión. El de Granada parece haber sido un pecador empedernido, el Obispo le había prohibido confesar y vivir en la casa principal. Recordaba el poeta que leía en alta voz y mal las reseñas de las corridas de toros, que a él le eran odiosas, y le gastaba bromas que le hubieran parecido mal hasta de un laico. Le decía: «Don Juan, mañana en el Gloria voy a cantar una petenera», o si no: «¿Qué quiere usted que le diga mañana a las niñas?». *Las niñas* eran las novicias que él tanto quería y admiraba. A veces, insinuante, le decía: «Acabo de dejar a la madre con el tío ese agustino en su cuarto», y sabiendo que Juan Ramón era poeta le recitaba los versos más soeces [17]. Ciertos poemas, escritos años después, tienen mucha relación con estos incidentes, en particular el titulado «Capellán»:

---

[16] Carta de Moguer, ¿1912?, al doctor X, Madrid. *Cartas*, págs. 102-103. (Se ha citado del original, en el que dice: *el sinvergüenza del padrecito.)*

[17] «El Sanatorio del Retraído. (D. Manuel...)». Inédito.

Acento de Jaén; sombrero de Villasante;
vueltas de ormesí, enteritis y querida.
Canta misa y rosario, a un compás rasgueante
de su guitarra. Su ¡Gloria! suena a ¡Olé, mi vida!

Se comulga las hostias que consagrara *el otro*,
para el yantar divino de las de Santa Ana;
—pasa la madre, 'muslo de dama', y hace el potro—;
y se remanga por el riego la sotana.

Sermón. 'La Voz del púlpito' le da el tema eucarístico,
que él rellena de escombros de bazofia latina.
Se vuelve a las novicias y, en un arrobo místico:
'Bien así como la pasajera golondrina...' [18].

Los versos que Juan Ramón escribió estando en el Sanatorio del Rosario eran de otra índole: poemas nostálgicos
sobre el paisaje, el jardín, la música, las novias blancas y la
muerte.

Cuando los amigos escritores de Madrid se enteraron
dónde vivía el poeta de Moguer, fueron a visitarle. Manuel
Reina, que estaba entonces casi ciego, diabético y cojeando
a consecuencia de un accidente —había sido arrastrado por
un tranvía—, a su paso por Madrid fue a verle y Juan Ramón
le dio a leer el manuscrito de *Rimas de sombra*. Aunque tachó cosas que a él le parecían muy buenas, le dijo al dejarlo:
«—Su flor es la 'sensitiva'» [19]. Valle Inclán, más estrafalario

---

[18] Este poema fue publicado por J. R. en la *Segunda antolojía poética* (1898-1918) y apareció como el segundo poema de los «Alejandrinos
de cobre» de la parte titulada «Esto». Excluido por él mismo de la
Tercera antolojía poética (1898-1953), volvió a incluirse en el póstumo
J. R. J., *Libros inéditos de poesía*, 1. Selección, ordenación y prólogo
de Francisco Garfias, Aguilar, Madrid, 1964, pág. 194. Al citar de esta
obra abreviaremos a L. I. P.

[19] J. R. J., «Don Manuel Reina», *Colina*, pág. 163.

que nunca, mejor escritor y aún más generoso que antes, notó que su romance estaba contagiado del de Espronceda [20]. Valle le iba a ver a menudo y le llevó su *Sonata de otoño*. Una vez que el sanatorio quedó incomunicado de Madrid por tres días, a causa de una gran nevada, se le apareció inesperadamente, cumpliendo su promesa de ir a verle [21]. A los visitantes se les recomendaba guardar silencio; pero Valle Inclán no se daba por enterado y discutía, leía en voz alta, gritaba, haciendo aún la crítica modernista con los adjetivos de rigor, para alboroto de las monjas jóvenes, que se divertían imitándole y riéndose de él a sus espaldas [22]. Salvador Rueda iba también a visitarle al Sanatorio, humildemente vestido, a veces «con traje blanco de albañil... gorra y alpargatas», que usaba, según decía, para mezclarse de veras con el pueblo [23]. Algunas veces, pareciéndole que andaba muy mal puesto, no se atrevía a entrar, solamente pasaba a preguntar cómo estaba el paciente. Villaespesa, que de momento había desaparecido del horizonte juanramoniano, volvió a procurarle el mismo de siempre, excitado y excitando con sus noticias: que llegaba D'Annunzio, que llegaba Eugenio de Castro, y hasta Juan Ramón a veces se iba con él al anunciado encuentro, haciendo en vano el recorrido de las estaciones, porque los ilustres no aparecían [24]. Jacinto Benavente, que le había escrito algo agradable por su colaboración en *Electra*, y Gregorio Martínez Sierra, de quien el joven poeta tenía muy alta opinión, al enterarse que estaba en el Sanatorio fueron en

---

[20] Ver «Ramón del Valle-Inclán, II», *La corriente infinita*, páginas 93-94.
[21] Ver «Ramón del Valle-Inclán», *Colina*, pág. 174.
[22] J. R. comenta la reacción de las monjas del sanatorio a las visitas de Valle Inclán en los escritos sobre éste mencionados en las notas 20 y 21.
[23] J. R. J., «El 'colorista' nacional», *Corriente*, pág. 56.
[24] «Recuerdo al primer Villaespesa», *Corriente*, págs. 67-68.

seguida a verle. Enterado de que el lechero pasaba por casa de Martínez Sierra, empezó a enviarle cartas por mediación de éste todas las mañanas [25]. Alentado por todos estos amigos, Juan Ramón quiso dar a la publicación su libro y como él no estaba del todo bien, Julio Pellicer y Enrique Ruiz le pasaron en limpio los poemas [26]. Manuel Reina, Benavente y el mismo Pellicer le aconsejaron que quitara la palabra *sombra* del título y que suprimiera las tres divisiones del libro, porque eso de «Paisaje del corazón», título de una de ellas, sonaba raro en aquella época [27]. Le hicieron además quitar algunas de las nuevas poesías y agregar otras que a ellos les gustaban de *Ninfeas* y *Almas de violeta*, como «El cementerio de los niños» [28]. Cuando al fin la Librería de Fernando Fe, de Madrid, publicó *Rimas* en ese año de 1902, diecisiete de los setenta y dos poemas, aunque corregidos, habían visto ya la luz y muchos de los poemas nuevos quedaron fuera. El libro salió con doscientas veinticuatro páginas y dedicado a la memoria del padre del poeta, a su madre y a sus hermanos.

Con la publicación de *Rimas* Juan Ramón se volvió a incorporar al grupo modernista español y Villaespesa y Martínez Sierra le llevaron al Sanatorio del Rosario los nuevos escritores del grupo. Conoció entonces a los hermanos Machado, Antonio y Manuel, y a Ramón Pérez de Ayala. Las tertulias modernistas se celebraban en su cuarto los domingos por las tardes y a él le dio por llamarle a la vivienda «el Sanatorio del Retraído». Los jóvenes escritores iban «al

---

[25] Anécdota de María Martínez Sierra al contestar a las preguntas de esta autora.
[26] Al relatar este hecho en «Rimas», *Colina*, pág. 166, J. R. da las iniciales de estos amigos. Ver la nota 27, que sigue.
[27] Hablando de *Rimas*, J. R. se refiere a estas cosas en el libro de Guerrero *Juan Ramón de viva voz*, págs. 159-160.
[28] *Juan Ramón de viva voz*, pág. 163.

campo» a ver al «enfermo de melancolía»[29]. Los nuevos visitantes eran, además de los mencionados, Rafael Cansinos Assens, sevillano, dos años mayor que Juan Ramón; Pedro González Blanco, asturiano, casi de su misma edad; Viriato Díaz
Pérez y José Ortiz de Pinedo, escritores menores amantes de
la nueva literatura. A estos tertulianos, acostumbrados a reunirse en los cafés, les impresionaba el ambiente del sanatorio, la pulcritud del lugar, los médicos, las enfermeras, el
cuarto de Juan Ramón, su romántica apariencia, su tristeza
y gravedad, su manera pausada de hacer las cosas y sus
versos. Cansinos Assens decía que en su presencia se sentían
intimidados, que Villaespesa bajaba su voz atronadora y que
procuraban sentarse sin ruido[30]. Hasta a Antonio Machado,
que era tal vez el más grave del grupo, le parecía Juan Ramón
pálido y circunspecto y su tono, ceremonioso y distante[31].
Éste, que había notado con gusto la gravedad y discreción de
Antonio, dirigía a él su atención[32]. Ante sus compañeros literatos, el poeta era otro que el paciente juguetón y sentimental
mimado por las monjas jóvenes del lugar y enamorado de
ellas. Cansinos Assens decía que los nuevos amigos se habían
figurado encontrarle «deshecho en lágrimas» y lo encontraron
impasible, fríamente correcto y hasta ligeramente irónico al
hablar «de algún pobre colega menos dotado de gracia sutil»[33].
Todavía llevaba luto por la muerte de su padre y vestía ele-
gantemente de oscuro. Empezó a dejarse crecer la barba,

---

[29] Rafael Cansinos Assens se refiere a este hecho en su obra *La
nueva literatura*, 2.ª ed., tomo I, *Los Hermes*, Editorial Páez, Madrid,
1925, pág. 24.

[30] *Ibid.*, I, 159.

[31] Según el recuerdo de Miguel Pérez Ferrero en «El cansado de
su nombre», *ABC*, Madrid, noviembre 7, 1946.

[32] Según el recuerdo de Rafael Cansinos Assens en «Juan Ramón
Jiménez», *Ars*, San Salvador, núm. 5, abril-diciembre 1954.

[33] *La nueva literatura*, I, 160.

cultivando una apariencia distinta a la de todos los demás. A veces les contaba a los visitantes los horrores de sus noches de insomnio, de una araña con cabeza humana —recordaba Cansinos Assens—, y luego, más humano, hablaba de una mujer operada la tarde anterior, cuyo huerfanito se agarraba lloroso a las frías verjas del jardín [34].

Otro visitante de Juan Ramón era un cuentista y fundador de revistas, entre ellas la *Revista Nueva*, donde empezaron a publicar los que después se llamarían «noventaiochistas». Se trataba de Luis Ruiz Contreras, quien para animarle a salir le hablaba de las tertulias interesantes de Madrid, en particular la de Concha Gimeno de Flaquer, en la calle Barquillo, concurrida por aristócratas y literatos, donde a veces se daban conciertos. Las concertistas eran Juana de Quirós y su hermana Adela, hijas de la vizcondesa de Barrantes, muy admiradas por los tertulianos, sobre todo Juana, una gran intérprete al piano de los clásicos alemanes e italianos, entonces de moda. Ruiz Contreras contagió a Juan Ramón de su admiración por la pianista y en las Navidades de 1902 hizo que le dedicara, sin conocerla personalmente,

---

[34] Estas cosas, en parte, coinciden con el contenido de «Páginas dolorosas», fragmentos de prosa poética publicados por J. R. en *Helios*, VI, 1903, alrededor de la misma fecha en que contaba a sus amigos los horrores de sus noches de insomnio. E. g.: en *La nueva literatura* dice Cansinos Assens: «En la estancia pulcra y triste, rodeamos al amigo, que habla lento y dulce ... de terrores nocturnos, de una araña con cabeza humana», I, 25. En «Páginas dolorosas» dice J. R.: «algunas de estas largas noches de insomnios y desesperanzas me da horror estar solo, ... por los corredores largos encuentro siempre un perro negro con cabeza de hombre; ... Hay días en que el perro debe estar enfermo, porque viene a sonreírme con la misma cabeza de hombre; una araña verde, grande, monstruosa, y esta ya entra en mi cuarto y sube por mi lecho blanco con sus patas erizadas», IX, *Primeras prosas*, páginas 67-68.

un ejemplar de *Rimas* [35]. Acariciaba la esperanza de que Juan
Ramón le diera el nombre de Juana a una de las bellas mujeres de sus poemas de entonces; pero como las verdaderas
musas eran las novicias del Sanatorio del Rosario, el poeta
no se dejó influir, pese a que le gustaba la Juana de Quirós
que el amigo tan hábil y románticamente le describía. Cuando le dedicó a Juana, entonces enferma, el ejemplar de *Rimas*, Ruiz Contreras añadió un poema de ocasión suyo a la
dedicatoria, en el que deja traslucir su deseo de que Juan
Ramón diera el nombre de Juana «a la visión blanca, / la
visión de sus ensueños de poeta»:

> 'Hermoso nombre —al trazarlo
> decía el poeta enfermo—
> 'suena cadenciosamente
> 'con el vibrar dulce y recio
> 'del bronce fortalecido
> 'por la caricia del tiempo'.
>
> No le dije que tu nombre
> será de tu alma remedo,
> pues como en el bronce antiguo
> vibra en ella el sentimiento.
>
> Y, acaso, a la visión blanca,
> la visión de sus ensueños
> de poeta, dará el nombre
> de mi enfermita, el enfermo.
>
> Luis Ruiz y Contreras

26 diciembre 1902 [36].

La crítica de *Rimas* salió, en gran parte, del grupo de visitantes del Sanatorio del Rosario. Salvador Rueda lo celebró

---

[35] Ver Luis Ruiz Contreras, «Salones literarios», *Memorias de un
desmemoriado*, M. Aguilar, editor, Madrid, 1946, págs. 443-445. En *Juan
Ramón de viva voz*, Juan Guerrero Ruiz se refiere también a este incidente, págs. 436-437.
[36] Autógrafo manuscrito, propiedad de Francisco Hernández-Pinzón
Jiménez, sobrino de J. R. J.

en el *Heraldo*, de Madrid; Martínez Sierra en *La Lectura;* Manuel Machado en *El País;* Rafael Leyda en *El Globo;* Julio Pellicer en *Nuestro Tiempo*, y en otros periódicos y revistas: Cansinos Assens, González Blanco, Pérez de Ayala, José Acebal, José Betancourt, Manuel Bueno, Isaac Muñoz Llorente, J. Ruiz Castillo y J. Sánchez Rodríguez. El «sabio Unamuno» no quiso o no pudo hacer la reseña, para desconcierto de Juan Ramón que le había mandado un ejemplar con una tarjeta en la que se dirigía a él ceremoniosamente: «Muy Sr. mío y maestro respetado», y le rogaba que si creía que el libro era digno de ello, se ocupara de él en algún periódico, «censurando todo lo que crea censurable, y señalando las relativas bellezas» [37]. En Andalucía, el viejo amigo Federico Molina y el costumbrista malagueño Salvador González Anaya, celebraron el libro del compatriota andaluz y algunos escritores hispanoamericanos tomaron nota: Manuel Díaz Rodríguez publicó un elogio en *El Cojo Ilustrado*, y José Enrique Rodó, cuyo *Ariel* circulaba por las reuniones modernistas de Madrid, al recibir el ejemplar enviado por Juan Ramón le escribió la «inestimable» carta ya comentada. A la crítica jocosa, que se ensañaba con los modernistas, *Rimas* le pareció mejor que *Ninfeas*. «Gedeón», especializado en ataques personales contra los nuevos poetas, después de referirse erróneamente al poeta de Moguer como el «fabricante de cognacs de Málaga», dijo: «Al año siguiente, 1902, ...ha publicado otro tomo de versos por el estilo de las *Ninfeas* que largó el año pasado... Estas rimas del señor J. R. Jiménez no son tan... ninfeas como las otras. Hablando con propiedad, no son ninfeas ni bonitas» [38].

---

[37] *Cartas*, pág. 45.
[38] Citado por Jorge Campos en «Cuando Juan Ramón empezaba», *Insula*, Madrid, núm. 128-129, julio-agosto 1957, pág. 9.

Hacia el 1902 el modernismo español iba saliendo de su estado confuso y los nuevos adeptos tenían el oído más atento al simbolismo francés y a Góngora que al modernismo hispanoamericano. Para entonces, Juan Ramón y los Machado habían leído directamente a Baudelaire, Verlaine, Mallarmé, Samain, Moréas, Laforgue, y habían traído de Francia sus libros. Los Machado eran —decía Juan Ramón— «firmes sostenes de la 'poesía nueva'» [39]. El nuevo ídolo era Verlaine; Juan Ramón tenía su retrato y se lo enseñaba a todos sus visitantes. De los hispanoamericanos, sólo Rubén Darío seguía ejerciendo una gran influencia. Juan Ramón, que había perdido noticias de su paradero, se enteró de su dirección por Manuel Machado y le escribió, enviándole *Rimas*. Le aseguraba que no le olvidaba, que seguía trabajando pese a su anemia y a su hipocondría; le pedía permiso para dedicarle una nueva edición de *Ninfeas*, corregida, que pensaba dar [40]. Darío tardó algo en contestarle y cuando al fin le escribió de París, el 7 de diciembre de 1902, le acusaba recibo de la carta pero no le mencionaba haber recibido *Rimas*. La carta de Darío era corta pero cariñosa, le daba las gracias por la prometida dedicatoria y le aconsejaba voluntad de vivir y voluntad de sanar. Ignorando que Juan Ramón había estado recluido en el sanatorio de Castel d'Andorte, le decía: «¿Por qué no se viene V. a curar a Francia? Creo que en poco tiempo, el cambio y este ambiente vital y alegre le pondrán una salud y un humor admirables» [41].

---

[39] En «Recuerdo al primer Villaespesa», *Corriente*, pág. 67.
[40] Carta de J. R. a Darío, en la obra de Antonio Oliver Belmás *Este otro Rubén Darío*, págs. 176-177.
[41] Ver Donald F. Fogelquist, *The literary collaboration and the personal correspondence of Rubén Darío and Juan Ramón Jiménez*, University of Miami Hispanic American Studies, núm. 13, Coral Gables, University of Miami Press, 1956, pág. 15. En futuras referencias a esta obra citaremos solamente el nombre del autor, Fogelquist.

A pesar de que la juventud española ya tenía sus propios maestros en Benavente, Valle Inclán, Azorín, Baroja y en Unamuno, a quienes respetaban «un poco de lejos», no le habían perdido el cariño y admiración a Darío. Benavente había escrito *El nido ajeno* en 1897; Valle Inclán había publicado la *Sonata de otoño* en los *Lunes de El Imparcial*, antes de regalarle el libro a Juan Ramón en el Sanatorio; Azorín había publicado *La voluntad;* Pío Baroja, *Camino de perfección*, y Unamuno había dado *Paz en la guerra*.

Con nuevo entusiasmo e idealismo, Juan Ramón y varios amigos del grupo modernista, capitaneados por Martínez Sierra, decidieron hacer una revista literaria mensual seria, como el *Mercure de France*, por puro placer estético, costeándola ellos [42]; cada uno pondría cien pesetas mensuales. Los interesados eran, además de Juan Ramón y Martínez Sierra, Ramón Pérez de Ayala, Agustín Querol, Pedro González Blanco y Carlos Navarro Lamarca [43]. Cada uno atraería cola-

---

[42] Ver en la mencionada obra de Fogelquist la carta de J. R. a Darío sobre este particular, pág. 13. Fogelquist le asigna la fecha de 1902, y lo más probable es que fuera escrita en diciembre de 1902 o en enero de 1903. El 7 de diciembre de 1902 Darío contestó la primera carta que J. R. le escribió del Sanatorio del Rosario de Madrid, al enterarse de su paradero por Manuel Machado (ver la nota 40). En esta correspondencia no se mencionaba la revista *Helios* (ver Fogelquist, página 15). Es dudoso que hacia las Navidades J. R. molestara a Darío pidiéndole colaboración para la revista. El hecho de que la contestación de Darío a J. R., refiriéndose a la de éste sobre *Helios* y ofreciéndole la colaboración, sea del 10 de febrero de 1903, indica que probablemente la de J. R. fue del mes anterior. La carta de Darío, de febrero, está en la «Sala Zenobia y J. R. J.» de la Universidad de Puerto Rico y se cita, en parte, en *Vida y obra de J. R. J.*, pág. 92.

[43] J. R. da los nombres de estas personas en una nota a una carta de Antonio Machado: «*Helios* es la revista que hicimos Gregorio Martínez Sierra, Agustín Querol, Ramón Pérez de Ayala, Carlos Navarro Lamarca, Pedro González Blanco y yo». Ver *Cartas de Antonio Machado a Juan Ramón Jiménez.* Con un estudio preliminar de Ricardo Gullón y prosa y verso de Antonio Machado y J. R. J. Ediciones de La To-

boradores de peso, que a su vez invitarían a otros. Alentado
por la reciente carta de Darío, Juan Ramón se iba a encar-
gar de pedirle colaboración; invitarían también a los Machado y esperaban conseguir colaboración de Unamuno por su
mediación; Martínez Sierra le pediría colaboración a Benavente, y así sucesivamente contaban atraer escritores de valía. Sin pérdida de tiempo, Juan Ramón le contó el proyecto
a Darío, pidiéndole versos y prosa y permiso para copiar
cartas o fragmentos de las cartas que éste escribía para *La
Nación* de Buenos Aires [44]. Como Darío vivía de su pluma, necesitaba cobrar por sus escritos; pero le contestó que no
esperaba que el grupo le pagara más que «un *sou*», aunque
tendrían que decir que le pagaban como al que más. Apoyó
el proyecto recomendándoles que demostraran «con hechos,
con obras, con ideas» que sabían como los que más y que vo-
laban alto, y sobre todo —decía—, «no mentar nombre de
escuela» [45].

Ni Juan Ramón ni los otros editores de *Helios* se desani-
maron ante la perspectiva de tener que pagarle a Darío por
su colaboración, esperaban que dentro de tres o cuatro meses la revista llegaría a tener dinero para pagarle al mentor
espléndidamente [46]; habían hecho toda suerte de planes respecto a su publicación, iban a dar traducciones del alemán y
del inglés y originales franceses.

---

rre, publicaciones de la «Sala Zenobia-Juan Ramón» de la Universidad
de Puerto Rico, serie B, núm. 1, 1959, págs. 17-18. Esta explicación
coincide con el primer párrafo de la carta de J. R. a Darío, que empieza: «Cinco amigos míos, y yo, vamos a hacer una revista literaria
seria y fina» (ver Fogelquist, pág. 13).

[44] Fogelquist, pág. 13.

[45] Carta de Darío a J. R. del 10 de febrero de 1903, en la «Sala Z.
y J. R. J.» de la Universidad de Puerto Rico, no incluida en Fogelquist.
Reproducida en parte en *Vida y obra de J. R. J.*, pág. 92.

[46] Ver la carta de J. R. sobre este particular en Fogelquist, páginas 14-15.

El primer número de *Helios* salió en abril de 1903, sin Agustín Querol, que había sido uno de los iniciadores. La revista vivió una espléndida vida por un año, de abril de 1903 a mayo de 1904. De los catorce números que se publicaron, Juan Ramón colaboró en once, con escritores que pasaron a ser ilustres en las letras españolas: Darío, Unamuno, Ganivet, los Machado, Azorín, Benavente, Pérez de Ayala, Martínez Sierra, los hermanos Quintero y los ya reconocidos Juan Valera y Pardo Bazán. En sus cartas a Juan Ramón, Darío hizo la crónica de *Helios* [47]. Del primer número dijo, en carta de París del 12 de abril de 1903: «*Helios* está preciosa»; el 24 de julio de ese año escribía: «*Helios* es lo más brillante que hoy tiene la prensa española. Todos los redactores, cosa rara, valen»; el 20 de octubre: «*Helios* cada día mejor. Todos allí *piensan*, y eso es mucho»; el 20 de noviembre: «*Helios* está lleno de distinción mental»; y el 12 de enero de 1904, desde Málaga: «He leído el último número de *Helios*, y me ha gustado muchísimo». El 22 de marzo de 1904 Darío se quejaba en una tarjeta de no haber recibido número nuevo de la revista; el 7 de mayo de ese mismo año pedía que le mandaran *Helios* a Venecia, y ya no volvió a mencionar más la revista.

La amistad de Darío y Juan Ramón se había renovado a través de la correspondencia en relación a *Helios*, en la que, además de referirse a la colaboración y producción literaria de ambos, se contaron sus crisis personales y se hicieron confidencias, Darío aconsejando y alentando siempre al discípulo y Juan Ramón confesando su admiración y cariño por el maestro, aunque ya no trataba de imitarle. Estaba convencido de la superioridad de Darío sobre todos los demás poe-

---

[47] En la mencionada obra de Fogelquist están incluidas todas las cartas de Darío que se mencionan a continuación.

tas de su lengua; admiraba las sensaciones de arte en su poesía y le parecía su obra «de espíritus y para almas» [48]. A Darío le preocupaba la melancolía de Juan Ramón y de sus versos y, como estaba convencido que podría cambiarle las ideas y devolverle la alegría del vivir, le invitaba a ir a Versalles, a encontrarse con él en Granada o en Málaga, porque Darío, en el invierno, abandonaba París y se iba a buscar el sol por Andalucía y más allá: Sevilla, Córdoba, Almería, Gibraltar, África. Juan Ramón estaba enfermo de tristezas; pero Darío estaba enfermo «del entendimiento, de la memoria y de la voluntad», como él mismo decía, con las tres potencias del alma «dadas al diablo» [49]. Tenía entonces treinta y seis años y Juan Ramón veintidós. Había vivido mucho y estaba totalmente desengañado de las amistades falsas y de la vida en general; la pureza de sentimientos en Juan Ramón le conmovía y aunque dejaba sin contestar las cartas de otros, siempre contestaba las del joven poeta, que se mantenía fuera de las intrigas de la época. El que dijera mal de la producción de Darío era para Juan Ramón, sencillamente, un bruto, porque Darío era el mejor poeta que había escrito en castellano, porque desde Zorrilla nadie hacía versos como él, y no se cansaba de decirle en sus cartas cuánto le quería y admiraba, y Darío, que necesitaba ese estímulo, le contestaba: «Cuídese, y sea el admirado poeta que es, y no me deje de querer»; «mándeme sus letras, y créame siempre su Rubén Darío»; «sus versos me han venido a perfumar la mente. Siga, sueñe, viva, diga sus cosas!»; «suyísimo»; «suyo, muy suyo»; «le quiero de veras».

---

[48] Fogelquist, pág. 21. La carta con esta opinión de J. R. es probablemente de enero de 1904.

[49] Fogelquist, pág. 18. (La carta de Darío con estos sentimientos es de París, 20 octubre 1903.)

Juan Ramón había conseguido una segunda edición de *Prosas profanas* hecha en París en 1901 por la casa editora Viuda de Ch. Bouret, y se la mandó a Darío para que se la firmara [50]. En vez de una sencilla firma, el nicaragüense le escribió todo un poema en la primera página titulado «¡Torres de Dios! ¡Poetas!», que se recogió en *Cantos de vida y esperanza*. En él afirmaba su fe en la poesía, quizás por estímulo de Juan Ramón, que mantenía intacto el ideal. Los versos de «¡Torres de Dios!» hablan de la ira y la esperanza rubendariana: «Esperad todavía. / El bestial elemento se solaza / en el odio a la sacra poesía / y se arroja baldón de raza a raza. / La insurrección de abajo / tiende a los Excelentes. / El caníbal codicia su tasajo / con roja encía y afilados dientes. / Torres, poned al pabellón sonrisa. / Poned, ante ese mal y ese recelo, / una soberbia insinuación de brisa / y una tranquilidad de mar y cielo...» [51].

Juan Ramón no recibió el libro con la dedicatoria de Darío hasta el otoño de 1903, después de pasar una temporada en la Sierra de Guadarrama con uno de los médicos del Sanatorio del Rosario, el doctor Francisco Sandoval. Al regreso a Madrid, no volvió al sanatorio. En la carta que le escribió a Darío agradeciéndole el envío le ofrecía su casa en Conde de Aranda, 1 [52]. La casa tenía que haber sido la del doctor Luis Simarro, que le invitó a vivir con él.

---

[50] «Un día de estos le enviaré mi ejemplar de *Prosas profanas* para que me ponga usted su firma», le escribe J. R. a Darío (ver Fogelquist, página 15). Esta carta, atribuida a 1902 por Fogelquist, pudiera ser de 1903, porque en carta de París, 4 de julio de 1903, Darío le anuncia a J. R. el envío de *Prosas*: «Mientras le escribo largamente, sobre mi tristeza y su última carta, y le envío las *Prosas* y varios versos nuevos, le remito estas líneas» (ver Fogelquist, pág. 17).

[51] Rubén Darío, *Poesías completas*. Edición, introducción y notas de Alfonso Méndez Plancarte, Aguilar, Madrid, 1961, pág. 722.

[52] Carta sin fecha publicada por Antonio Oliver Belmás en *Este otro Rubén Darío*, pág. 177. La carta tiene que ser de 1903; por su

La tranquilidad de Juan Ramón seguía dependiendo de la constante presencia de un médico; la terapéutica fisiológica y moral se la proporcionaban los doctores Simarro, Sandoval, Achúcarro y Miguel Gayarre, hombres dedicados y cultivados que entendían su sensibilidad y disfrutaban de su compañía. Simarro seguía tratándole como a un hijo, alejándole la idea de la muerte, animándole a escribir. A veces le hacía carácter. Cuando Juan Ramón, con una pistola en la mano, decía que se iba a matar, Simarro le advertía que un medio más efectivo sería tirarse por el balcón, al mismo tiempo abría la ventana y le invitaba a hacerlo [53]. Sandoval era transigente y cariñoso con él, gran amigo de la naturaleza, le gustaba, como al padre del poeta, pasear a pie, atento al correr del agua del río o a aspirar el fresco perfume del campo. Durante las temporadas que Juan Ramón pasaba con él en la Sierra del Guadarrama, se acompañaban sin hablarse a veces; él leía a Góngora o Verlaine y Sandoval se fijaba en la menuda floración, porque le gustaban las cosas pequeñas, incluyendo los diminutivos; observaba los bichitos del campo, estudiaba o pintaba. A Sandoval se debía la manera que tenían de tratarse: Sandoval llamaba a Juan Ramón «el poetita»; Simarro a Sandoval, «Sandovalito», y todos a Achúcarro, «Achucarrito». Tanto contagiaban los diminutivos que algunos pasaron a la poesía juanramoniana de esa época, recogida después en *Arias tristes*, de 1903, y en *Pastorales*, de 1905 [54]. Achúcarro, un joven vasco con alguna sangre noruega, era un viajero y lector incansable en siete lenguas; sabía

---

contenido, se sabe que tuvo contestación en una de Darío, de París, fechada el 29 de octubre de 1903 y que es posterior a otra de Darío del 20 de octubre del mismo año. (Verlas en Fogelquist, pág. 18.)

[53] Anécdota de María Martínez Sierra al contestar a las preguntas de esta autora.

[54] Ver «Sandovalito», *Colina*, pág. 175.

de pintura, de baile, de alpinismo y era un apasionado de Debussy. Juan Ramón recordaría su alegría, dinamismo y bondad más que su poco atildamiento personal y un defecto en un ojo que el poeta notó el día que, hablando con él en un tranvía, sin pensar, al referirse a otra persona la llamó «ese tío bizco» [55]. En cuanto a Gayarre, era un hombre firme, inteligente y lleno de humanidad; neuropsiquiatra, después habría de destacarse por sus investigaciones médicas con Achúcarro sobre la parálisis.

Fuera del Sanatorio del Rosario, Juan Ramón cultivó ciertas amistades. Gustaba de charlar de arte con Miguel A. Ródenas y con Pérez de Ayala, del que tenía muy alta opinión, porque era, como él, aficionado a la pintura. En una carta a Darío se lo encomiaba como «un poeta joven de bastante talento y muchísima cultura» [56]. Disfrutaba de las visitas al estudio del pintor Emilio Sala y de su conversación. Sala, que de joven había conocido a Eduardo Rosales, el gran pintor pobre y tísico de la composición equilibrada y la justa proporción [57], le contaba a Juan Ramón que le había visto pintar «La muerte de Lucrecia» en un salón frío que alguien le había cedido porque en su pobreza ni siquiera tenía una boardilla. Rosales terminó el cuadro tosiendo y pintando, y tosiendo y sudando tuvo que cargar con él después de una gran nevada para exhibirlo en un lugar que no valía la pena. Estas bien recordadas conversaciones se convirtieron en sustancia poética al hacer Juan Ramón después el retrato lírico de Rosales [58].

---

[55] J. R. J., «Ese tío bizco», *Colina*, pág. 177.

[56] Fogelquist, pág. 14.

[57] Según Enrique Lafuente Ferrari, *Breve historia de la pintura española*, 4.ª ed., Editorial Tecnos, S. A., Madrid, 1953, pág. 490.

[58] «Eduardo Rosales (1873)», *Españoles de tres mundos* (segundo retrato de la serie), 1.ª ed., Editorial Losada, Buenos Aires, 1942.

El otoño de 1903 fue un otoño galante para Juan Ramón. Se vio rodeado de mujeres bellas, elegantes y finas en las casas de sus nuevos amigos; empezó a asistir a tés y a comidas, se fue convirtiendo en el poeta favorito del grupo. Había entre ellos quienes se aprendían de memoria los versos que publicaba en *Helios*. Frecuentaba la casa de Carlos Navarro Lamarca, que vivía en un lujoso piso con su mujer y su madre y le gustaba la bella doncella que recibía y participaba si el señor no estaba. La mujer de Navarro Lamarca, María Elena, hija de un viejo ministro argentino, le enseñaba los caprichos que había adquirido en sus viajes. Era agradable y cariñosa «en frío», según él, y lamentaba que teniendo un gran piano se hubiera olvidado de tocar. A menudo le invitaban a almorzar y a cenar; las reuniones eran a veces graves y eruditas y el ambiente le parecía «artificial aunque discreto»[59]. Las mujeres allí estaban siempre llenas de brillantes y se hablaba de todo y de Shakespeare y de Rosetti. A la hora del té asistía a la tertulia de los Pérez Triana, presidida por la señora Georgina O'Day de Pérez Triana, inglesa, rubia y bella como «una margarita de primavera». Ésta tenía también piano y sabía tocar cosas que a él le gustaban mucho, como el «Elogio de las lágrimas», «Tú eres la paz» y «Rosa del campo» de Schubert, y piezas de Beethoven, Schumann y Grieg. Además, cantaba cosas de Verlaine y había hablado de ponerle música a algunos de sus versos. Los Pérez Triana eran amigos de los Martínez Sierra, los conocía por ellos. En su casa se reunían muchos extran-

---

[59] La información referente a las actividades y pensamientos de J. R. J. en el otoño de 1903 proceden del «Diario íntimo», inédito, en los archivos del poeta en España. Se ha podido precisar el año porque el «Diario» incluye una carta de Rubén Darío de París, 29 de octubre de 1903, y las demás fechas de J. R. concuerdan; e. g.: «Día 27», «Día 30. Mañana». A la carta de Darío siguen unas notas de J. R. fechadas: «Noviembre, día 1».

jeros cultos y los tés eran un verdadero prodigio de pulcritud femenina. La señora O'Day le regaló después a Juan Ramón un libro sobre el té, escrito por ella, con una dedicatoria entre burlona y seria: «To Jiménez, from the author, with the hope that these practical ideas will not disturb his poetic dreams». Él correspondió escribiendo un «Comentario sentimental» basado en la dedicatoria y titulado «El té», que se publicó en *La República de las Letras* el 22 de julio de 1905 [60]. Era un comentario colorista, modernista, exquisitamente burlón, celebrando el té y su hora, y las comidas rosas y elegantes de la señora O'Day, después de declarar que como «poeta lunario» le gustaban más las comidas blancas, porque iban mejor con lo interior: «Declaro con absoluta ingenuidad que a mí, poeta lunario, me gustan mucho más las comidas blancas: mi crema de arroz, mi pechuga de gallina en aspic, mi pudding the coco, mi queso de Neufchâtel, mis bruños de Portugal, mi agua... Todo esto va bien con lo interior». A la blancura de sus gustos gastronómicos contrastaba las preferencias rosas de la dama del té, dándole valor estético a lo culinario: «Pero ella prefiere las comidas rosas... La nieve de la mesa se ha floreado de rosa; el cristal ostenta rosas-la-France y claveles rosas, llueve la luz rosamente, y ella, de rosa, sonríe a su crema de tomate, a su salmón, a su solomillo a la Rossini, a su jamón de York, a sus meloncitos llenos de helado de fresa, a sus petit-fours rosados, a sus vinos de Chipre y de Hungría... y siempre pone a su comida rosa una nueva y fresca golosina —como diría mi querido y caprichoso Manuel Machado—, labios rosas.

»El té es una vaga preparación para la comida rosa de la noche».

---

[60] Ver María A. Salgado, «En torno a una página olvidada de Juan Ramón Jiménez», *South Atlantic Bulletin*, vol. XXXIV, núm. 4, South Atlantic Modern Language Association, noviembre, 1969, págs. 9-10.

Le gustaba visitar a Francisco A. de Icaza, diplomático mexicano que vivía en Madrid, muy fino de carácter y muy amplio de cultura. A Juan Ramón le gustaba el modernismo de sus dos libros de versos, *Efímeras*, de 1892, y *Lejanías*, de 1899. Icaza se daría después con mayor entusiasmo a la crítica y a la investigación. Su obra, *Examen de críticos*, de 1894, había sido severa. Juan Ramón admiraba su biblioteca, aficionado como él a los libros bien impresos. Icaza tenía magníficas ediciones de algunas obras, entre ellas, una insuperable de *Los laúdes*, de D'Annunzio.

A los Martínez Sierra les debía Juan Ramón muchas de las amistades de esa época. Consintiéndole como poeta mimado, atraían hacia él gente culta y mujeres bellas. María, la mujer de Gregorio, era buena y cariñosa con él, supliendo esa necesidad que él tenía de compañía y halago femenino directo y sencillo. Tenía gestos poéticos que a él le agradaban: cuando ella le estrechaba la mano, hacía como que se la llevaba al corazón. Sentía por ella una profunda y sana atracción, la acompañaba cuando Gregorio no estaba, su charla le era siempre simpática, se sentía a gusto en la casa de ellos y se veía allí con otros hombres de letras: Cansinos Assens, Candamo, Ródenas, Ortiz de Pinedo y Alejandro Sawa, novelista, periodista y colaborador de revistas, muy admirado entonces en los círculos literarios. Culto y elegante, llamaba la atención de Juan Ramón por las cosas que contaba y porque leía bien los versos de Gabriel Vicaire, recientemente muerto (en 1900), y recitaba de memoria los de Verlaine. Entonces, a nadie se le hubiera ocurrido que Sawa habría de morir ciego y loco seis años después, es decir, en 1909. Martínez Sierra acompañaba a Juan Ramón a veces en sus salidas, aunque se tratara del cementerio, a donde iba el poeta a visitar la tumba de Mercedes Roca, la mujer de Simarro, que murió en el verano ese de 1903. Por ella volvió a su antigua costumbre de frecuentar ese recinto, aunque el de Madrid le gustaba muy poco, no era un lugar de paz y de retiro como el de Moguer. Mercedes estaba enterrada en el Cementerio del Este, a veces lleno de coches, de gente que lloraba, según él, «automáticamente», de «flores empolvadas», de carros de muertos, de vendedores de flores, de ciegos, de niños mendicantes, de gentes cargadas de cruces, coronas y faroles. Los días que visitaba el cementerio, agobiado por el ambiente y el ir y venir entre nubes de polvo, Castilla le parecía más árida y se sentía profundamente deprimido. Hizo muchos viajes al cementerio con el doctor Simarro, que se ocupaba del arreglo de la tumba de su mujer y había encargado una lápida. Juan Ramón se preocupaba como si se tratara de un miembro de su familia. El día que colocaron la losa, descompusieron la yedra y la madreselva, por lo que fue a quejarse, indignado, al florero Lapoulide, que estaba a cargo de los arreglos. En su tienda compraban los crisantemos para la difunta. El Día de Todos los Santos hizo dos viajes a la tumba de Mercedes porque los jardineros no aparecieron en toda la mañana como habían convenido. Él mismo se ocupó de buscar a otra gente para el arreglo y por la tarde fue a cerciorarse de que lo habían hecho. Arreglada, le parecía bella la tumba de Mercedes, le gustaba la losa sencillamente inscrita: «Mercedes. Agosto XI, 1903», y la franja de yedra alrededor. Sus desvelos le causaron un ataque nervioso, el cementerio estaba atestado de gente, hacía mucho sol, el ver la gente enlutada yendo a visitar a sus muertos le hizo recordar a los propios en el cementerio de Moguer, y a la familia. La ausencia era como la muerte. No iba a ver a su familia convencido de que habría de morirse por el camino, de emprender el viaje. Le parecía que hacía una eternidad que no los veía y tenía la certeza de que todo había cambiado y él sería un extraño entre los suyos. Las cartas de su madre siempre eran tristes; su hermano Eustaquio había asumido el lugar de don Víctor, su padre, y con ello la responsabilidad de la familia y los negocios; Ignacia y Victoria, sus hermanas, ya casadas, tenían hijos, sus sobrinos, que apenas conocía. Creía que moriría sin volver a Moguer y el Día de los Difuntos lloró su muerte y a sus muertos, enfermo de veras, con opresión en el pecho, taquicardia y vértigos, a punto, creía, de sufrir un colapso cardíaco. Pero el doctor Simarro, siempre cerca, le devolvía la serenidad. En ese otoño de 1903 Juan Ramón había pasado a ser su alumno y asistía a sus clases de Psicología.

Simarro era catedrático de Psicología Experimental en la Universidad de Madrid y lector de Psicología Fisiológica en la Escuela de Estudios Superiores del Ateneo Científico y Literario. Allí, en clase, su paciente y alumno le oía hablar de Spinoza, Descartes, del pensar lógico y el apológico. Las lecciones continuaban después de la clase, porque Simarro influía en las lecturas de su protegido. Juntos iban a la librería de Romo, lugar favorito de su otro gran amigo médico, Nicolás Achúcarro, porque allí se recibían todas las novedades de Europa. Frecuentaban otras buenas librerías de Madrid, entre ellas la de Fernando Fe, que había publicado *Rimas* y se encargaba del nuevo libro, *Arias tristes*. Estas actividades y los paseos por el Prado, Recoletos, Colón, le hacían pasable la estancia en la ciudad, que por lo demás le parecía insoportablemente fea. Su compensación era buscar la belleza, fijarse en ella donde quiera que pudiera encontrarla y generalmente encontraba ese deleite en la mujer. Reaccionaba de manera marcada al fugaz paso en la calle de cualquier mujer extraña, diferente, misteriosa: la de ojos negros y «pomposo sombrero negro» en el tranvía; las hermanas de luto, elegantes y hermosas en la florería; la monja blanca y joven, más blanca que las otras que la acompañaban, que vio pasar en una berlina, cerca de la librería de Fe. El recuerdo de sus amores en el Sanatorio del Rosario, de la hermana Amalia y la hermana Pilar, estaba aún fresco, por algo le deleitaba tanto la lectura de «Margarita la Tornera», de Zorrilla, en su opinión, uno de los grandes poetas castellanos.

Más belleza veía en el otoño madrileño que en la primavera, porque los días eran más azules y con más sol y le parecía ver oro y raso por las tardes. Notaba cómo cambiaban los colores, sobre todo los amarillos, que iban convirtiéndose en cobre a la puesta del sol. Los rasos del cielo le parecían rasos antiguos, «gris, verde, celeste, rosa, un rosa emocionante». Su balcón era el medio más accesible para la contemplación de las, en su opinión, pocas estampas bellas de Madrid: el viejo jardinero de barba blanca cuidando con esmero las rosas del jardín por las mañanas, la puesta del sol sobre el Botánico por las tardes. Entre las dos contemplaciones, si no salía, leía por placer y para hacer crítica para la sección de «Los Libros» de la revista *Helios*.

Se daba con empeño a todo lo que tuviera que ver con *Helios*. Por su asidua correspondencia con Darío consiguió que le enviara a la revista «Un soneto a Cervantes» y la oda «A Roosevelt», que se publicaron en los números correspondientes a septiembre de 1903 y febrero de 1904, respectivamente. Darío estaba preparando un nuevo libro de versos y sabiendo que Juan Ramón conservaba muchos poemas sueltos que él había perdido, además de saberse otros de memoria, le pidió que se ocupara de su publicación: «En cuanto al [libro] de versos mío, le diré que tengo ya unos cuantos que podrían formar una bonita plaquette, juntándolos con los que V. tiene. (La 'Marcha Triunfal', por ejemplo, que yo no tengo.) Se podría clasificar lo que hay y dar ordenación a los escasos materiales. Si V. gusta, lo haremos,

—o lo hará su bondad de Vd.» [61]. Al estímulo de Juan Ramón, siguió enviándole versos sueltos para el proyectado libro. De donde quiera que iba le escribía aunque fuera una postal, le enviaba colaboración de amigos de letras para *Helios*, revistas europeas para ayudar con la bibliografía, le hacía encargos, le daba consejos. No le gustaba la R. que el joven poeta usaba en el Juan R. Jiménez, y le aconsejaba que se la quitara: «Sea simplemente Juan como el Arcipreste y Jiménez como el Cardenal» [62]. Pese a su devoción al modernismo, el poeta moguereño había resistido el cambio de nombre, es decir, el adorno. Él mismo contaba después que algunos escritores españoles, influidos por los hispanoamericanos, buscaron «efectos suntuosos, históricos, fantásticos» [63], y Valle pasó a ser Valle Inclán, y Cansinos, Cansinos Assens. Quizás él no cayó en la tentación porque el apellido materno, Mantecón, no se prestaba; sin embargo, no se le ocurrió hasta mucho después firmarse con el nombre propio completo: Juan Ramón. Darío no le había aconsejado mal, el Juan Jiménez tenía su ritmo. Darío le tenía verdadero afecto, confiaba en él, le ponía al corriente de los chismes de la profesión, confiando encontrar en él y en *Helios* a los paladines que le defendieran de los injustos ataques y las falsedades de otros escritores. De Málaga, en una carta de 24 de enero de 1904, le contaba que José Juan Tablada, el poeta mexicano, había escrito que el movimiento «moderno» de Hispanoamérica se debía a José Asunción Silva, por alabarle; dicha «inexactitud» —decía— había sido afirmada por un señor de Colombia en un número pasado del *Mercure de France;* y se quejaba: «Yo no reclamo nada para mi talento, ni para mi

---

61 En carta de París, 12 de diciembre de 1904. Fogelquist, pág. 30.
62 En la posdata a una carta de París, 24 de julio de 1903. Fogelquist, pág. 18.
63 En «Recuerdo al primer Villaespesa», *Corriente*, pág. 68.

corta obra; pero sí para la verdad en la historia de nuestras letras castellanas. Es cuestión de fechas. Cuando yo publiqué mi canción del Oro y todo lo que constituye *Azul*, no se conocía en absoluto ni el nombre ni los trabajos de Silva» [64].

El libro que cuidaba Juan Ramón habría de ser el tercero de la gran trilogía dariana. Se llamó *Cantos de vida y esperanza* y lo publicó Martínez Sierra en 1905, en la Tipografía de la Revista de Archivos, Bibliotecas y Museos. Juan Ramón incluyó el poema-dedicatoria de Darío «¡Torres de Dios! ¡Poetas!» sin indicar su procedencia. No importaba, el maestro le había dedicado una parte del libro titulada «Los cisnes», compuesta de cuatro poemas en los que expresaba todos sus anhelos divinos y humanos. Era un canto de desconsuelo, de esperanza, al arte, a la belleza, al amor. Canto de la carne, que habría de prevalecer en la mejor poesía del siglo. El poeta de Moguer entendía su letra y su música. En la última estrofa del poema IV decía Darío:

> ¡Melancolía de haber amado,
> junto a la fuente de la arboleda,
> el luminoso cuello estirado
> entre los blancos muslos de Leda!

[64] Fogelquist, pág. 23.

CAPÍTULO VIII

«PÁGINAS DOLOROSAS» Y NOVIAS BLANCAS: PRIMERAS PROSAS Y ARIAS TRISTES

Me he acordado de todos; he llorado sobre mi almohada. La luna está triste y enferma. Una voz lejana canta jotas a la luna. La monotonía recorta los árboles cercanos sobre el cielo alumbrado y es tan melancólica la voz que canta y la guitarra que llora que todo el campo nocturno se pone la mano en la mejilla y sueña mirando la hoz de los muertos.

Cuando yo vuelva a mi pueblo, mi madre tendrá la cabeza blanca y mis hermanos ¡habrán cambiado tanto! y los pobres niños ... Oh, los niños ya no serán niños! No me conocerán porque yo también me he puesto muy viejo. Comprendo que no me hace bien el claro de luna[1].

Esta melancolía en las notas de su «Diario íntimo» estaba también en todo lo que escribió en Madrid entre los años de 1903 y 1905. En 1903 salieron en *Helios* diecisiete de los poemas que formaban parte del libro *Arias tristes*[2], publica-

---

[1] J. R. J., «Diario íntimo».

[2] Agrupados bajo el título «Arias tristes», en el tomo I del primer año de la revista se encuentran: «Las noches de luna tienen...»; «¿Está muy lejos la aldea?...»; «Viene una música lánguida...»; «Esta noche hay una brisa...»; «Entre el velo de la lluvia...» (págs. 15-20). Bajo el título «Paisajes», en el tomo III se encuentran: «En la quietud de

do ese mismo año por la Librería de Fernando Fe de Madrid. En 1904 salieron nueve poemas más en la revista, tres del libro *Jardines lejanos*, que el mismo editor publicaría ese año, y seis de *Pastorales*, que no vería la luz hasta 1911 [3].

Juan Ramón hizo, para *Helios*, cuatro traducciones libres de poemas de Verlaine: «Claro de luna» y «Mandolina» de *Fêtes galantes;* «La hora del pastor» de *Paysages tristes*, y el poema V de *Romances sans paroles* (*Helios*, VI, 1903, páginas 349-350). Con excepción de «Mandolina», traducido en octosílabos, las demás traducciones, en verso de arte mayor, eran casi idénticas a la versión francesa. Nótese la traducción de la segunda estrofa de «Clair de lune»:

VERLAINE	JUAN RAMÓN
Tout en chantant sur le mode mineur	Y mientras van cantando en el modo menor
L'amour vainqueur et la vie opportune,	el amor vencedor y la vida oportuna,
Ils n'ont pas l'air de croire à leur bonheur	parecen que no creen en su dicha, y deslíen
Et leur chanson se mêle au clair de lune, ...	en el claro de luna su canción y su música

estos valles...»; «El triste jardín se pierde...»; «Río de cristal, dormido...»; «Mañana alegre de otoño...»; «Paisaje dulce, está el campo...» (págs. 433-436). Bajo el título «Nocturnos», en el tomo VIII se encuentran: «El piano que ha llorado...»; «Siento esta noche en mi frente...»; «Para dar un alivio a estas penas...»; «La lluvia ha cesado; huelen...»; «Yo me moriré, y la noche...»; «Mi balcón esta noche luciente...»; «Mi alma ha dejado su cuerpo...» (págs. 431-435).

[3] De los tres poemas bajo el título «Jardines lejanos» (*Helios*, I, 1904, págs. 9-11), el segundo que se menciona a continuación no se encuentra en el libro: «Mañana de primavera...»; «El azul de este cielo no es tan...»; «Cuando viene el mes de mayo...». Los seis poemas bajo el título «Pastorales» (*Helios*, IV, 1904, págs. 380-384) sí se recogieron en la obra de ese nombre, y son: «Era una dulce ribera...»; «Galán ha pasado ya ...»; «Al abrir esta mañana...»; «Tristeza dulce del campo...»; «Sobre el cielo gris, el humo...»; «Qué blanca viene la luna...».

Al apartarse de la versión original, de modo de sostener la métrica, Juan Ramón lo hace con extremo cuidado, como en la traducción de «L'heure du berger», en la que añade a la primera estrofa la frase «bajo el cielo», que a continuación subrayamos:

VERLAINE	JUAN RAMÓN
La lune est rouge au brumeux horizon	La luna es roja en el horizonte de bruma;
Dans un brouillard qui danse, la prairie	en la niebla que danza, el prado, *bajo el cielo*
S'endort fumeuse, et la grenouille crie	se aduerme humoso; grita la rana entre los juncos
Par les joncs verts où circule un frisson; ...	verdes por donde pasa un estremecimiento; ...

En *Helios*, en los números de mayo, junio y septiembre de 1903, respectivamente, aparecieron tres obras de Juan Ramón en prosa poética tituladas: «La corneja. De un libro de recuerdos», «Páginas dolorosas» y «Los rincones plácidos». «La corneja» podría clasificarse como un cuento, porque relata un breve incidente fantástico y lo lleva a su conclusión; pero el incidente no es imaginado, sino real y poetizado. Se trata de un suceso relacionado con la llegada del poeta al sanatorio de Castel d'Andorte en Burdeos: su encuentro, en el parque del manicomio, con una loca que hacía como una corneja, al fin la encontraron yerta y agonizante al pie de un árbol. La obra lleva al pie la anotación «Burdeos, Sanatorio de Castel d'Andorte, 1901», fecha de la estancia del poeta en dicho lugar, no necesariamente la fecha de escritura.

Esta temprana prosa poética de Juan Ramón, pese a su lenguaje cándidamente sentimental, es de un gran lirismo, por lo misterioso y extraño del ambiente, por el ritmo intercalado de la frase, por sus elementos a lo *Nocturno-de-Silva*:

«Yo recuerdo que, en aquellas largas noches de tristeza y presentimiento en que llenaba mi almohada de lágrimas, llegaba a mí, entre el largo ladrido que los perros mandaban a la luna grande y melancólica ... el trágico canto de corneja de aquella vieja extraña; y yo sentía espanto, y mis párpados se apretaban de miedo, y con los ojos cerrados veía delante de mí a la loca subida a un árbol, con la cara iluminada por la luna triste y los ojos redondos y magnéticos clavados no sé dónde, en todas partes, en los insectos, en las estrellas, en mis ojos...» (P. P., 94). Los detalles feos y macabros de la obra adquieren calidad artística al dotarlos el poeta de su propia melancolía; como, por ejemplo, al describir su visita al laboratorio del doctor Lalanne: «Sobre los armarios había cerebros enmohecidos y duros, y cráneos cubiertos de polvo; otros cerebros conservados en alcohol me hicieron pensar en cosas macabras; y los vaciados en yeso de torsos humanos contrahechos y deformes y los animales muertos, me apenaron profundamente... El doctor me enseñó detenidamente aquellos cerebros de enfermos, con flemones, con manchas, todo parado y descompuesto, con la melancolía de los relojes sin cuerda, con la amarga tristeza de lo que ha vivido un día y ha sentido y ha reflejado luces, visiones y músicas» (P. P., 91).

«Páginas dolorosas» es de menos calidad artística. La mayor parte de estos fragmentos de prosa poética consiste de recuerdos de hechos reales, con un fondo triste y sentimental del que se alimenta el lirismo del poeta. El paralelo entre la obra de creación y la vida del poeta es a veces muy marcado, como en los trozos que se comentan a continuación.

En el primer trozo, en una casa llena de olor a flores, un hijo sintió que se moría, sus dos hermanas lloraban y la madre, angustiada, le repetía: «Hijo, mira cómo huele la casa a flores», empeñada en distraerlo y distraerse, según el autor.

En el primer largo párrafo de este breve trozo se describen las sensaciones del hijo en el umbral de la muerte [4]; pero el motivo de la elaboración artística es un «olor a flores» que se queda sin explicar y que el lector por fuerza asocia a la muerte. Al final del fragmento, cuando llega el médico a la casa, el hijo ya está muerto. El médico notó que la casa olía muy bien a flores, lo que también notaron todos los que fueron a visitar el cadáver en la casa con olor a flores.

Como el hijo del fragmento, Juan Ramón tenía dos hermanas, y una madre que, conociendo su amor a las flores, gustaba de contarle que la abuela materna había muerto «en un delirio de flores». Como el hijo del fragmento, Juan Ramón sufrió un desvanecimiento, principio de una crisis nerviosa que le haría temer por su vida. Entonces, toda fragancia y en particular la de las flores, se le hacía adversa. En el fragmento que comentamos «cuando llegó el médico, el hijo había ya muerto» (P. P., 52); en la vida real, el poeta temía morir de no tener el médico al lado. Cuatro años después de la publicación en *Helios* de «Páginas dolorosas», Juan Ramón relataba en la nota autobiográfica para la revista *Renacimiento:* «la muerte de mi padre inundó mi alma de una preocupación sombría; de pronto, una noche sentí que me ahogaba y caí al suelo; este ataque se repitió en los siguientes días: tuve un profundo temor a una muerte repentina; sólo me tranquilizaba la presencia de un médico — ¡qué parado-

---

[4] «El hijo se moría; miraba aterrado los relámpagos de la otra vida de misterios en que iba a entrar; miraba cómo, antes de la muerte, rápidamente, sin saber por qué, la vida azul se aparecía junto a su cuerpo y hacía pasar ante sus ojos, que no se cerraban, las sombras ya casi precisas de sus fantasmas; se vio cerca de las estrellas y pensó en su lumbre blanca con tristeza, porque siempre las había tenido olvidadas; sentía extraños estremecimientos; su cara se azulaba, palidecía, tomaba tonos de cirio; sus ojos se hundían espantosamente...» (P. P., 51-52).

ja!». El que Juan Ramón asociara en el fragmento la muerte del hijo con una casa que olía a flores pudiera estar relacionado con el olor a flores a la muerte de su padre, cuando la casa se llenaría de ofrendas florales cuya fragancia, al calor del verano, de las velas y del amontonamiento de gente, se acentuaría.

El cuarto de los once trozos de «Páginas dolorosas» publicados en *Helios* (VI, 1903, págs. 303-311) trata del retrato de Verlaine. El deprimido autor, excesivo en su admiración por el poeta francés, al hacerle tema de su prosa poética raya en un sentimentalismo chocante para el futuro lector. Doliéndose de que la cabeza de uno tan lleno de música y de matices estuviera en el cementerio llena de gusanos, dice: «Y he puesto mis labios sobre el retrato y, cerrando los ojos, en silencio, he dejado un beso muy largo y muy tierno en la frente ancha cargada de ensueño sobre la melancolía fina de la mirada» (P. P., 58).

Es un hecho comprobado que Juan Ramón tenía el retrato de Verlaine en la época en que escribió estas líneas. Cansinos Assens, otro gran admirador del poeta francés, recordando las visitas al sanatorio del Rosario, se admiraba de que el joven poeta de Moguer permaneciera *impasible* hasta cuando les mostraba el retrato famoso[5]. Para esa época eran muchos los escritores españoles obsesionados con la poesía verleniana y, por ende, con el autor. En la reseña de *Peregrinaciones*, de Rubén Darío, que Juan Ramón publicó en *Helios* en 1903[6], hace otra vez el panegírico de Verlaine en superlativos, llamándole el poeta más completo que había nacido, junto a Heine, «el alma de ensueño más extraña y más dulce y más íntima que había pasado por la tierra».

---

[5] *La nueva literatura*, I, 159.
[6] En la sección «Los libros», con el título «'Peregrinaciones' — Por Rubén Darío — París 1903 —» (IV, 1903, pág. 116).

Otro trozo, el quinto, es también una elaboración artística de un hecho real, tiene que ver con la forzada partida de la hermana Amalia del sanatorio del Rosario: «Cuando aquella pobre hermana de la caridad, enferma y triste, me dijo: 'Hasta el cielo', y se fue, quizás para siempre, me quedé en mi ventana, solo y más triste que ella, mirando al cielo violeta del crepúsculo. Su toca blanca y sus ojos negros habían llegado a hacerse de mi alma, ...» (P. P., 59). El trozo séptimo, sobre el día de los muertos, contiene el mismo sentimiento expresado en el inédito «Diario íntimo», el de la ausencia, que era como la muerte. Pensaba que su familia habría llevado, como era costumbre, una corona y unos faroles a la tumba de su padre; que en su casa todo sería tristeza y llanto; que a la hora de la cena habría dos sitios vacíos, uno por el padre muerto y otro por él, un muerto vivo (P. P., 63-64).

En todos los demás trozos hay también indicaciones de que Juan Ramón poetiza a base de realidades, no de la imaginación. En el segundo trozo se duele de un niño de la ciudad que en un día de mucho frío no llevaba más que su ropa de marinero, iba helado y resignado, sonriendo al pasar frente a las tiendas, y él lo seguía lleno de compasión (P. P., 53-54). Su preocupación por los niños era sincera, ya nos hemos referido a que Cansinos Assens contaba que durante su visita al sanatorio le había hablado con pena del niño de una señora operada, a quien había visto llorando, agarrado a las verjas del jardín [7]. En el sexto trozo recuerda a una blanca y dulce costurera de aldea que iba a coser a la campiña y que murió prematuramente (P. P., 61-62). La descripción corresponde, en parte, a la persona de una bonita costurera de Moguer que en la infancia del poeta iba a coser a la casa de

---

[7] *La nueva literatura*, I, 25.

campo de la familia, en Fuentepiña. Le llamaba la atención su porte, su bonito cabello negro contrastaba con la blancura de su piel. Su verdadero nombre era Montemayor Díaz, del que el poeta habría de derivar el de «Montemayorcita Jote», mote y título muy moguereño con que exaltó de nuevo el recuerdo de la admirada joven, diciendo, para que no hubiera duda, que vivía en la calle de San José, donde efectivamente vivía (*Cristal*, 71-72). La costurera verdadera murió en Sevilla, la del poético trozo juanramoniano murió en la *aldea* donde yacía olvidada; pero sobre su tumba habían brotado unas flores.

El noveno trozo de «Páginas dolorosas» tiene que ver con sus miedos de enfermo, con las apariciones macabras que le asediaban en las noches de insomnio, de las que le hablaba a algunos amigos que iban a verle al sanatorio del Rosario, entre ellos Cansinos Assens, que menciona el hecho en su libro *La nueva literatura* (I, 160). En el trozo poético describe la aparición, a altas horas de la noche, de un hombrecillo extraño de mirada fija y siniestra, de un perro negro con cabeza de hombre y ojos magnéticos que hipócritamente le invitaba y esperaba a la vuelta de los pasillos. Cuando no, le sonreía con la misma cabeza de hombre «una araña verde, grande, monstruosa», ya no en los pasillos, sino en su cuarto mismo, subiendo por su «lecho blanco con sus patas erizadas» (P. P., 67-68). El tema de este y otros trozos son elaboraciones artísticas de sus experiencias durante la estancia en Madrid, a partir de 1902; sin embargo, al publicarlos en *Helios* Juan Ramón pone al pie: «Burdeos, 1901». Esta evasiva nota se comprende si se tiene en cuenta que algunos trozos tratan de incidentes autobiográficos recientes de índole muy personal. Teniendo en cuenta la psicología juanramoniana, tan al descubierto en las páginas que comentamos, hay que prestar atención particular al trozo octavo, que se

refiere a una «muchacha enlutada», huérfana, que le quiso
mucho, «cuya carne blanca y mate se marchitaba entre la negrura del vestido y de la vivienda». Se amaron sensualmente.
La muchacha era buena; pero limitada de miras, por cuya
razón el poeta tuvo que olvidarla. En el trozo pone lejanía
y olvido en sus amores: «¿Qué habrá sido de aquella muchacha enlutada que me quiso tanto?» (P. P., 65), y describe
la breve pasión con nostalgia, por la ternura de esa mujer
y el «algo divino y aromado» de su alma: «mi amor era sentimental, y el suyo humanamente intenso y sin matices; ella
veía el mundo en mí y yo la veía a ella en el mundo; vivía
ella de esperanza sobre mi alma, y yo de realidades sobre
sus pechos, de caricias, de besos, del placer de sus brazos
blancos y tibios que se escapaban del vestido negro para col-
garse de mi cuello. Sus labios que habían estado sin besos
desde la niñez, besaban locamente, y sus besos venían de allá
del alma impregnados de algo divino y aromado, de un no
sé qué, que dejaba recuerdo en mis labios; una ternura flotante e invisible» (P. P., 65-66). La fecha en que fue escrito
este trozo, la descripción de la muchacha: «carne blanca»,
su implícita sencillez, dulzura y bondad y el hecho de que
Juan Ramón la recuerde en una *casa oscura* nos lleva a la
convicción de que se poetiza a la novia francesa, probablemente la institutriz de los niños del doctor Lalanne, una mujer que el poeta parece haber conocido carnalmente; pero
habiendo sido su amor panacea y dádiva en una época en
que enfermo y separado de los suyos en el sanatorio de Castel d'Andorte se vio privado del cariño normal de la mujer
familiar, tan necesario en su vida, la humilde amada francesa pasó a ser una heroína blanca en la obra, blanca por el
color de su carne, su identidad bien a resguardo en el poético nombre «Francina de Francia». Con este nombre, adjudi-
cado ya permanentemente, aparece reiteradamente en las

notas juanramonianas mencionando las fuentes humanas de su poesía [8].

Los restantes trozos de «Páginas dolorosas» tratan de temas favoritos: el tercero, del paisaje y la propia tristeza; el undécimo, del encanto otoñal del cementerio, un cementerio no español puesto que el sol sobre él es «tibio y dulce sol que viene de España» (P. P., 72). Le parece ver en él los rostros de Musset y de Bécquer. En este trozo se vuelve a notar el arraigo de la obra en la realidad: el cementerio, probablemente francés, no tiene nada en común con la blancura, las flores y las mariposas del bien descrito cementerio moguereño, ni con el polvo y gentío que el poeta ve en el de Madrid. En el trozo décimo aparece otro recurrido tema, el del niño muerto en *la aldea*, a quien llevan al cementerio calle arriba en una cajita blanca. La referencia a *la aldea* ocurre cuando el poeta trata de temas obviamente mogureños. En el trozo que comentamos, el niño muere de una enfermedad venenosa que dejó el aire envenenado, matando así a una muchacha joven que lo aspiró.

Pese al sentimentalismo excesivo de «Páginas dolorosas» y a la falta de tino para tratar algunos temas, el estilo es suave; el vocabulario, poético y sencillo. El tema de la muchacha envenenada por el envenenado aire de la muerte en vez de ser sugerido, dotándolo de misterio, es explicado, y el ingenuo poeta hace que la muchacha *beba* el veneno, aunque sea figurativamente: «con sus labios frescos y llenos de besos, llevó a su garganta el veneno que el muertecito dejó en el aire; y a la mañana celeste y luminosa,

---

[8] Guillermo Díaz-Plaja, en *Juan Ramón Jiménez en su poesía*, especula: «Francina, de Francine; que parece ser una joven sirvienta de la casa del doctor Lalanne, en donde vivió durante su estancia en los Bajos Pirineos» (pág. 171).

otra caja blanca se iba meciendo al cementerio, dejando atrás una estela de aroma y muchas lágrimas» (P. P., 70).

«Los rincones plácidos», publicados en el número de septiembre de *Helios* (1903, págs. 162-166), consiste de cinco trozos que hablan de la nostalgia de los lugares conocidos, los de la niñez: tapias ruinosas, el remanso de los ríos, el balcón de su casa donde escribió algunos de sus primeros versos. El último trozo tiene que ver con los rincones de jardín del hospital, por donde hay bancos viejos para que se sienten los enfermos. La serenidad del ambiente le hace pensar en la muerte. Ilustra la página del título un dibujo a pluma hecho por él, de un rincón de jardín del sanatorio del Rosario de Madrid, su «hospital». Las «Páginas dolorosas» llevan también una ilustración, dibujo suyo a pluma que muestra un sendero que lleva a una fuente y parece ser de un jardín de la vecindad o del sanatorio de Castel d'Andorte de Francia.

Importante, por señalar las pautas de Juan Ramón como crítico, son las reseñas publicadas en la sección «Los libros», de *Helios*[9]. Interesa la ya mencionada «'Peregrinaciones' por Rubén Darío, París, 1903» (IV, 1903, 116-118), libro que contiene las crónicas escritas por el poeta nicaragüense durante el año de la Exposición de París. A Darío le pareció la reseña admirable, noble y valiente. Admirable por lo bien es-

---

[9] Además de la mencionada, las otras reseñas de J. R. publicadas en *Helios*, que en su mayor parte se comentarán en esta obra, son: «'Corte de amor': Florilegio de honestas y nobles damas: Lo compuso Don Ramón del Valle Inclán — Madrid 1903» (V, 1903, 246-247); «'Odios' — Por Ramón Sánchez Díaz — Madrid 1903» (V, 1903, 250-251); «'Antonio Azorín'. Pequeño libro en que se habla de la vida de este peregrino señor — Por J. Martínez Ruiz — Madrid 1903» (VII, 1903, 497-499); «'Jardín umbrío' — Por Don Ramón del Valle Inclán — Madrid 1903» (VIII, 1903, pág. 118); «'Valle de lágrimas' — Su autor: Rafael Leyda — Madrid 1903» (XI, 1903, 501-503). En la sección «Letras de América» aparece otra reseña de J. R. titulada: «Un libro de Amado Nervo» (X, 1903, 364-369).

crita, según le decía en carta a Juan Ramón [10], y noble y valiente porque se había atrevido a castigar a los críticos. Considerando que Juan Ramón era el discípulo y, en tal sentido, deudor de Darío, lo de veras admirable de la reseña es la justa valoración crítica de la obra.

Tres elementos distinguen el juicio juanramoniano: honradez y sinceridad de criterio; valentía en decir lo que se piensa y certera intuición crítica. El libro *Peregrinaciones*, de Darío, de crónicas periodísticas, escritas para ganarse la vida, carecía de la calidad artística de la obra voluntaria. Juan Ramón hacía notar que no se puede escribir una crónica periodística como un poema; pero lamentaba que Darío tuviera que adaptar su pluma a la escritura de lucro: «Porque aunque se ve que la mano del poeta tiende y se escapa a cada momento a las notas divinas de las otras cuerdas, no sé qué voluntad firme, qué resistencia formidable la retiene en la vibración agria. De esta mezcla nace la prosa bella de sus cartas, matizada, ondulante, un poco desordenada, llena de fugas a lo invisible, de aspiraciones a la luz. Es triste, sin embargo, el efecto de unas alas cortadas, de unas grandes plumas blancas de ala rozando el hierro de la tierra» (página 116). Juan Ramón no negaba el exceso de periodismo en el libro de Darío: «Un escritor americano, el señor Blanco Fombona, ha dicho en *El Renacimiento Latino* que en este libro hay un exceso de periodismo. A ratos». Después preguntaba si el libro era «un libro de periodista», concluyendo: «Creo que más bien y a pesar de su periodismo, es el libro de horas de un poeta» (pág. 117). Se atrevía a hacerle frente a don Juan Valera, uno de los más distinguidos críticos de la época, diciendo que se entendía que la gente vulgar no

---

[10] De París, 12 de abril de 1903: «su artículo es noble, valiente, se necesita valentía, allí... —y admirablemente escrito» (Fogelquist, página 16).

comprendiera a Darío, pero que era doloroso que Valera no lo comprendiera: «Doloroso es que don Juan Valera ... diga, hablando del libro *Los raros*, de Rubén Darío, que por aquí no conocemos ni tenemos deseos de conocer a Verlaine, por ejemplo» *(ibid.)*.

La impresión general que Juan Ramón tenía entonces de la obra de Darío, pese a que estaba en un período de aprendizaje, era la misma que habría de tener en la madurez de la vida y la obra, sólo que después lo expresaría de manera más acabada. La poesía de Darío era entonces para él como una orquestación en grande, con ritmo de mar y emoción sideral. La coincidencia de criterios entre el juicio de la juventud y el de la madurez se puede apreciar en los párrafos sobre Darío a continuación, el primero de la reseña de *Helios* y el segundo de *Españoles de tres mundos*.

...poeta singular, tan maravilloso y tan extraño en sus músicas íntimas y perfumadas, henchidas de caricias para el alma, y en sus visiones siderales, grandes de pompa orquestral, lentas y grandes, entre salmos de mares y resplandores de astros.

(Pág. 116)

Su misma técnica era marina. Modelaba el verso con plástica de ola: hombro, pecho, cadera de ola; muslo, vientre de ola; le daba empuje, plenitud pleamarinos, altos, llenos de hervoroso espumeo lento de carne contra agua. Sus iris, sus arpas, sus estrellas eran marinos.

(«Rubén Darío [1940]»)

En la crítica juanramoniana de *Helios* interesan otros dos elementos, uno estilístico, otro psicológico. En la reseña «'Odios' —por Ramón Sánchez Díaz—, Madrid 1903» (V, 1903, 250-251), comentando los aciertos de frase del autor, Juan Ramón se aproxima al estilo de la gran obra de crítica que iba a dar en su madurez, *Españoles de tres mundos*, adquiriendo la prosa el mismo tono y calidad de lo que describe, que a su vez pasa a ser atributo del que lo escribe. Sánchez

Díaz, que describía unos ojos como poseedores de «algo de ese azul de las herramientas», le inspira a Juan Ramón este juicio de su prosa y su persona: «hay en su prosa apariciones, fosforescencias, aprisionamiento de vaguedades. Soñador sobre el hierro revuelto y sonante de su vida tan atormentada, su alma se ilumina por dentro del cuerpo y del traje, ...» (pág. 250). El sugerente «azul de las herramientas» constituye una de esas «apariciones, fosforescencias, aprisionamiento de vaguedades» de la prosa de Sánchez Díaz que Juan Ramón se imagina «soñador sobre el *hierro*» con un alma iluminada como por fosforescencias «por dentro del cuerpo y del traje».

El elemento psicológico, patente en la reseña que comentamos, tiene que ver con la compasión del poeta por la niñez desvalida, que a su vez acusa una honda preocupación con la niñez, con los niños, tema de sus conversaciones y de su obra. Juan Ramón se fija en estas frases del libro *Odios* de Sánchez Díaz: «he jurado, profunda, honda y honradamente, jugar mi felicidad contra la cárcel, el día que vuelva a ver pegar a un niño pobre...», y comenta, terminando la reseña: «Cuando leyó por mis ojos estas palabras el ángel que yo llevo dentro de mí, un ángel muy triste y muy blanco, tuvo rimas de bendición para el poeta, porque mi ángel siempre quiso a los niños pobres como una madre joven» (pág. 251).

La íntima relación que existe entre la realidad y el contenido de la obra juanramoniana se aprecia repetidamente en las reseñas críticas de *Helios*. El lugar que ocupa la mujer en su vida se insinúa en la reseña «'Corte de amor': Florilegio de honestas y nobles damas: Lo compuso Don Ramón del Valle Inclán — Madrid 1903» (V, 1903, 246-247). Celebrando las creaciones femeninas del autor, «su tendencia a crear complicadas almas femeninas y carnes tan blancas y tan tibias», Juan Ramón hace el elogio de la mujer: «en las orillas de los ríos, en las sendas de los jardines, en el marco de las puertas, en el fondo de las estancias, tras los cristales de una ventana o entre la blancura de un lecho de virgen o de cortesana, la mujer, solamente la mujer, nos redime de nuestras tristezas y de nuestras penumbras; y un trozo de su carne o una ráfaga de su espíritu valen bien por nuestros campos de desolaciones» (pág. 246). Después, en un paréntesis, alude indirectamente a su malogrado amor con la novicia del sanatorio del Rosario: «(Es doloroso que las mujeres, en la vida, guarden tanto esas carnes que se marchitan entre la sombra de los trajes y la sombra de las viviendas; y que las novicias no entreguen el alma y el cuerpo a los poetas)» (246-247).

En la reseña «'Antonio Azorín'. Pequeño libro en que se habla de la vida de este peregrino señor — Por J. Martínez Ruiz — Madrid 1903» (VII, 1903, 497-499), Juan Ramón celebra la melancolía y castellanismo de frase del escritor y ve ya al futuro Azorín como lo que ha de ser: «este escritor es hoy el único prosista de España que nos cuenta emociones nuevas en un lenguaje rancio y soñoliento» y nota la visión justa y nueva de la vida actual española y de la propia que el autor evoca «sobre un fondo amarillo de años viejos». Al generalizar sobre las evocaciones que inspiran las páginas del entonces Martínez Ruiz, Juan Ramón evoca realidades propias: cosas encontradas en las estanterías de su casa, periódicos de un tío no conocido, «un tío que se murió joven y dejó como una estela de muerte». Se trata de Eustaquio, el hermano de su padre que murió joven en Francia. El libro *Antonio Azorín* evoca otros sentimientos que el poeta no incluye en la reseña, pero deja escritos, por la necesidad que siente de escribir sus emociones íntimas.

En *Antonio Azorín* se relata el viaje por tren de dos monjas jóvenes a quienes dos monjas viejas han ido a despedir

238

Vida y obra de Juan Ramón Jiménez

a la estación, encargando una de ellas que a la joven, sor Elisa, «se le vayan ciertas ilusiones». La reacción juanramoniana es de protesta, al recuerdo, sin duda, del forzado viaje de la hermana Amalia: «Estas monjas, y otras que yo he visto, y todas las monjas que viajan, me llevan a los rincones sombríos y húmedos de mi más honda melancolía. Y protesto contra estos viajes de monjas. Es amargo ver que estas pobres mujeres amortajadas tienen que abandonar su pecho, tienen que marchitar sus flores más frescas y más fragantes entre la penumbra y la oración. Porque el misticismo común —no es posible pensar que estas pobres mujeres sean todas como Teresa de Jesús— es simplemente consolador; es una bóveda de resignación y de paciencia» [11]. Olvidado de que las monjas viejas fueron novicias un día, escribe: «Las pobres novicias que van de un lado a otro con su corazón asustado bajo la toca, guardadas por esas viejas monjas, son tal vez los seres más dignos de lástima y de cariño» *(ibid.).*

El amor de Juan Ramón por las novicias, sobre todo por sor Amalia y sor María del Pilar, fundido con su admiración por el paisaje, la hora, la música y confundido con su tristeza y su miedo a la muerte, fueron inspiración y tema de los poemas de *Arias tristes*, escritos en esa época en que vivió en el sanatorio del Rosario de Madrid. Por un obvio mecanismo de evasión, Juan Ramón no nombra en este libro a la hermana Amalia, sino a «María», por lo que pudiera atribuirse a sor María del Pilar ciertos incidentes mencionados en los poemas que concuerdan con la realidad. Por lo visto, la hermana de este nombre resistía con destreza los sentimentales avances del poeta y no hubo necesidad de sacarla del sanatorio ni de disfrazar su nombre en la dedicatoria a ella en la tercera parte del libro, dedicado, de manera gene-

---

[11] Inédito. En los archivos de J. R. J. en España.

ral, a su tío Gregorio Jiménez, que se ocupaba mucho de él y había pasado a verle de viaje a la Exposición de París.

Arias tristes está repleto de expresiones de agradecimiento. En una de las primeras páginas hay un párrafo mencionando el agradecimiento del poeta a las diecisiete personas que escribieron bien sobre *Rimas*, dando sus nombres y apellidos. Las tres partes en que está dividido el libro van dedicadas a tres mujeres y en los dos primeros casos Juan Ramón parece saldar algún compromiso galante, porque estas mujeres no aparecen entre las «fuentes humanas» de su poesía ni pasan a ser heroínas o personajes de las mismas, con excepción de un verso de ocasión escrito para esa época, como se verá. La primera dedicatoria es la de «Arias otoñales» a Ana María de Solís, probablemente la Ana María a quien escribe un poema titulado «A Ana María (El color de sus ojos)», destinado a «Anunciación», título para un libro de poemas en los que pensaba recoger los escritos entre 1898 y 1902, pero que sólo vio la luz parcialmente años después en las *antolojías*. El mencionado poema indica que Ana María tenía una hermana, María del Carmen:

> Ana, tú tienes los ojos
> como el alma de tu hermana,
> por tanto, tus ojos son
> ojos de color de alma.
>
> ¿Son azules? Que María
> del Carmen lo diga; que abra
> su boca y tus ojos sean
> del color de sus palabras.
>
> (L. I. P., 1, 47)

La segunda parte de *Arias tristes*, «Nocturnos», está dedicada a la pianista Juana de Quirós, la conocida por referencias de Ruiz Contreras. Con la dedicatoria, Juan Ramón resuelve airosamente la sugerencia del mencionado admirador de Juana que deseaba que la incluyera en sus versos; al mismo tiempo, se mantiene fiel a la realidad, asociándola con la música. En el prologuillo invitaba a los que se estremecían en la noche «oyendo venir en la brisa la sonata de un piano», a que leyeran los versos de «Nocturnos». La tercera parte, aptamente titulada «Recuerdos sentimentales», es la dedicada a sor María del Pilar de Jesús.

Arias tristes es la primera gran obra poética del modernismo español. Identifica la poesía con la música por influencia directa de Verlaine y del simbolismo francés. Además del título musical *Arias*, las tres partes del libro están encabezadas, respectivamente, por las partituras de composiciones de Schubert preferidas por Juan Ramón y muy en boga en la época: «Elogio de las lágrimas», «Serenata» y «Tú eres la paz». El nuevo tono modernista juanramoniano, musical y suave, conviene a la cita de Verlaine antepuesta a la segunda parte: «Au calme clair de lune triste et beau, / qui fait rêver les oiseaux dans les arbres». Una sugerente cita de Musset está antepuesta a la parte dedicada a la monja sor María del Pilar y llena del recuerdo de sor Amalia: «J'ai vu sous le soleil tomber bien d'autres choses / Que les feuilles des bois et l'écume des eaux, / Bien d'autres s'en aller que le parfum des roses / Et le chant des oiseaux».

Los poemas de la primera y segunda parte de *Arias tristes* tienen que ver predominantemente con el paisaje, y este paisaje es como el de los alrededores del sanatorio del Rosario, de las afueras de Madrid, y de la Sierra del Guadarrama. En la primera parte el paisaje es diurno, triste y a veces lluvioso; en la segunda es un paisaje nocturno de lunas blancas, también triste. En estos paisajes aparecen novias vestidas de blanco. En un único poema una viste de negro porque el poeta ha muerto. En la segunda parte, «Nocturnos», el tema es la noche y el poeta piensa en su propia muerte, ve su cuerpo como una sombra negra errante, las novias son sombras blancas. En la tercera parte, «Recuerdos sentimentales», la mujer hace un papel muy importante y el paisaje queda relegado a lugar secundario; la amada vestida de blanco o con una toca blanca está en el paisaje, viene, se aleja, sonríe, sonllora, él la ve como desde una ventana, lo cual concuerda con los elementos a los que Juan Ramón atribuye la inspiración de ese libro de poemas, en la muy recurrida autobiografía publicada en *Renacimiento:* «...ambiente de convento y jardín ... Algún amor romántico, de una sensualidad religiosa, una paz de claustro, olor a incienso y a flores, una ventana sobre el jardín, una terraza de rosales para las noches de luna... *Arias tristes».* En otras palabras, el ambiente del sanatorio del Rosario le ofreció los estímulos afines a su personalidad poética: gustoso recogimiento en un paisaje suave, de suaves colores, sonidos y sensaciones en general. En este ambiente estaba la mujer blanca, pura, sensitiva, buena, dulce; novia, hermana, «cariñosa madre», como la Inmaculada Concepción del colegio de los jesuitas, tales eran las monjas novicias de la orden de Hermanas de la Caridad que asistían a los enfermos en sus blancos hábitos de enfermeras.

En Moguer, en su adolescencia, el poeta había estado rodeado de ese tipo de mujer, que alimentó sus primeros versos. En el sur de Francia el paisaje era suave y melancólico; pero faltó la mujer que correspondiera al ideal de pureza. La amada poseída, y todo indica que la de Francia lo fue, era blanca, buena y dulce, pero no era pura, dejó de serlo. Es de notarse que en *Rimas*, que contiene los únicos poemas escritos en Francia, Juan Ramón no le canta a la mujer francesa; pero sí le canta a la niña francesa, en el poema titulado «A una niña mientras duerme», que sin duda corres-

ponde a una visión real, ya que entre sus notas encontramos
una referencia al doctor Lalanne, su médico en el sanatorio
de Castel d'Andorte, en la que dice que le había llevado a ver
a su niña que dormía desnuda[12]. La niña es la pureza y él
la ve rodeada de una luz *pura:* «Esa lumbre apacible que de-
rrama la pura / suavidad de sus tintas en tu plácido sueño»
(P. L. P., 96), y exhalando un efluvio *virgíneo:* «Sobre ti flota
un algo de visión errabunda, / un efluvio virgíneo ...» *(ibid.).*
No que en *Rimas* falten las blancas y castas adolescentes,
pero éstas son las heroínas moguereñas de los primeros versos, a quien echa de menos, como en el poema «Llanto»: «Su
carita melancólica, / más blanca que una azucena, / no tiene quien la dé besos / esta triste primavera» (P. L. P., 75).
En *Arias tristes* la visión de la mujer es más madura, hay
más insistencia en la carne y el cuerpo. En el poema V de
la primera parte del libro está descrita esta mujer:

> y su traje blanco, sus
> manos divinas y blancas,
> lo adivinado, más blanco
> que sus manos, se esfumaban
>
> entre la sombra amorosa
> llena de tenue fragancia, ...
> (P. L. P., 214)

En el poema, se quiere penetrar esa blancura:

> Y allí, bajo el traje blanco,
> allí, entre la sombra, estaba
> su cuerpo, su dulce cuerpo,
> defendido por su alma;

---

[12] Ver la nota 13 del capítulo VI, referente a la versión corregida
de este poema.

> todo su encanto, el secreto
> de su carne inmaculada,
> todo su encanto, escondido
> sólo bajo seda blanca...
>
> *(Ibid.)*

Los poemas de *Arias tristes* están llenos de esa insistencia en lo blanco en relación a la mujer: «Ya no pensaré en su traje / blanco» (P. L. P., 218); «—visión, sombra, novia, blanca—» (pág. 224); «la sombra blanca pasó...» (pág. 235); «con su carne mate y blanca, / intacta bajo lo blanco, / blanca en la sombra teñida» (pág. 243); «y esta noche divina he pensado / que debiera leerme mis rimas / una novia vestida de blanco» (pág. 282); «mi corazón quiere un pecho / blanco donde sollozar...» (pág. 284); «iba vestida de blanco» (página 300); «¿Tienen sangre voluptuosa / en su carne blanca?» (pág. 318); «una aparición fragante / vestida de blanco, fresca» (pág. 328). El hecho de que todas las mujeres amadas en los poemas de *Arias tristes* vayan vestidas de blanco deja al descubierto la psicología poética juanramoniana, puesto que estaba enamorado de una monja enfermera, novicia, que llevaba hábito blanco, y rodeado de otras monjas admiradas vestidas del mismo color, porque eran tres las monjas preferidas, según sus notas inéditas, en las que están agrupadas así: «Amalia, Pilar y Andrea» o «Pilar, Filomena y Amalia», dando el nombre y apellido de las que más contaban en sus sentimientos, Amalia y Pilar. En «Las niñas», de *La colina de los chopos*, explica: «Eran las hermanas más jóvenes. La hermana Pilar Ruberte, la hermana Filomena y la hermana Amalia Murillo» (pág. 171); pero al anotar las fuentes humanas de su poesía, los nombres que reitera, juntos, son: Pilar, Andrea y Amalia. La artística elaboración de esta realidad aparece en el poema XI de la tercera parte de *Arias tristes*, la dedicada a sor María del Pilar:

> Por el jardín —tarde hermosa
> de abril, florida de estrellas—
> van, entre la bruma rosa,
> las tres novicias más bellas.
>
> Corazón, saben de amores?
> ensangrientan su alegría?
> —Sólo sé que cogen flores
> para la Virgen María.
>
> —Han sabido que están bellas
> con sus tocas blancas? —Sí.
> —Y no dan besos!... Estrellas,
> que piensen las tres en mí!
>
> (P. L. P., 318)

Al leer el último poema de la tercera parte, último del libro,
sabemos que también se trata de la poetización de una realidad, la forzada partida de sor Amalia. Entonces lo blanco
se torna negro, no hay ojos para la toca blanca sino para el
manto negro de la monja:

> Su carita blanca y triste
> llena de amor y de ensueño,
> se perdía entre la sombra
> que arrojaba el manto negro.
>
> El manto negro envolvía
> el misterio de su cuerpo
> de nardo y nieve, enterrado
> como si ya hubiera muerto.
>
> (Ibid., 339)

El manto negro arroja una sombra divina, los ojos negros
tiemblan y brillan como luceros negros y tristes, pero en
medio de tanta negrura resalta la pureza de la monja y entonces el poeta se vuelve a fijar en la toca blanca:

> La toca blanca, y más blanca
> la carita...; quiso el cielo
> dejar ver sólo lo blanco
> de su frente y de su pecho!
>
> *(Ibid.)*

Y al fin, en las estrofas finales del poema se desliza el dato
autobiográfico:

> Parece mentira! al irse
> no me dio siquiera un beso;
> ¡cómo matan a las rosas
> la azucena y el incienso!
>
> Mi corazón me lo ha dicho:
> ella me miró un momento;
> pero se fue... para siempre...,
> y ya nunca nos veremos.
>
> *(Ibid., 340)*

Así termina *Arias tristes*. La dulce tristeza que invade todos
los poemas del libro está motivada en gran parte por este
sentimental y romántico amor del poeta por las novicias, y
por la partida de sor Amalia, hechos verídicos de los que
quedaron abundantes pruebas. En las notas del poeta, una
que se refiere a sus planes para la obra dice: «Hablar del
colegio, de Sevilla, de mis novias, de mi enfermedad, de mi
manicomio, de mis monjas, de mis amores con ellas —la hermana Pilar, la hermana Amalia—; hablar del fondo de todos
mis libros; *Rimas*, Burdeos, *Arias tristes* —«Nocturnos», sobre todo, en el Sanatorio de Madrid»[13]. Es de notarse en
estas líneas la importancia que Juan Ramón le concede a los
hechos relacionados con su estancia en el sanatorio. También
se ve como andan juntas las ideas del amor y la muerte, ya

---

[13] Inéditas. En los archivos de J. R. J. en España.

que «Nocturnos» denota su preocupación con la muerte. Además del mismo Juan Ramón, María Martínez Sierra, la amiga y confidente de esa época, alude en una de sus cartas al amor y la melancolía del poeta, comprobando una vez más el fondo de realidad de su poesía. Dice María: «Querido Juan Ramoncito: Estoy en León, y me acuerdo un poquito de V. porque vivo en el Hospicio donde hay muchas monjitas jóvenes muy amables, que harían excelente acogida a un poeta melancólico: una de ellas me ha hecho sus confidencias de noches de vela junto a un jazminero que hay en el claustro: V. comprende que con todo esto no hay modo de olvidar al poeta de 'Nocturnos' y otras hierbas»[14]. En otra carta indignada y zalamera porque el joven amigo la acusa de «sobra de sinceridad», María se refiere más directamente al noviazgo de Juan Ramón con la monja del sanatorio: «me sorprendió agradablemente el encontrarme en la firma con 'Juan Ramón' en lugar del ceremonioso 'Juan' de costumbre, porque para mí 'Juan' es el Sr. Jiménez, un poeta que ha estado medio

---

[14] «Cartas de María Martínez Sierra», *Relaciones amistosas y literarias entre Juan Ramón Jiménez y los Martínez Sierra*. Estudio preliminar de Ricardo Gullón. Ediciones de La Torre, publicaciones de la «Sala Zenobia-Juan Ramón» de la Universidad de Puerto Rico, Serie B, número 2, 1961, pág. 73.
Gullón asigna a esta carta la fecha de 1905, sirviéndose de ciertos datos que él menciona en una explicación preliminar (pág. 40), y espera que se puedan fijar mejor las cosas en investigaciones ulteriores. De acuerdo a la cronología juanramoniana, la carta debiera ser anterior a 1905, probablemente de 1903, puesto que María dice: «un poeta ... que vive en un sanatorio, ... y que tiene una novia monja». En 1905 Juan Ramón ya no vivía en el Sanatorio del Rosario, al que se refiere la carta, sino en casa del doctor Simarro. Juan Ramón vivió dos años en el sanatorio, de 1901 a 1903, y con Simarro, de 1903 a 1905. En su nota autobiográfica para *Renacimiento* Juan Ramón, muy cerca de los hechos, escribió referente a su estancia en el sanatorio: «En este ambiente de convento y jardín he pasado *dos* de los mejores años de mi vida».

loco, que vive en un sanatorio, que es muy ceremonioso y que tiene una novia monja y una americana blanca: y 'Juan Ramón' es un amigo —aunque bastante ingrato—, amigo y poeta y todo lo que ya estamos cansados de saber» *(ibid.,* 77).

De esta carta de María Martínez Sierra se deriva un dato biográfico interesante: que el poeta Juan R. Jiménez empezó a firmarse Juan Ramón en cartas particulares a aquellos que preferían llamarle por su nombre de pila completo, y que comenzó a hacerlo alrededor de 1903 durante su residencia en el sanatorio del Rosario de Madrid.

Las novicias del sanatorio que sirven de inspiración a la poesía juanramoniana de *Arias tristes* no son las únicas *novias blancas* del libro. El contenido de otros poemas hace pensar en la novia de Moguer, la blanca Blanca Hernández Pinzón, tal es el caso en el poema IX de la primera parte del libro, lleno de referencias familiares: «la puerta del jardín», «mi casa», «mis pobres acacias», «mi cuarto», «mis libros», «mi hermana», «la adorada ... vestida de negro» (Blanca llevaba luto por la muerte de su abuelo). Anticipando su propia muerte y su entierro el poeta ve el carro que ha de llevar el ataúd al cementerio, parado a la puerta del jardín de su casa, y piensa:

> Y si a la adorada, triste,
> vestida de negro y pálida,
> dejan que venga a llorar
> a la estancia solitaria,
>
> una voz dulce y amiga,
> quizá la voz de mi hermana,
> le dirá: Ese es el sitio
> en donde él se sentaba.
>
> (P. L. P., 220)

La novia blanca viste de negro por estar de luto; de lo contrario, la amada ha de vestir de blanco, color hondamente relacionado con todos los atributos positivos de la mujer:

> Yo dije que me gustaba
> —ella me estuvo escuchando—
> que en primavera las jóvenes
> llevaran vestidos blancos.
>
> (P. L. P., 303)

En otro poema, el IX de la tercera parte, la amada entra riendo en el cuarto del poeta y se pone a tocar el piano, él observa la blancura de sus manos y al quejarse ella de que no le dice nada, contesta lacónicamente: «Ah! vas vestida de blanco...» (P. L. P., 315).

La misma nostalgia que aparece en los poemas de amor está en las descripciones del paisaje, impregnado de la tristeza del poeta que identifica con el paisaje sus sentimientos de soledad, muerte, sufrimiento, belleza. Esta emoción aparece desde el primer poema de *Arias tristes*:

> La campiña se ha quedado
> fría y sola con sus árboles;
> por las perdidas veredas
> hoy no volverá ya nadie.
>
> Voy a cerrar mi ventana
> porque si pierdo en el valle
> mi corazón, quizá quiera
> morirse con el paisaje.
>
> (P. L. P., 207)

El oír a lo lejos un piano que toca la serenata de Schubert, le hace bajar llorando al jardín, y entonces ya no es él solo quien sufre, sino la noche:

> La noche sufre en silencio;
> tibia noche de nostalgias,
> qué amarga es tu primavera
> de brisas y de fragancias!
>
> (P. L. P., 276)

En el poema XV de la segunda parte, una aguda percepción
de belleza le hace compenetrarse con el paisaje:

> Siento esta noche en mi frente
> un cielo lleno de estrellas;
> bajo la luna poniente
> están las cosas tan bellas!
>
> (P. L. P., 278)

La sensación de belleza es tan honda que el poeta cree que
de veras ha muerto; sin embargo, en los dos últimos versos
del poema se restituye al plano de la realidad notando cómo
la luna *muere* sobre la ciudad:

> El jardín... La dulce estrella.
> Juraría que es verdad
> que he muerto... La luna bella
> muere sobre la ciudad.
>
> (*Ibid.*)

La misteriosa maravilla del paisaje está sugerida en estos
versos, lo que indica un manejo de la técnica muy superior
a la de los tres primeros libros del poeta. Mucho más original que una descripción directa del paisaje es la descripción
indirecta en el poema XVIII de la segunda parte, «Nocturnos», que delata una insistente preocupación con la muerte.
En él el alma del poeta deja su cuerpo, queriendo averiguar
«el secreto / de la arboleda fantástica», y es a través del me-
rodeo del alma que se va describiendo el paisaje:

Y ya, sola entre la noche,
llena de desesperanza,
se entrega a todo, y es luna
y es árbol y sombra y agua.

Y se muere con la luna
entre luz divina y blanca,
y con el árbol suspira
con sus hojas sin fragancia,

y se deslíe en la sombra,
y solloza con el agua,
y, alma de todo el jardín,
sufre con todo mi alma.

(P. L. P., 281)

Para expresar sus dolencias de espíritu Juan Ramón ha encontrado modos nuevos. Antes necesitaba del manoseado *alma blanca* en contraposición con el cuerpo, ahora crea una expresión simbólica cargada de significados: *la claridad de mi alma*, que en la estrofa siguiente implica luz, pureza, conocimiento (poema XXI, segunda parte):

Y por mi cuarto, en la sombra
vagamente plateada,
mi cuerpo negro pasea
la claridad de mi alma.

(P. L. P., 285)

El alma no es *doliente* ni *llorante*, como en «La canción de los besos», de *Ninfeas*: «En el lago de sangre de mi alma doliente, / del jardín melancólico de mi alma llorante...» (P. L. P., 1467); basta la triste visión de las cosas para comunicar su tristeza:

Bajo el cielo azul, brillante
de estrellas, los troncos secos
dicen al alma lo triste
que es la vejez y el invierno.

(P. L. P., 287)

En el peor momento de su poesía, el de los alardes pseu-do-modernistas del 1900, Juan Ramón traducía la emoción íntima a un empalagoso llanto a viva voz; pero entre 1902-1903, fecha de la producción recogida en *Arias tristes*, el llanto se insinúa levemente. La diferencia de expresión al tratar de un mismo tema salta a la vista al comparar cuatro versos del poema «Titánica» de *Ninfeas* con cuatro versos del poema XXI de la segunda parte de *Arias:*

...Y el cuerpo ya no puede
guardar entre sus bordes
el llanto venenoso
el llanto que el Martirio acumuló...
          (P. L. P., 1478)

... las fragancias
son más frescas, los suspiros
más amantes, la nostalgia

más divina; siente el cuerpo
toda la bruma del alma, ...
          (P. L. P., 286)

Juan Ramón realza la idea poética empleando recursos sencillos; pero muy superiores a los de su época de confusión. En *Ninfeas* se valía de la acumulación repetitiva a lo José Asunción Silva mal imitado; como en el poema «Y las sombras...»:

...Era el Dïa de los Sueños...;
era el Dïa en que las penas sueñan Besos...,
y soñó el Alma tristezas...,
y soñó el Alma lamentos...:
          (P. L. P., 1514)

En *Arias* no hay repeticiones, la acumulación es sencilla y directa, como en el poema XVIII de la tercera parte:

Le hablé de besos, de estrellas,
de recuerdos, de nostalgias,
de flores..., y pensativa
siguió, sin decirme nada.
          (P. L. P., 329)

O el poema IV de la segunda parte:

> Y después, calma, silencio,
> estrellas, brisa, fragancias...
> la luna pálida y triste
> dejando luz en el agua...
>
> (P. L. P., 261)

Esta acumulación ocurre en frases verbales y adverbiales, como en el verso X, también de la segunda parte:

> Mi sombra inclina la frente,
> gesticula, piensa y habla ...
> ....
> Mi sombra extiende los brazos
> y sonríe, y se levanta...
>
> (P. L. P., 270)

Y en el verso VI de la tercera parte:

> un amor sereno y dulce
> sobre las pobres cabañas,
> sobre los techos sin humo,
> sobre las puertas cerradas.
>
> (P. L. P., 307)

Con una simple pero artística acumulación de elementos corrientes, Juan Ramón pinta un paisaje bello y desolado con sólo dos versos en el poema IV de la primera parte de *Arias*:

> cielo gris, árboles secos,
> agua parada, voz muerta.
>
> (P. L. P., 212)

Y en el poema XX la acumulación lleva, en *crescendo*, a una apoteosis del paisaje en los dos versos finales:

una tapia ruinosa,
un valle, una pobre ermita,
una flor de oro, una
diafanidad amarilla...

                (P. L. P., 238)

La acumulación de frases con adjetivos que sugieren sombra, misterio y quietud le dan al poema II de la tercera parte su lírica emoción:

es el dulce valle umbrío,
es la luna opaca y rosa,
es la barca temblorosa,
es el remanso del río;

es la aldea, la campiña,
que han pasado por el alma,
el humo blanco, la calma
del corazón de la niña; ...

                (P. L. P., 302)

Hemos citado la segunda estrofa para hacer notar otra superación de estilo: los versos «es la aldea, la campiña, / que han pasado por el alma», están muy lejos del manoseado «soñó el Alma» de los primeros versos juanramonianos.

El bien empleado recurso de la acumulación sirve para acrecentar ese sentimiento de irrealidad que impregna las páginas del libro. Lo vemos en el poema XIX de la primera parte:

Mi corazón tiene sueño...
La sombra blanca pasó...
El jardín está sin flores...
¿Con quién sueñas, corazón?
....
Son unos ojos que miran
largamente..., un beso..., son

risas de niños, esquilas,
valles floridos, frescor.

(P. L. P., 235-236)

En el poema XXIII, de la segunda parte:

Siempre pensé: aquel jardín...,
aquellas finas acacias,

aquella fuente...

(P. L. P., 288)

En el poema XVIII, de la tercera:

Y le dije: adiós... si quieres...,
cuando salga el sol..., mañana...
Entonces abrió sus labios
y me dijo: no te vayas.

(P. L. P., 329)

Juan Ramón, que ha aprendido a personificar el paisaje, personifica a veces sus elementos por acumulación:

la campiña se ha dormido
con la pena de su invierno.

(1.ª parte, X. P. L. P., 221)

los árboles verdes sueñan
al son lloroso del agua.

(3.ª parte, IV. P. L. P., 304)

Con *Arias tristes*, libro de tan sencillos recursos, triunfa al fin el modernismo español, porque, como dijera Darío en su primera y gran reseña de la poesía juanramoniana, titulada «La tristeza andaluza» [15], la voz era genuinamente espa-

[15] Publicada con el título «La tristeza andaluza: un poeta», en *Helios* (XIII, 1904, 439-446). Este artículo apareció primero en el periódico *La Nación*, de Buenos Aires, y se recogió en el libro *Tierras solares*, que vio la luz en Madrid en 1904.

ñola, voz del pueblo, de *cantaor* andaluz, voz «larga y gimiente», «hilo del alma», «armonía enferma». Según Darío, «más
que una pena personal, era una pena nacional». Repudiando
la Andalucía de pandereta «a la francesa, de exposición universal o de cajas de pasas», el poeta nicaragüense veía en los
poemas del de Moguer la Andalucía «reino del desconsuelo
y de la muerte» y notaba, sí, la influencia de Verlaine, de Heine y de Musset; pero declaraba que era un poeta «completamente de su tierra», que nadie había sido más personal e in-
dividual, desde Bécquer; que su romance sonaba a música
de Góngora. Vaticinadoramente, escribió entonces Darío: «No
penséis que Francis Jammes o Juan R. Jiménez harían mejor
en pensar en el porvenir poético de sus respectivas naciones,
que en decir los sentimientos que brotan al calor apacible
de sus dulces musas».

Darío insistió en el carácter nacional de la poesía de Juan
Ramón: «Su cultura le universaliza, su vocabulario es el de
la aristocracia artística de todas partes; pero la expresión
y el fondo son suyos como el perfume de su tierra y el ritmo
de su sangre». En efecto, el aprovechamiento de los bellos
elementos sensoriales que constituyen la materia prima de
Arias tristes, no era mera influencia modernista hispanoamericana, ni el sentimiento del paisaje como estado de alma,
mera influencia simbolista francesa. En la madurez, Juan Ramón habría de referirse, reiteradamente, a ciertos aspectos
de su poesía derivados del Romancero, de Góngora y de Bécquer [16], y explicó de qué índole fueron la influencia nacional
y la verleniana en los poemas de *Arias*: «Un poco después,
saltando sobre mis diecinueve años modernistas, ya más due-

---

16 «—Dice Juan Ramón—: el sentimiento del paisaje como 'estado de alma' es moderno y ya se inicia en Bécquer; sin embargo, hay
algo en algún verso de Góngora también...» (Guerrero, *Juan Ramón de
viva voz*, pág. 199).

ño de mí, y con el romance del *Romancero* y el de Góngora
en mi tesoro, vino la riada que habría de inundar tres años
míos (Madrid, 1901, 1902, 1903): *Arias tristes*, el primero.
Mientras, llegó Verlaine con sus equivalencias, en su arte
menor, al romance, en el punto en que yo estaba. Entonces
empezó mi romance contemporáneo mío, menos pensativo
que al principio, más meditativo; menos lójico, más emocional; menos gris, más colorido; menos neutro, más señalado» [17]. De la misma vena que el romance popular son estrofas como esta de *Arias:*

> Corazón, para qué sirve
> tener los ojos abiertos,
> si ha de estar siempre distante
> la primavera del cielo?
> (2.ª parte, XXIV. P. L. P., 292)

Rehusando la libertad de versificación, tan frecuente en
los poemas de *Ninfeas* y *Almas de violeta* por serlo del modernismo hispanoamericano, Juan Ramón se acoge al molde
español tradicional. No hay duda de que tenía presente la lírica tradicional, aparte de las citas de Verlaine y Musset
antepuestas a dos de las tres partes del libro, algunos poemas de *Arias tristes* comienzan con versos de Góngora: dos
llevan estos epígrafes, respectivamente: «Sin luz muriera si
no / me la prestara la luna» (2.ª parte, VIII, P. L. P., 266);
«Y en la tardecita, / en nuestra plazuela» (3.ª parte, XVII.
Ibid., 327). Un tercer poema lleva estos versos de Jorge
Manrique: «¿Qué fueron sino rocíos / de los prados?» (3.ª
parte, XIX. *Ibid.*, 330). La *tardecita* de Góngora, además de
la costumbre del médico amigo, el doctor Sandoval del sanatorio del Rosario, de hablar en diminutivos, puede haber con-

---

[17] «Mis primeros romances», *Cristal*, pág. 274.

tribuido al uso del diminutivo en algunos poemas de *Arias: humito azul, estrellita temprana, aldeíta, tejaditos, tempranito, caminito, pobrecita.* De la Sierra del Guadarrama es el paisaje bucólico de *Arias.* Allí pasó Juan Ramón cortas temporadas con el doctor Sandoval. Los pastores, bueyes, aldeas, valles, casitas y caminos son poetizaciones del Guadarrama de a principios del siglo xx. Cuando el tema bucólico no corresponde a la visión de lo español, lo que sucede con un poema sobre un pastor y sus esquilas, Juan Ramón pone al pie: «Pirineos» (3.ª parte, IV. P. L. P., 305). El tema es de añoranza por el propio suelo:

> Pastor, toca un aire dulce
> y quejumbroso en tu flauta,
> llora en estos valles llenos
> de languidez y añoranza;
>
> llora la hierba del suelo,
> llora el diamante del agua,
> llora el ensueño del sol
> y los ocasos del alma.
>
> Que todo el valle se inunde
> con el llanto de tu flauta;
> al otro lado del monte
> están los campos de España.
>
> (P. L. P., 304-305)

Del mismo modo que Juan Ramón siente la nostalgia de España ante el paisaje de Francia, siente la nostalgia del paisaje andaluz ante el paisaje castellano y reacciona con mayor sensibilidad ante aquellos aspectos de verdura y frescor de los alrededores de Madrid: los jardines, en particular los del sanatorio del Rosario y el paisaje de la Sierra. Eso constituye el fondo natural de los poemas de *Arias.* Acostumbrado a vivir en el campo, las calles de Madrid, sin árboles —según le contaba años después a su amigo Juan Guerrero—, «le producían verdadero espanto, eran algo trágico para él»[18]. El implícito homenaje a la región está en el hecho de que en vez de maldecirla o denigrarla, como hicieran otros escritores, se fijara en sus aspectos más amenos, poetizándolos con verdadero arte y sentimiento. Nada de lo que escribió fue puro invento, sino maña artística, poetización. Cuando sus amigos, extrañados, comentaban su «luna rosa» él los invitaba a levantarse temprano por la mañana para ver el color de la luna a la madrugada[19]. Si tantos elementos del paisaje fueron *blancos*, se debió, quizás, a la presencia emotiva de un amor blanco. Aun así, no era falso hablar del humo, los álamos, la noche, la luna y la lumbre en términos de blancura. En *Arias tristes* las casas «se esfuman entre humo blanco» y «parecen humo»; los álamos son «blancos álamos secos»; las noches tienen «una lumbre de azucena»; la luna es «blanca», «el blanco plenilunio» sueña y la lumbre es «enferma y blanca»[20]. Existe, además, lo blanco en la poesía española como decoración desde Góngora, según el mismo Juan Ramón, que escribió en unos apuntes: «Góngora escribe con los mismos colores con que pintó el Greco.

»Con Góngora aparece el blanco en la literatura española.

»Tiene Góngora como platas de alba, luces de amanecer, de renacer —que fue lo suyo—»[21].

Los tonos y sugerencias de color predominan, en *Arias tristes*, sobre el color mismo. Lo blanco está expresado en términos como *azucena, luciente, inmaculada, intacta, de*

---

[18] *Juan Ramón de viva voz*, pág. 69.
[19] *Ibid.*, 199.
[20] Ver en P. L. P. el poema X, 221, primera parte de *Arias*, y los poemas II, 258; VIII, 266, y XII, 274 de la segunda parte de *Arias*.
[21] Inédito. En los archivos de J. R. J. en España este fragmento lleva el título «El mirlo de cristal».

plata, plateado; las tardes, las noches y los cielos son azules, pero también *azulados* y *celestes.* Las tardes, en particular, están descritas en sus tonos: *oro, de oro, dorada, rosa, sonrosada, rosa mate.* El día es *gris violeta,* y el humo, *gris;* la blancura, amarillenta y los árboles, alguna vez, en el crepúsculo, son *de cobre* o *cobrizos.* El morboso *rojo* de sangre del período pseudo modernista juanramoniano desaparece, en todo *Arias tristes* apenas hay lunas rojas. Más interesante, desde el punto de vista artístico, es la *luna anaranjada* de uno de los poemas. Los dramáticos vocablos como *sangre,* para designar el color del ocaso, y los muy comunes *carmín* y *grana,* aparecen muy raramente y cuando esto ocurre están artísticamente justificados por el valor cromático del paisaje o la visión impresionista, como en el poema XII de la primera parte, que contiene muchos de los elementos que hemos estado comentando relativos a los colores y los tonos y que subrayamos:

> La campiña se oscurece
> bajo el *crepúsculo grana,*
> con sus *árboles cobrizos*
> y sus sendas solitarias.
>
> Y las *ráfagas de sangre*
> del cielo, tiñen el agua
> que en la llanura dejaron
> las lluvias de la otoñada.
>
> Entre la fronda dormida
> están mudas las cabañas,
> con el *humo gris* y triste
> sobre sus techos de paja.
>
> Y allá en la niebla de Oriente
> que ha velado las montañas,
> va subiendo sobre el campo
> una *luna anaranjada.*
>
> (P. L. P., 225)

Los adjetivos y adverbios exacerbados que usó Juan Ramón para expresar sus tristezas en los primeros poemas escritos bajo la influencia modernista, desaparecen, el léxico de *Arias tristes* es casi elemental: *triste* y *tristemente* son los calificativos más comunes. Aparecen también: lastimeramente, fría, helado, sola, solitario, desierta, silencioso, callado, vagas, velado, viejas, lánguido, melancólico, nostálgico, lánguidamente, doliente, quejumbroso, dolorosamente, herida, olvidada, ignorados, oscura, brumoso, lluvioso, marchita, pálido, lejano, distraído, rendido y fatídico, este último es el vocablo más excesivo, relativamente, que usa el poeta para expresar sus tristezas. Si la sensación es amable, los calificativos más empleados son: dulce, dulcemente y dulcísimo; además: acariciadora, dormido, soñoliento, plácida, plácidamente, tranquilo, serena, apacible, quieto, tenue, suave, suavemente, balsámica, tibio, perfumada, fragante, fresca, cristalino, floridos, florecientes, divina, encantada, alegre. Los más excesivos son: inefable, voluptuosa, fantástica y espléndidas, que apenas ocurren.

Se han señalado los sencillos recursos artísticos de *Arias tristes:* la acumulación, la personificación y la imprecisión son los principales. Es de notarse que en esta obra no hay alarde de correspondencias, un recurso altamente francés. La sinestesia de estos poemas juanramonianos es del mismo leve carácter que los otros artificios que hemos señalado, como se puede notar por los ejemplos a continuación:

> El cielo azul cada instante
> es más azul; y yo siento
> que en la mañana hay fragancias
> aunque no haya flores; ...
>
> (1.ª parte, II. P. L. P., 208)

Y he acariciado los árboles
con miradas de tristeza, ...
(2.ª parte, XXIV. P. L. P., 245)

La luna se ha muerto... ¿Lloro?
¿Para qué, si todo el llanto
no apagará el oro alegre
del sol? ....
(1.ª parte, XI. P. L. P., 223)

La crítica de esta obra modernista nueva la hizo, en parte, el grupo amigo que se había ocupado de *Rimas:* Cansinos Assens, Pedro González Blanco, Rafael Leyda, Martínez Sierra, Julio Pellicer, J. Ruiz-Castillo, José Sánchez Rodríguez. Nuevos nombres, también del grupo modernista español, se sumaron a éste: Manuel Abril, Bernardo G. de Candamo, Viriato Díaz Pérez, Antonio Machado, F. Navarro Ledesma, J. Ortiz de Pinedo, Miguel A. Ródenas, J. Martínez Ruiz y un escritor nuevo, José Ortega y Gasset. El único hispanoamericano que se ocupó entonces del libro, con excepción de Darío, fue Manuel Ugarte [22].

La reseña española que más interesa es la de Antonio Machado, que le abriría caminos a la poesía nacional por vías parecidas a la del poeta de Moguer. A Antonio Machado le pareció «admirable» el libro de Juan Ramón. En una carta escrita en el Bar Gambrinus, después de apurar «muchos bocks de cerveza», le confesaba que lo había leído y releído, que por él había pensado, sentido y llorado [23]. Quería hacer

---

[22] Los nombres de todas estas personas aparecen en el libro *Jardines lejanos*, en la página que sigue al título y lleva esta sentimental expresión juanramoniana: «Aquí deja mi alma su agradecimiento para los poetas que tan cariñosamente escribieron sobre su libro *Arias tristes*». *Jardines lejanos* salió en 1904 (Librería de Fernando Fe, Madrid).
[23] *Cartas de Antonio Machado a Juan Ramón Jiménez*, págs. 27-28.

una crónica, y *Helios* le parecía el mejor sitio para su publicación, ya que era la única revista que mantenía «la juventud y el amor de la belleza». *(Ibid.)* Hecha la crónica, citó a Juan Ramón para verse en el Café de Goya y que él la leyera y le diera su parecer, antes de publicarla en *El Heraldo*, donde tenía medios de hacerlo [24]. Sin duda, había abandonado la idea de publicar en *Helios* por haber sido destinadas a esta revista otras reseñas. A Juan Ramón no le gustaba nada el ambiente de café de Madrid; pero le gustaba Antonio Machado, es decir, el poeta que Antonio era entonces, el de *Soledades*, su primer libro, que salió en el mismo año que *Arias tristes*.

En un prólogo que Antonio escribió en 1917 dice que las composiciones de *Soledades* publicadas en enero de 1903 fueron escritas entre 1899 y 1902 [25]. Sus biógrafos aseguran que no fue hasta el tercer número de la revista *Electra* de Madrid, de 1901 (el primer número salió con fecha de 16 de marzo de ese año), que Antonio Machado publicó poesía alguna; por lo tanto, es de suponer que el autor tuvo la oportunidad de seleccionar y mejorar los primeros versos, al decidir publicarlos dos o tres años después de escritos. La prueba de que seleccionaba, como cualquier otro buen poeta, está en el hecho de que al publicar de nuevo *Soledades* dejó fuera trece poemas y lo más curioso es que muchos de estos eran poemas a los que Juan Ramón se refería encomiosamente, en la reseña del libro que publicara *El País* de Madrid en ese año de 1903, algunos de ellos muy rubendarianos; otros, suavemente nostálgicos; uno, con una ira que malogra

---

[24] *Ibid.*, 30.
[25] «Soledades», *Antonio Machado, Obras: Poesía y prosa*. Edición reunida por Aurora de Albornoz y Guillermo de Torre. Ensayo preliminar por Guillermo de Torre. Editorial Losada, S. A., Buenos Aires, 1964.

el verso [26]. Pero Juan Ramón los alababa a todos, viendo en algunos de los poemas un encuentro, en no sabía qué encrucijada, del alma de Jorge Manrique con el alma de Enrique Heine [27]. En verdad, *Soledades* es un gran primer libro, libre del exceso de fallos que marca las dos primeras obras de Juan Ramón, *Ninfeas* y *Almas de violeta*. Aun cuando Antonio Machado cae en los excesos de un mal imitado modernismo, estos excesos no lo son comparados con los de Juan Ramón.

En uno de los poemas omitidos de las ediciones de *Soledades* que siguieron a la primera, se aprecia la huella rubendariana; se titula «La fuente» y Juan Ramón había escrito en su reseña: «En 'Tarde' y 'La fuente', primeros manantiales, sinfonías —sinfonías sabias— llenas de motivos, el enigma del agua es magnético, y la voz del poeta, trémula junto al mármol, pide para los ojos la quietud de lo eterno y para la cabeza el musgo de la piedra húmeda». *(Ibid.)* Juan Ramón se fijó en las excelencias del poema, que las tiene, como se puede apreciar en las últimas estrofas. La rubendariana es la primera, que también citamos:

---

[26] Estos poemas están incluidos en la sección titulada «Poesías de 'Soledades'» de *Obras*, págs. 31-41, y se titulan: «La fuente», «Invierno», «Cenit», «El mar triste», «Crepúsculo», «Otoño», «Del camino» (IV y XIV), «Preludio», «La tarde en el jardín», «Nocturno», «Nevermore» y «La muerte». En la sección de *Obras* titulada «Índice cronológico de Antonio Machado» (págs. 15-22), Aurora de Albornoz recoge los datos principales de su vida y obra basándose, según hace constar en una «Nota» (pág. 22), en Miguel Pérez Ferrero, *Vida de Antonio Machado y Manuel*, y en otras fuentes que allí menciona.

[27] En la reseña titulada «'Soledades', poesías, por Antonio Machado, Madrid, 1903», que se publicó ese mismo año en el periódico *El País* de Madrid. R. Gullón recogió esta reseña en la sección «Prosa y verso de Juan Ramón Jiménez a Antonio Machado» de *Cartas de A. M. a J. R. J.*, págs. 57-59. Nos referimos a esta obra al indicar las páginas cuando citamos de la mencionada reseña de J. R.

> Desde la boca de un dragón caía
> en la espalda desnuda
> del Mármol del Dolor
> —soñada en piedra contorsión ceñuda—
> la carcajada fría
> del agua, que a la pila descendía
> con un frívolo, erótico rumor.
> ....
> Y en ti soñar y meditar querría
> libre ya del rencor y la tristeza,
> hasta sentir, sobre la piedra fría,
> que se cubre de musgo mi cabeza.
>
> *(Obras,* 31 y 32)

En otro poema, también omitido en futuras ediciones de *Soledades,* el monte es *azul,* el horizonte *flamígero,* la nostalgia
roja, los sueños *bermejos* y el cielo *lactescente;* sin embargo,
estos artificiosos calificativos y otros muchos que abundan
en el poema, titulado «Crepúsculo», no resaltan tanto a la
vista como los calificativos artificiosos de *Ninfeas* o *Almas
de violeta.* Nótense en la primera estrofa del poema de Machado a que nos referimos:

> Caminé hacia la tarde de verano
> para quemar, tras el azul del monte,
> la mirra amarga de un amor lejano
> en el ancho flamígero horizonte
> Roja nostalgia el corazón sentía,
> sueños bermejos, que en el alma brotan
> de lo inmenso inconsciente,
> cual de región caótica y sombría
> donde ígneos astros, como nubes, flotan
> informes, en un cielo lactescente.
>
> *(Obras,* 34)

Los otros poemas suprimidos adolecen levemente de ciertos
excesos de emoción parecidos a los de Juan Ramón; pero

en número mucho menor. Así leemos versos que contienen
tales frases, chocantes en sí, pero salvadas en conjunto por
la artística integración con los otros elementos del poema:
*hercúleo pecho, éxtasis convulso y doloroso, entenebrece, ti-
tán doliente, huracán frenético, árbol esquelético, cárdenos
nublados congojosos, cárdeno otoño, inciensos de púrpura,
vísperas carmíneas;* o *sangran amores los rosales; la nube
lejana / suda amarilla palidez de muerto.* Hay, en los poemas suprimidos, elementos de obvia influencia pseudo-modernista, como: *loto azul, espuma azul de la montaña, azur
ingrave, pífano de Abril, recóndito salterio, verde salterio,
cítaras lejanas, recónditas rapsodias, alegres gárgolas, canto-
ras gárgolas, gárgolas rientes.* Los *evónimos* de un par de
versos: «Entre verdes evónimos corría», y «entre verdes evónimos ignota» le placen a Juan Ramón, que celebra en su
reseña: «libro de Abril, triste y bello: gris y triste con sus
mares remotos de cielo pardo y rojo bergantín; verde y triste
con sus jardines de lustrosos evónimos; ...» (pág. 57). Un
cacófono «Nocturno» dedicado a Juan Ramón, con unos versos de Verlaine como epígrafe: «... / berce sur l'azur qu'un
vent douce effleure / l'arbre qui frissonne et l'oiseau qui
pleure», desaparece después de la primera edición; sin embargo, el poema se salva por lo delicado del sentimiento, patente en cada estrofa, como en la última, a continuación:

> Mi corazón también cantara el almo
> salmo de abril bajo la luna clara,
> y del árbol cantor el dulce salmo
> en un temblor de lágrimas copiara
> —que hay en el alma un sollozar de oro
> que dice grave en el silencio el alma,
> como en silbante suspirar sonoro
> dice el árbol cantor la noche en calma—
> ....
>
> *(Obras,* 39)

En otro poema titulado «La muerte», que también desaparece en futuras ediciones, la ira del autor quiebra la armonía de la rima en el último verso, al increpar con la palabra «canalla» a un juglar burlesco que le pregona «el sueño alegre de una alegre farsa»:

> Mas quisiera escuchar tus cascabeles
> la última vez y el gesto de tu cara
> guardar en la memoria, por si acaso
> te vuelvo a ver, canalla! ...
>
> *(Obras, 41)*

El Juan Ramón de 1903 no oye más que la música de los versos de Antonio Machado, música que abunda en *Soledades*. En su reseña de la obra leemos: «una poesía que vibra como bronce y perfuma como nardo; algo de contraste, rosas de hierro, bruma de sol», palabras que hacen pensar en algunos versos de Machado, como, por ejemplo, el siguiente: «Y a martillar de nuevo el agrio hierro / se apresta el alma en las ingratas horas / de inútil laborar, ...» *(Obras, XIV, 36)*, es decir, que en la crítica juanramoniana se sigue insinuando esa característica de identificarse con el autor a través del estilo. De la música de los versos de *Soledades* dice específicamente: «El consonante adquiere una gracia de arpegio extraordinaria, es maravillosa la riqueza de orquestación y el verso y la frase y la palabra llevan, verdaderamente, color y son y luz» (pág. 58). *Soledades* es, en efecto, de una lograda variedad métrica, muy modernista y también muy tradicional; de un tono y profundidad de contenido envidiables no ya en un principiante, sino en un poeta hecho. El canto de Antonio Machado, como el de Juan Ramón, cuando es bueno es *cante jondo*, pero su hondura es pavorosa y la de Juan Ramón no lo es. Lo que en Juan Ramón es tristeza, en Antonio es amargura; Juan Ramón ve el paisaje, Antonio

lo evoca; Juan Ramón ve en el paisaje la dulzura del alma,
Antonio ve la propia aridez; los pájaros en los poemas de
Antonio a veces silban burlones, mientras que en los de Juan
Ramón siempre endulzan la tarde. En uno de los poemas de
Antonio el hablante *piensa* que las estrellas arden en su corazón, mientras que en uno de los poemas de Juan Ramón
el hablante, que es él, *siente* las estrellas en su frente. Juan
Ramón ve llegar la primavera, Antonio no la alcanza de lleno,
sus poemas son de abril; a Juan Ramón la claridad del alma
le alumbra la sombra, Antonio tiene el corazón de sombra;
Antonio no sabe si su voz es la suya o la de un histrión gro-
tesco, Juan Ramón sabe que es su voz y que su voz es de
poeta. El amor le recuerda a Antonio los juncos lánguidos y
amarillos, el cauce seco, la amapola marchita, el sol yerto, la
fuente helada, y a Juan Ramón le recuerda las rosas, el arroyo, las amapolas del campo, el sol de oro, el murmullo de la
fuente. Juan Ramón ve en todo a la mujer amada, la real;
Antonio se la imagina sin atreverse a mirarle el rostro. El
cristal de los sueños de Antonio se fabrica en una honda gru-
ta mientras él vaga en borrosos laberintos de espejos; los
sueños de Juan Ramón se fabrican en campos, jardines, valles, abiertos todos, por donde él vaga despierto, conocedor
de las entradas y salidas. Estos dispares elementos, derivados de los poemas de sus respectivos libros, *Soledades* de
Antonio Machado y *Arias tristes* de Juan Ramón Jiménez,
ocurren por exceso de sinceridad artística, porque en ambos
la poesía es vida; pero mientras que Juan Ramón, en la sentimental reseña de *Soledades*, da de vez en cuando con la
clave de la poesía machadiana, Antonio, en su reseña de *Arias*
equivoca el sentido de la poesía de Juan Ramón.

Juan Ramón vio en *Soledades* lo que era más común a
su sensibilidad: además de la «música de fuentes y de aroma
de lirios», la dulzura, misterio y hondura de la parte titulada

«Del camino», que en realidad es la que contiene los poemas
más hondos y meditativos. El poeta de Moguer se fijó demasiado en las «novias místicas y visiones que nunca han
sido novias» de dicha parte, que están, sí, pero no le dan el
torturado y profundo tono a la obra; pero también notó
aquellas características esenciales que ya apuntaban en la
poesía machadiana: la tristeza castellana y la nota goyesca
de algún poema, «inmensa de tristeza y de tortura». Dice
Juan Ramón de los poemas «Del camino»: «Las callejas sombrías y estrechas que sonrosan sus paredes grises al crepúsculo y cortan sus muros sobre la gloria de oro de los
ocasos lejanos, las plazuelas cerradas, con hierba entre las
piedras y viejos conventos, todo lo solitario, lo umbrío, lo
musgoso, se anima, en su tristeza castellana, con almas de
un país de bruma, ...» (pág. 59).

La crónica de *Arias tristes* escrita por Antonio Machado
se publicó en 1904 en *El País*. Su autor había procurado hacer algo sincero, «lleno de verdad y amor», pero como le
había escrito él mismo a Juan Ramón, referente a otra reseña: «V. sabe que soy un crítico infernal. Para ser crítico
hay que ser un poco más objetivo de lo yo [sic] puedo ser» [28].
Quizás porque la propia tristeza era demasiado honda, se
preguntaba Antonio de la de Juan Ramón en *Arias tristes*:
«¿Tristeza?... Afortunadamente, Juan Ramón Jiménez no
sabe lo que es tristeza» (pág. 48). Antonio hablaba de los
poetas cuya poesía se nutría del recuerdo de su vida, para él
Juan Ramón no cabía en ese grupo, lo de Juan Ramón era
sueño: «la poesía de Juan R. Jiménez, de este hombre en
sueños, se alimenta de vaguísimas nostalgias, y tiene acaso
un fondo placentero, y que es así como una nebulosa esperanza de algo que ha de vivirse un día. Su libro es un prelu-

---

[28] *Cartas de A. M. a J. R. J.*, pág. 29.

dio admirable, cuyos motivos no pueden recordar una historia de actos buenos o malos, alegres o tristes, de triunfos
o de desastres, pero fatales porque fueron irremediables. No.
Ese libro es la vida que el poeta no ha vivido, expresada en
las formas y gestos que el poeta ama. Así, tal vez, quisiera
vivir el poeta» (pág. 49).

En esta reseña Antonio Machado divide la vida de cada
cual en vida activa (vida real) o inactiva (vida no real):
«Juan R. Jiménez se ha dedicado a soñar, apenas ha vivido
vida activa, vida real» *(ibid.);* pero cada cual vive su vida, la
que sea, y esa es su vida real. La vida inactiva era la vida
real de Juan Ramón y su poesía estaba llena de eso que era
su vida; por lo tanto, no era sueño para él, aunque le pareciera sueño al bueno de Antonio. No se trataba de que el
poeta quisiera vivir así, como en su poesía; sino de que vivía
así. Contrario a la opinión de Machado, el contenido de *Arias
tristes* correspondía a circunstancias muy reales en la vida
de Juan Ramón. El arte, por serlo, disimulaba la realidad en
su caso; es decir, con las nuevas artes del simbolismo, que
convenían a la sensibilidad juanramoniana, revestía de vaguedad hechos reales de su vida. El noble Antonio ignoraba,
como todos los demás, los aspectos más íntimos de la vida
de su grave amigo moguereño y amonestándose a sí mismo,
le amonestaba, hablaba del poeta egoísta y soñoliento que
huía de la vida «para forjarse quiméricamente una vida mejor en que gozar de la contemplación de sí mismo» *(ibid.),*
y le aconsejaba al supraintrospectivo Juan Ramón una labor
de autoinspección, no fuera a hallarse en el mismo caso. En
completo desacuerdo con el criterio de Darío en su crónica
«La tristeza andaluza», según le había comunicado a Juan
Ramón ya en carta [29], le parecía la poesía de éste poco cas-

---

[29] Le dice Antonio: «Muy bello el artículo de Rubén, aunque no
me satisface como crítica» *(ibid.).*

tiza, no reconociéndole ascendientes literarios españoles: «Que el poeta sea o no sea castizo, cosa es que importa poco, a mi juicio; que sus ascendientes literarios estén en la poesía española o en la francesa, es cuestión baladí. Si el casticismo no es ingénito, ¿a qué adoptarlo? Sería una *fase* también, la más inútil de todas» (pág. 51). Pero como a Antonio le parecía bello el libro, lleno de una sensibilidad fina y vibrante, sincero, con «el encanto de la verdad que se ignora a sí misma» (pág. 50), concluía la reseña con elogios: «Juan Ramón Jiménez sigue el camino de sí mismo, que es el bueno».

«Y yo le digo: ¿Bravo... y adelante!» (pág. 51). La mejor crítica de *Arias tristes* fue honrada como la de Antonio Machado y estableció las bases sobre las que habría de fundarse la futura crítica de la obra juanramoniana: la confrontación o no confrontación del poeta con la realidad, que a la vez atañe a la personalidad real y poética del autor. Desde este punto de vista, muy acertada fue la reseña de Gregorio Martínez Sierra, que se publicó en el número 39 de *La Lectura* de Madrid, del mes de marzo de 1904[30]. Sus juicios, por sinceros, eran elogiosos y duros a la vez: «Jiménez es fiel, pero no es abnegado; su temperamento, en fuerza de personal, toca en egoísta, un egoísmo amable y tenaz, suave de forma e inflexible. Las añejas metáforas del 'huerto sellado' y de la 'torre de marfil' truécanse en realidades aplicadas a la definición de su ser espiritual, y así son sus versos, como su espíritu, obstinadamente personales y únicos, claros, bien sonantes, despertadores de esas lágrimas que son a

---

[30] Recogida por Gullón en la sección «Prosa y verso de Gregorio Martínez Sierra a Juan Ramón Jiménez» de *Relaciones amistosas y literarias entre J. R. J. y los M. S.*, págs. 114-118. Las citas de las reseñas se derivan de la obra de Gullón. Con leves variaciones están incluidas en el libro *Motivos* de Martínez Sierra. Primera edición, Garnier, París, 1906.

un tiempo placer y melancolía, hechos de realidad —de realidad mirada a través de una niebla violeta— y honrados y emocionantes por verdaderos. Todo cuanto rima, juro a Dios que lo siente» (págs. 115-116). En cuanto a la tristeza que invade los poemas de *Arias*, verdadera tristeza del poeta, dice Martínez Sierra: «la tal tristeza no es en él amargura como en Heine, ni rebeldía como en Byron, ni desilusión como en Gustavo Adolfo Bécquer: la tristeza en Jiménez es privilegio —augusto, imperial privilegio—, y está con ella tan bien hallado y es tan su amigo que si la tristeza perdiera —perdón por el conceptismo— sería perder el más exquisito goce de su vida» (pág. 116).

Martínez Sierra, que conocía a Juan Ramón muy a fondo, daba testimonio de la verdad, es decir, la realidad de los elementos de su poesía, al comentar la primera parte de *Arias tristes*: «'Arias otoñales' son versos hechos de paisajes y de sensaciones. 'La imaginación hace al paisaje', dice Baudelaire. Si es así precisa confesar que la imaginación de Juan R. Jiménez es maestra en verdades; los atardeceres de sus campiñas, sus aldeas y sus esquilas, el humito de sus cabañas y la tristeza de sus otoños huelen a campos y a aldeas y a otoño, y son hermosos y conmueven, más que nada porque son verdad» (*ibid.*). Otro agudo juicio en la reseña de Martínez Sierra se refiere a la última parte de *Arias*, la titulada «Recuerdos sentimentales», que tiene que ver con sus novias del sanatorio y de Moguer: «Jiménez llora el recuerdo sentimental de las mujeres que le amaron, porque —poeta antes que enamorado— siempre tuvo en su amor hacia ellas desdenes exquisitos, y su corazón, asomándose a los paraísos que pudieron ser suyos, se compadece, porque hay lágrimas sobre las flores —que son las almas de sus novias blancas» (pág. 118).

No toda la crítica de *Arias tristes* fue seria, como las reseñas que hemos estado comentando. La crítica española festiva seguía burlándose de la poesía nueva, y en 1905, en el *Almanaque* de Gedeón, salió una parodia de *Arias*. Las burlonas estrofas tenían elementos en común con poemas de la primera parte del libro, en los que hay alusiones al melancólico canto del sapo y a los álamos del sendero, como en las estrofas a continuación, que se dan careadas con las de la parodia:

A nuestro dulce regreso
ya se dormían los campos.
Entre los juncos cantaba   (Parodia)
un melancólico sapo; ...

                                        Cantan bajito las ranas
....   y en el borde de un sendero
                                        deja un sapo sus tristezas
                                        de color amarillento.
La luna grande soñaba
sobre el río; y en los álamos
glosaba algún ruiseñor
el dulce flautín del sapo.
        (XXIII, 242 y 243)

Y en la ribera olvidada,
llena de vago misterio,   Caen las hojas poco a poco,
parecen humo flotante   de los álamos entecos,
los blancos álamos secos.   quedando sin esperanzas
                    (X, 221)   en los bancos del paseo.

Es un paisaje sin voces,   Pobres hojitas que tienen
triste paisaje que sueña,   forma y color del quinquenio [31].
con sus álamos de humo
y sus brumosas riberas.
                    (IV, 212)

---

[31] Estos versos, así como los datos referentes a la crítica festiva, proceden de Jorge Campos, «Cuando J. R. empezaba», *Insula*, números 128-129, julio-agosto 1957, pág. 21, antes citado.

Al paso de los años, un crítico moderno de vena burlona pero bien enterado de la historia de las letras españolas, Ramón Gómez de la Serna, fijó muy en serio la importancia de *Arias tristes:* «este libro ... situado en el 900 tiene una importancia colosal y de él nacen todos a la nueva poesía» [32]. La nueva poesía era la poesía de lo bello; pero lo bello real, natural, no lo bello artificioso. En *La nueva literatura,* crónica de esa época modernista española, se preguntaba Rafael Cansinos Assens: «¿Qué hemos hecho, oh amigos?», y se contestaba: «Hemos hecho *finas* las acacias y hemos descubierto los nenúfares... Hemos señalado a las estrellas verdes... ¿Y qué más?... No hemos hecho nada, porque no hemos agotado la Belleza» (pág. 45). Es obvio que el sentido más hondo y verdadero del modernismo seguía sin descubrir porque no era cuestión de nenúfares y estrellas verdes. En *Arias tristes* las acacias hacían un papel porque eran parte del paisaje; pero no los nenúfares, que Juan Ramón dejó atrás por artificiosos; en *Arias tristes* había claros de luna porque eran parte del paisaje; pero no estrellas verdes, por artificiosas. En cuanto a la Belleza por sí sola, con mayúscula, no había hecho ningún papel importante en la obra, puesto que Juan Ramón se había limitado a cantarle a la belleza de las cosas que le rodeaban sentida por él. La Belleza con mayúscula, aún sin comprender en los tanteos de los que la perseguían, quedaba para después, para el encuentro con *la poesía desnuda,* que acabaría de revelar el verdadero carácter de la belleza anhelada por los escritores modernistas.

---

[32] «Juan Ramón Jiménez», *Retratos contemporáneos. Obras completas,* Editorial A H R, Barcelona, 1959, tomo II, pág. 1504.

CAPÍTULO IX

PAISAJE Y NOSTALGIA DE LA CARNE:
JARDINES LEJANOS

Si por vuestros bosques de ensueño no halláis el grito lejano, lo mejor es dormir junto al arroyo. Porque el sueño tiene apariciones de jardines y de estrellas y todos somos poetas cuando dormimos, la muerte hace poetas a todos los hombres y el sueño es el hijo menor de la muerte [1].

Los jardines de *Jardines lejanos*, el libro de poemas que siguió a *Arias tristes*, no son soñados pero están llenos de apariciones, sombras de mujeres ausentes que irrumpen por las veredas y los parques y los paisajes conocidos. En el llanto por la mujer ausente hay nostalgia de la carne, la sensual invita y la novia blanca atrae, y el poeta, en un primer prologuillo de los tres antepuestos a las tres partes del libro respectivamente, reviste su conflicto de simbolismo y concluye: «para las últimas lágrimas no hay más amiga que la muerte».

El tono galante de este libro de versos es nuevo en Juan Ramón y hace leve la nota sensual. La mujer está en todas

---

[1] J. R. J., «'Valle de lágrimas' —Su autor: Rafael Leyda— Madrid 1903», *Helios*, noviembre 1903, pág. 502, en la sección «Los libros».

partes: por las frondas, por las fuentes, por los senderos, por los balcones, tras los cristales y tras las cortinas de muselina. Siguiendo las mismas motivaciones psíquicas que dictaron la división de *Arias tristes*, Juan Ramón divide el libro en «Jardines galantes», «Jardines místicos» y «Jardines dolientes», explicando en un prologuillo el estado emocional al que corresponden los poemas de dichas partes. De la primera dice: «Por las sendas plateadas de luna vienen unas sombras vestidas de negro; si el viento alza los trajes, suele surgir una pierna de mujer. Se acercan...; no sabemos quiénes son, porque traen antifaces de seda negra; pero los ojos nos fascinan con un magnetismo de serpientes». A veces la visión es el recuerdo de la novia blanca: «Otra noche es el lago de un jardín..., es una sonrisa de novia blanca..., es una mano blanca con una azucena... —oro y nieve, como dijo Bécquer— y es el sol de los días felices, y son senos tibios entre las rosas, y son carcajadas alegres y huecas...»; pero es de notarse la persistencia del elemento sensual, que desaparece en el prologuillo de la segunda parte, que habla del «recuerdo inextinguible de algunas mujeres que han pasado por mi vida», dice el poeta, «y que no pudieron besarme..., y que yo no pude besar...». Se refiere, sin duda, a las monjas del sanatorio, ya que las describe «con su palidez de azucena y de claustro, y su sonrisa de santidad». No en balde el título de esta segunda parte es «Jardines místicos». El primer poema es de sumo interés por su simbolismo: una voz llama al poeta de lejos, por la avenida «hay temblor de carnales placeres» y olor de mujeres, y continúa:

> Por las ramas en luz brillan ojos
> de lascivas y bellas serpientes;
> cada rosa me ofrece dos rojos
> labios llenos de besos ardientes.
>
> (P. L. P., 409)

Entonces aparece la novia de nieve que restituye al paisaje su calma:

> ....
> Aparece la novia de nieve...
>
> Y me muestra sus dulces blancores...
> Tiene senos de nardo, y su alma
> se descubre en un fondo de flores
> a través de las carnes en calma.
>
> Y a su triste mirar, y a las bellas
> ilusiones que trae en su frente,
> se han parado de amor las estrellas
> en el claro de luna doliente.

(Ibid., 410)

En esta segunda parte del libro predomina el sentimiento de nostalgia por las novias blancas, y en la tercera, en cuyo prologuillo habla de la paz y silencio hogareño: «Dentro, los cristales, las muselinas que levanta a veces una mano pálida, la primera llama del hogar, las flores que ella trajo antes del invernadero...», el poeta se refugia con su pena en el paisaje.

Relacionando de nuevo sus versos con la música, Juan Ramón antepone a las respectivas partes del libro partituras de «Gaviota» de Gluck, de «Dolor sin fin» de Schumann y de «Romanzas sin palabras» de Mendelssohn. En una de las páginas iniciales expresa su agradecimiento a los que escribieron sobre *Arias tristes*, dando sus nombres, y dedica la primera parte del libro «A la divina memoria de Enrique Heine...», la segunda a Francisco A. de Icaza y la tercera a Antonio Machado.

En el primer poema de *Jardines lejanos* el poeta establece sus preferencias en cuanto a la carne de mujer:

—yo amo carne de azucenas,
carne de nardos, más bien
que carne de sol; mis penas
son penas blancas también—;
                    (P. L. P., 352)

A la nostalgia de la carne se une una leve inquietud religiosa en el poema VI. Los vientos juegan con las sedas perfumadas de las mujeres que van a misa, «carne cristiana»:

Es un pecado discreto,
es una carne cristiana
que va a misa, con un lirio
entre rosas deshojadas;
                    (P. L. P., 363)

En el poema XXVIII, último de la primera parte, el poeta
celebra la alegría del mes de mayo en el campo y tomando
nota de que es el mes de la Virgen, exclama:

La santa Virgen María
desde el cielo azul nos llama...
...Madre, ¿y la nueva alegría?
¿Y la carne que nos ama?
                    (P. L. P., 401)

Al final del poema se decide por lo sensual:

Es tiempo de sol y risa;
y aunque suene la campana,
no podemos ir a misa,
porque nos llama la brisa
galante de la mañana.
                    (Ibid., 402)

La expresión «carnes intactas» se encuentra repetidamente
en los poemas de esta primera parte. El poema VIII asocia

a las mujeres de «carnes intactas» con España; además, el color de sus vestidos es suave y su mirada es franca:

> Muchas te miran riendo,
> tienen sus carnes intactas,
> y están vestidas..., ya ves...,
> de gris y blanco, de malva
>
> y gris, de gris y celeste;
> miran bien..., y sus miradas
> llevan las flores de abril
> y la alegría de España...
>
> (P. L. P., 369)

En el poema XV, Juan Ramón adjudica un «blancor perfumado» a las «carnes intactas», vuelve a asociarlas con los mismos colores suaves y las llama «dolorosas»:

> la tristeza de los pechos
> que quisieran manos locas
> para el blancor perfumado
> que se mustia entre la sombra...
>
> Los vestidos van poniendo
> su color bajo las frondas;
> dentro llevan la dulzura
> de las carnes dolorosas.
>
> Son los grises, son los blancos,
> son los malvas, ...
>
> (P. L. P., 379-380)

En el poema XI, las monjas a punto de comulgar son «jardines de lirios blancos» y Jesús es el «novio blanco» que se acerca sonriendo:

> ¡Jardines de lirios blancos!
> primavera de senderos!
> valles verdes, valles verdes
> y fragantes de los cielos!
>
> Dulce esposo, novio blanco,
> que te acercas sonriendo
> con el corazón florido
> en tu costado entreabierto!
>
>   (P. L. P., 373)

Juan Ramón extrae de su poesía inesperados recursos para su canto sensual a la mujer de «carnes intactas». En otro poema de la primera parte, el IX, que se refiere a la amada monja, lo sensual se desvanece ante la insistente voluntad de dotar a esta mujer de castos atributos. Doliéndose de no haberle visto los cabellos cubiertos por el velo, el secreto se vuelve blanco por proyección del velo que lo cubre:

> Sobre sus ojos azules,
> la frente; luego, el secreto
> que se hace blanco en la sombra
> melancólica de un velo;
>
>   (P. L. P., 385)

Para describir a esta mujer el poeta crea novedosas sinestesias, y un bello neologismo: «liriados», todo lo cual subrayamos:

> *Sabía a mujer dorada,*
> era lánguida, eran sueños
> celestes sus sueños, eran
> *liriados* sus pensamientos;
> ....
> *Hablaba siempre en azul,*
> era dulcísima..., pero
> yo nunca pude saber
> si eran rubios sus cabellos.
>
>   (*Ibid.*)

Obsesionado por la castidad de la mujer, reviste de blancura su propia sensualidad en el poema XIII:

> Tengo fragantes mis manos
> para tus carnes intactas;
> si tus pechos están blancos
> tú verás mis manos blancas.
>
> (P. L. P., 376)

En *Jardines lejanos* Juan Ramón cultiva el conocido verso octosílabo de rima asonante, lo que también ha hecho en *Arias tristes*. Algunos de sus poemas son romances modernizados, puesto que están divididos en estrofas, generalmente de cuatro versos. En *Jardines lejanos* sólo cuatro poemas no se avienen a la métrica octosilábica; se trata de versos decasílabos de rima consonante alterna y lo curioso es que dos de estos poemas (de la primera parte) tienen que ver con la novia extranjera, Francina: el número X, en el que aparece asociada a Francia, su país, y el número XIV, en el que aparece su nombre junto al de Magdalena y ambas son descritas como mujeres tentadoras. En el primer caso el poeta se duele de la ausencia de Francina:

> He venido a este oculto sendero
> a soñar a la luna de Francia,
> porque lloro un amor, y no quiero
> que me mate su triste fragancia...
> ....
> ¡Ay!, no es ella... Si mi alma volara!
> Llanto, estrellas, tul, flores..., en fin,
> todo adorna lo azul, como para
> que Francina descienda al jardín...
>
> (P. L. P., 371-372)

En el segundo caso se duele del maleficio de su presencia. Francina, acompañada de Magdalena, le hacen dudar de su identidad, representan la lujuria y quieren llevarle a la muerte:

> ....
> Magdalena, Francina y yo somos
> la visión de este parque dormido.
>
> ...Yo no sé lo que somos... Las bocas
> de ellas ponen su fiebre en la mía.
> Tengo miedo... Parecen dos locas
> que me quieren volver la alegría.
>
> Tengo miedo... Sus bocas me hieren
> como bocas de víboras... Rojos
> fuegos tienen sus ojos... Ay!, quieren
> que esta noche yo cierre mis ojos...
>
> (P. L. P., 378)

En otros dos poemas sobre Francina, romances, también de la primera parte, Juan Ramón vuelve a recordar el ardor de los besos de esta mujer; pero el recuerdo es placentero. En el poema XVII dice: «Francina deshojó a besos / su boca sobre mi boca» (P. L. P., 382), y en el poema XXIV, en que la describe «tan bella y fina, tan fina, / tan dulce, tan fina y bella», recuerda sus pechos blancos, pero sus ojos aún queman y sus besos aún enloquecen en el recuerdo:

> Sus pechos blancos tenían
> sabores de flores; hechos
> para mis besos, sabían
> a nardo y rosa sus pechos.
>
> Sus ojos negros brillaban
> bajo los rizos; sus rojos
> labios mordían, quemaban
> lo que miraban sus ojos.

> Sus besos me enloquecieron,
> ¡eran sus labios tan sabios!
> Di, luna, ¿dónde se fueron
> aquellos floridos labios?
>
> (P. L. P., 394)

En la primera parte de *Jardines lejanos* Juan Ramón le canta por primera vez a la mujer desnuda, en el poema XII, y considera su desnudez pecaminosa, puesto que dice que no había «manos santas ni ojos buenos»:

> He visto en el agua honda
> de la fuente, una mujer
> desnuda... He visto en la fronda
> otra mujer... Quise ver
>
> cómo estaban los rosales
> a la lumbre de la luna,
> y encontré rosas carnales.
> Quise ver el lago, y una
>
> mujer huyó hacia la umbría.
> Todo era aroma de senos
> primaverales; no había
> manos santas ni ojos buenos.
>
> (P. L. P., 375)

Las heroínas de la segunda parte de *Jardines lejanos* son blancas o están vestidas de blanco; pero parecen quimeras del poeta más que mujeres de carne y hueso, como en el poema VIII:

> ...Y pienso en ella..., ella es blanca
> por la misma vida; creo
> que si ella fuera a la luna,
> en la luna fuera un sueño.
> ....

yo estoy solo, y el jardín
melancólico y enfermo
es, a la luna, un jardín
de pesadilla o de cuento...

(P. L. P., 422-423)

La novia blanca es un ideal del poeta febril en los poemas de
la segunda parte, en los que ve «fantasmas de cosas que nunca han sido» y anuncia la llegada de una novia que le ha de
nevar el alma; la muerte, tal vez, en el poema XIV:

una dicha bella y triste
que el corazón quiera para
antes de morir, que no
llega nunca y que es muy blanca...
....
....
—Juan, ¿a qué buscas el frío
para tu frente abrasada,
si pronto vendrá una novia
que te ha de nevar el alma?
Iba vestida de blanco...
Se estaba muriendo... Andaba
dulcemente entre unas pobres
ilusiones deshojadas...

(P. L. P., 433 y 434)

En el poema XV el recuerdo de la novia blanca es consolador:

Y allá en la tibia penumbra
de una mágica avenida,
una novia blanca alumbra
la tristeza de mi vida...

(P. L. P., 435)

Otros poemas de la segunda parte reiteran su pena por la partida de la blanca mujer amada, y los versos se hacen entrecortados, como si fueran sollozos en el núm. XX:

> Y ella se fue sin decirme
> nada..., sin dejarme nada...
> ¡Ay! y yo voy a morirme
> esta noche perfumada!
> Era blanca y triste, era
> de un corazón como el mío...
> y al llegar la primavera
> me dejó morir de frío...
> Era blanca..., y triste... Era...(*).
>
> (P. L. P., 442)

El asterisco es advertencia del poeta, que dice, al pie del poema, que escribió esos versos sollozando. Por el contenido y el nombre de la heroína sabemos que se trata otra vez de la desterrada monja del sanatorio del Rosario:

> Sendero, ¿adónde se iría?
> ...mira, era blanca y muy bella...
> cuando miraba tenía
> la tristeza de una estrella...,
> y se llamaba María...
>
> (P. L. P., 443)

En «Jardines dolientes», tercera y última parte de *Jardines lejanos*, predomina la vaga nostalgia del amor perdido, sin referirse los versos, casi, a mujer en particular. En un poema de esta parte se recrea o revive la emoción de otro corto poema, de dos estrofas, que apareció en *Almas de violeta* con el título «Azul», y en *Rimas*, sin título, desprovisto de los excesivos puntos suspensivos y de admiración de la versión primera (P. L. P., 100). Esta versión sirve de epígrafe al poema X de la tercera parte de *Jardines*, que consiste de

ocho estrofas, de las que las tres primeras y la última son
una recreación de los sentimientos expresados en el poema
corto. Ponemos en contraposición el poema corto y aquellas
estrofas del poema X que ofrecen analogías:

«Azul»	El poema X de *Jardines lejanos:*
Ya estoy alegre y tranquilo; sé que mi virgen me adora; ya en el rosal de mi alma abrieron las blancas rosas.	En el rosal de mi alma ya se secaron las rosas blancas, que abrieron un día a la caída de las hojas.
	Fue en este mismo balcón... Era una tarde llorosa; pero ella me quería y hubo flores en la sombra.
Fuera, en el mundo, hace frío; el otoño triste llora; mas ¿qué me importa que caigan de los árboles las hojas?	Cogí mi alma y canté: el otoño triste llora; mas ¿qué me importa que caigan de los árboles las hojas?
	....
	Yo estaba alegre y tranquilo, tenía un amor de novia... en el rosal de mi alma abrieron las blancas rosas...
	(P. L. P., 487-488)

Se podrá ver en la primera, segunda y cuarta estrofas del
poema X los versos análogos a los de «Azul». La segunda estrofa parece introducir un elemento nuevo, pero en realidad
es la ampliación del recuerdo, precisando el momento que
sirve de inspiración a la pasión amorosa que es tema de los
poemas que comentamos. Cuando Juan Ramón dice en la

286 Vida y obra de Juan Ramón Jiménez

segunda estrofa: «Fue en este mismo balcón», está haciendo el traslado psíquico de una realidad poética igual a la que le produce la emoción que provoca la escritura del poema X. Este verso tiene su antecedente en el conocido poema de la misma época de «Azul» recogido también en *Rimas*, cuya primera estrofa es:

> En el balcón, un momento
> nos quedamos los dos solos;
> desde la dulce mañana
> de aquel día éramos novios.
>
> (P. L. P., 142)

La referencia al balcón en estos poemas tiene importancia en cuanto a demostrar, una vez más, cómo la poesía de Juan Ramón se alimenta de realidades. El balcón de los primeros versos de Juan Ramón tuvo su doble en la realidad. En las obras autobiográficas del poeta se describe su apariencia y su función: era atalaya de lo bello. En «Continente de estrellas», de la obra *Por el cristal amarillo*, dice: «La pared cuadrada, blanquísima de cal tosca de mi casa, con almenas, y el balcón corrido, al que yo entraba más que salía, delirante de ansia, me eran un sorprendente palco contra el espectáculo sideral» (pág. 282). En el sanatorio del Rosario, donde Juan Ramón escribió los poemas de *Jardines*, otro balcón es su atalaya, la terraza, mencionada en el resumen autobiográfico publicado en *Renacimiento*: «una ventana sobre el jardín, una terraza con rosales para las noches de luna...» (pág. 424). En las notas inéditas consta que esta terraza era *el balcón*, sitio de la amada: «...En las noches de agosto, las hermanas se sentaban en la terraza sobre la capilla»; en un fragmento referente al sanatorio del Rosario, recogido en *La colina de los chopos*, que trata, como siempre, de su obra y de las monjas, dice: «En verano abríamos el balcón» («El salón»,

164). Entonces, al actualizar el recuerdo en el verso del poema X «Fue en este mismo balcón...», Juan Ramón revive una experiencia amorosa análoga, funde en uno dos recuerdos, el de la adolescente que le quiso en el balcón de su pueblo y el de la novicia que también le quiso en el balcón del sanatorio, ambos amores perdidos al escribir el poema X.

Otro importante rasgo de estos poemas revividos que comentamos es el hecho de que el paisaje es el mismo, lo que varía levemente es la percepción del poeta, que corresponde al estado de alma al percibirlo; pero que no altera la realidad de lo percibido. En los tres poemas que venimos examinando la estación es la misma, el otoño, y el día es de lluvia. «En el balcón, un momento...», que debe mencionarse en primer lugar porque se refiere al hecho que provoca las expresiones poéticas de los otros, el poeta no tiene ojos para la lluvia, sino para el amor. Sabemos que el día era de otoño nublado por la descripción *el cielo gris:*

> El paisaje soñoliento
> dormía sus vagos tonos
> bajo el cielo gris y rosa
> del crepúsculo de otoño.
>
> (P. L. P., 142)

En el poema «Azul», que habla de la alegría y tranquilidad que le proporciona el saberse amado, «El otoño triste llora»; pero a él no le importa. En el poema X de *Jardines*, que llora el perdido amor presente y el perdido amor pasado, recuerda que «era una tarde llorosa» y verifica qué tarde era en la estrofa tercera que repite los versos de la segunda estrofa de «Azul»: «Cogí mi alma y canté: / el otoño triste llora». Esta será la pauta que han de seguir los poemas revividos de Juan Ramón, que no son meras correcciones, reelaboraciones, adiciones, sino la expresión de nuevas emociones, avivadas al recuerdo de iguales circunstancias poéticas, alimentadas por sucesos reales que sirven de inspiración a toda su obra.

En los poemas de *Jardines lejanos* se acentúa el profundo sentimiento de la belleza de las cosas. En el poema IV de la tercera parte se describe la sensibilidad poética necesaria «para sentir los dolores / de las tardes». No se menciona la belleza ni una vez en el poema; pero se describen o mencionan los estados de sensibilidad que la captan: hay que tener el corazón frágil: «tener en el corazón / fragilidades de lirios...»; hay que ser mujer y niño: «tener gestos de mujer, / melancolías de niño». También es necesaria la contemplación, el orgullo, el desdén, sufrirlo todo y querer sufrirlo:

> Mirar bien al horizonte,
> extasiarse en lo indeciso,
> tener orgullo, tener
> desdenes suaves y místicos...
>
> Pero sufrir siempre el rosa,
> sufrir el llanto sombrío
> de la fuente abandonada...,
> sufrirlo y querer sufrirlo.
>
> Y hasta dejarse morir
> de pena, morir de frío,
> morir de penumbra, o
> de color, o de lirismo...
>
> Dar toda la vida al alma,
> hacerse el gris..., y sentirlo
> todo como una mujer
> triste y frágil como un lirio.
>
> (P. L. P., 477)

El prodigio de los poemas de *Jardines lejanos* es su música y su engañosa elaboración, engañosa para el lector que la

sabe allí, pero no la ve, de sencilla que es. Sin recurrir a
recursos parnasianos de orfebrería, Juan Ramón hace obra
de orfebre, dotando al paisaje y la propia emoción de los
más delicados atributos. En los poemas de *Jardines* hay *temblor diamantino, colgar de esplendores, tristeza celeste, plata melancólica, dolida lumbre, melancolía violeta, dolientes
muselinas, ternezas de rosas blancas, triste esplendor de seda,
alma de luz de oro, noche de nieve y seda, sueño de rosa y plata, nocturno azul de seda, tarde violeta, sendas violetas, penumbras violetas, tarde de seda, tarde malva, tarde de largos
sueños violetas, cielo azul con oro.* Un único poema, el XVIII
de la segunda parte, con elementos aparentemente parnasianos: mármoles, estatuas y pórticos, es la artística descripción del Jardín de Museo, como se hace notar al pie. En este
caso el mármol está bellamente integrado con el paisaje,
como en la tercera y cuarta estrofa:

> Diana caza bajo el pórtico,
> hay una fuente que sueña,
> los pájaros nuevos, cantan
> sobre la clásica piedra...

> ...El sol de la tarde dora
> los rosales y las hierbas,
> los blancos pechos de mármol,
> los ojos ciegos...
>
> (P. L. P., 440)

Juan Ramón no se limita a describir lo bello, sino que crea
belleza, descubriéndola o intuyéndola donde es menos aparente y ajustándose a la realidad. En los poemas de *Jardines*
se nota una nueva certeza y precisión en el vocabulario poético; las imágenes son originales, espléndidas, las visiones
bellas se encadenan y superponen. Estas cualidades de la
poesía juanramoniana se pueden apreciar en el poema XXII

de la segunda parte de esta obra en el que se describe una fuente musgosa, sin agua, en un jardín abandonado. Juan Ramón embellece la fuente y el paisaje al describirlos a la caída de la tarde, cuando los suaves colores del sol poniente crean delicados tonos sobre el musgo y las plantas:

> La fuente, esta primavera,
> aunque está sin agua, llora.
>
> Pero tiene el sol poniente
> rosadas cristalerías
> que irisan mágicamente
> las llorosas elegías.
>
> (P. L. P., 448)

En la estrofa que le sigue a la citada, se prolonga la sensación de belleza, y se proyecta hacia el futuro al dirigirse el poeta al sol con la familiaridad y precisión del que, al dar una orden, tiene el convencimiento de que será obedecido:

> —Sol, yo quiero que tú dores
> cuando te vayas muriendo
> estos antiguos verdores
> que el llanto fue oscureciendo;
>
> y entre las sedas tranquilas
> del crepúsculo español,
> que huelan a abril las lilas
> desteñidas por ti, sol!
>
> *(Ibid.)*

Al encargo de embellecer la fuente se añade el de hacer olorosas las lilas; la suave reprimenda al sol por haber desteñido las lilas suena a copla popular. En los versos: «rosadas cristalerías / que irisan mágicamente / las llorosas elegías» se forja una serie encadenada de bellas visiones, sostenidas en los versos siguientes por las frases: *antiguos verdores* y *sedas tranquilas.* La suave descripción del «crepúsculo español» se ajusta a la visión real, tantas veces percibida, de un bello atardecer por tierras de España. El triste sentimiento del paisaje corresponde al del poeta:

> ...Y el dulce sol rosa y oro
> sueña sobre el musgo verde,
> y todo llora —y yo lloro—
> por ese sol que se pierde...
>
> *(Ibid.)*

pero es de notarse que en este caso los atributos del paisaje son análogos de por sí a sus sentimientos, se trata de un jardín desierto y abandonado. La progresión del sentimiento de abandono al de la muerte está mucho más lograda artísticamente en este poema que en otros anteriores: el tono nostálgico se convierte en pavoroso por medio de una brusca transición en la que el poeta abandona la descripción del paisaje para hablar de la muerte:

> El azul dorado vierte
> pesar... Y son blancos brazos
> que entreabren flores de muerte
> debajo de sus abrazos;
>
> almas de carnes sombrías
> que aún tienen dos bellos ojos,
> que enlutan las tumbas frías
> con sombra de sus cabellos;
>
> desesperación y llanto
> en mármoles sepulcrales...,
> algo que seca de espanto
> las rosas primaverales!
>
> (P. L. P., 448-449)

Contribuyen a la poética sensación de espanto la vaguedad y fragmentación de las imágenes que acusan el confuso estado de la psiquis: *blancos brazos, carnes sombrías, sombra de sus cabellos* no se refieren a ningún ente corpóreo definido; sin embargo, cuando el poeta vuelve a describir lo que se percibe en el plano físico, la visión vuelve a ser lógica y bien definida:

> Y esa baranda caída
> y esa pobre fuente seca
> y esa siniestra avenida
> por donde ya nadie peca
> bajo el árbol de la vida...
>
> (P. L. P., 449)

Otro inesperado recurso en *Jardines lejanos* es el apropiarse, a plena vista del lector, de los atributos del paisaje. Nótese, en los versos siguientes del mismo poema que hemos estado comentando, cómo el poeta le *quita* el oro al sol:

> ....
> el sol que dora el doliente
> jardín, como si quisiera
>
> eternizar su oro en calma
> sobre una piedra marchita,
> sin saber que existe un alma
> violeta que se lo quita...
>
> *(Ibid.)*

La relación artística entre poeta y paisaje es mucho más directa e íntima en *Jardines* que en *Arias*. En la familiar manera de la copla popular, el poeta se comunica, le habla al paisaje; y el poeta se apropia de sus atributos. Los siguientes son ejemplos de la artística *actuación* del paisaje: «El valle que las estrellas / nievan de luz en el cielo» (P. L. P.,

415); «¡Cuándo abrirá la mañana / sus rosadas alegrías!» (pág. 420); «Mira, el jardín teje plata / con seda de lilas» (pág. 427); «Si, de pronto, un sol de oro / a esta noche sorprendiera» (pág. 417); «yo haré que caiga la nieve / de la seda de tus hojas...» (pág. 457). A continuación el poeta se dirige al paisaje: «¿Qué tienes para el que llora / hora de azul y azucenas?» (pág. 431); le dice a la luna: «¿Se te murieron los lirios?» (pág. 441); y a la noche: «Noche, ¿y tu espada de plata?» (pág. 443); y al jardín: «Si el cielo negro te llueve, / ábrele tú rosas rojas» (pág. 457). Dirigiéndose a la vez a dos elementos del paisaje les increpa: «—Ciudad gris, eres un sueño... / Jardín, y tú un cuento blanco...» (página 444). En los versos siguientes el poeta se apropia, con una envidiable sencillez lírica, de los atributos del paisaje: «Sueña en mi pecho un dormido / parque de azules quimeras» (pág. 435); «hay corazones que sienten / el enredo de las rosas / de sus blancos floreceres» (pág. 437). Los mencionados aspectos de la relación artística entre el poeta y el paisaje aparecen juntos en la primera estrofa del poema XX de la tercera parte de *Jardines:*

> Otoño gris y amarillo!
> ay!, otoño de mi alma!,
> me vas mostrando tus tardes
> y yo no quiero mirarlas!
>
> (P. L. P., 504)

El paisaje actúa: «me vas mostrando tus tardes», y al mismo tiempo que el poeta se dirige a él en la frase popular: «ay!, otoño de mi alma!», se apropia de dicho paisaje, que pasa a ser de su alma.

Muchos de los recursos de *Jardines lejanos* han sido empleados ya en *Arias tristes:* Juan Ramón enumera, repite, acumula, sugiere con vaguedad e imprecisión; pero los re-

cursos inesperados abundan en la obra. En el poema VIII
de la tercera parte, una sencilla enumeración de plantas comunes es interrumpida, inesperadamente, por una enumeración de elementos poéticos que dan a la estrofa el tono lírico; subrayamos:

> Araucarias, magnolieros,
> tilos, chopos, lilas, plátanos,
> *ramas de humo, nieblas mustias,*
> aguas verdes, *plata, rasos...*
>
> (P. L. P., 483)

En otra parte del mismo poema, un adjetivo inesperado:
magos, introduce una nota de misterio en la sencilla descripción del gris de la tarde:

> .... Yo amo
> estos grises de las tardes,
> grises viejos, grises *magos*
> que entreabren el secreto
> de los parques y los campos.
>
> *(Ibid.)*

En otra estrofa, el adjetivo *ignorados*, también usado inesperadamente, tiene la misma función, introducir una nota de
misterio:

> y hay más verdes en las hierbas
> y más blancos en las manos,
> y amarillos y violetas
> y celestes *ignorados.*
>
> (P. L. P., 484)

Al mismo tiempo, los comunes verde y blanco adquieren calidad poética por el sencillo recurso de anteponerles el ad-
verbio *más:* «y hay más verdes en las hierbas». La introducción de elementos ajenos e inesperados en otra parte del

mismo poema convierten en dinámico lo estático. Nos referimos al verso «gnomos, sátiros, Ofelias» en las estrofas
que siguen:

> Todo muerto, todo en éxtasis,
> agua, helechos, musgo, lagos,
> las hojitas verdes, como
> corazones que han volado.
>
> Una trama de oros grises,
> un ensueño de hilos blancos,
> *gnomos, sátiros, Ofelias,*
> voces vagas, ojos trágicos..
>
> *(Ibid.)*

Las dedicatorias y las citas de los poemas de *Jardines lejanos* indican el influjo de autores extranjeros en la poesía
juanramoniana, además del influjo de la propia tradición literaria, la española; en las páginas de esta obra encontramos los nombres de Heine, Verlaine, Laforgue, Rodenbach
y Darío, Mendoza, Suero de Ribera, Carvajales, Espronceda,
citado tres veces; y Juan de Mena. Cualquiera que sea la influencia ajena, Juan Ramón la asimila y la españoliza. En
Jardines hay sabor a viejo romance y a copla popular, como
en el poema XVII de la segunda parte:

> —Me parece, jardinero,
> que ese alegre cornetín...
> —Dios nos guarde, caballero,
> el encanto del jardín.
>
> (P. L. P., 439)

o el poema XII de la tercera parte:

> ...Te pido con toda el alma
> que no vuelvas a matarme;
> ya sé que el amor en calma
> nunca tornará a encontrarme;

pero qué le hemos de hacer...,
nada cambiará en la vida;
tú serás una mujer
que me ha causado una herida...

(P. L. P., 491)

Ni exótico ni versallesco, ni griego ni pintoresco, el paisaje
de *Jardines* es el mismo que le sirvió a Juan Ramón para
cantar las tristezas de *Arias*, y si el paisaje se vuelve galante
es porque el poeta lo engalana. En estos poemas el piano
suena menos y los violines y bandolines suenan más, así como
el acordeón, el armonio, la guitarra y la flauta. Las mujeres
en los cantos de amor son las mismas: la amada pura, como
las monjas del sanatorio del Rosario o la blanca novia de la
adolescencia, y la amada bella y fina, pero impura, como la
Francina de Francia. El metro es español: el verso de ocho
sílabas, con excepción de los cuatro poemas ya mencionados,
algunos de ellos sobre Francina, en verso de diez sílabas.

Una prueba más de que Juan Ramón necesita de realidades para alimentar su inspiración es el hecho de que ninguna
de las heroínas de *Jardines lejanos* tiene semejanza alguna
con una mujer desconocida que irrumpe en la vida juanramoniana para esa fecha, una supuesta admiradora del Perú,
Georgina Hübner, a quien el poeta quiso dedicarle el libro;
pero ella no consintió. Georgina apareció en la vida de Juan
Ramón en mayo 6 de 1904, día en que recibió y contestó una
carta fechada en Lima el 8 de marzo de 1904, en la que la
corresponsal de ese nombre le decía al poeta que se había
enterado por el bisemanario español *ABC* de la publicación
de *Arias tristes*, libro que no había podido conseguir en su
país, y le suplicaba que tuviera la bondad de enviárselo, ex-
cusándose por la molestia que ello le ocasionara y por la im-
posibilidad de mandarle el importe de tres pesetas que cos-

taba el ejemplar, ya que no había giro por esa cantidad [2]. Juan Ramón hizo el envío, acompañándolo de una gentil y breve carta sin saludo, seguramente porque ignoraba si se trataba de una señora o señorita. Se dirigía, sencillamente, «A Georgina Hübner, en Lima» en estos términos: «he recibido esta mañana su carta, tan bella para mí, y me apresuro a enviarle mi libro 'Arias tristes', sintiendo sólo que mis versos no han de llegar a lo que usted habrá pensado de ellos» [3]. Le ofrecía mandarle, con el mayor placer, si ella le mantenía al corriente de su dirección, los libros que fuera publicando, dándole al despedirse gracias por su fineza. La corresponsal respondió el 23 de junio, en un tono halagador e insinuante. Hacía alarde de un tardío bochorno por haberse atrevido a hacer el pedido y mencionaba sus veinte años como excusa de su atrevimiento, subterfugio eficaz para informar al poeta de que se trataba de una mujer de casi su misma edad. Sus frases eran sugerentes: «Después de haber mandado al correo la carta para U. pidiéndole su libro 'Arias tristes', hubiera querido retirarla, destruirla. ¿Por-qué? Le diré; supuse que el paso que daba no era mui propio, no era mui correcto. Sin conocer a U., sin haberlo visto siquiera, le escribía, le hablaba [*sic*]; / Cuando como yo, se tiene 20 años, se piensa pronto y se sufre mucho!». Se trataba de una señorita

---

[2] Esta carta y otras dos de Georgina Hübner, donadas por J. R. a la «Sala Z. y J. R. J.» de la Universidad de Puerto Rico, fueron reproducidas por Ricardo Gullón en su artículo «Cartas de Georgina Hübner a Juan Ramón Jiménez», *Ínsula*, año XV, núm. 160, marzo 1960, pág. 1. La primera carta de Georgina aparece en este artículo con la fecha «8 de mayo de 1904»; pero en la reproducción del autógrafo de la respuesta de J. R. a esta carta de Georgina, también en dicho artículo, dice: «La carta de usted es del día 8 de marzo; ...».

[3] El facsímile de la carta de J. R. aparece en el artículo de Gullón en *Ínsula* por cortesía de Antonio Oliver, que se ocupó del asunto J. R. J.-Georgina Hübner en su tesis de doctorado sobre «José Gálvez y el modernismo». La carta está incluida en *J. R. J., Cartas*, pág. 66.

bien de a principios del siglo xx; el párrafo siguiente era
un dechado de propiedad: «Mas felizmente todos mis desa-
sosiegos se han calmado, todas mis dudas han desaparecido,
al recibir su atenta carta y su hermoso libro». Celebraba con
verdadero sentimiento los versos del poeta: «Sus versos llenos de tristeza hablan al corazón y al cadencioso vibrar de
las notas melancólicas de Schubert, recordaré esas estrofas
en las que vaga el perfume delicado y suave del alma de su
autor».

Para una persona poco segura de la ortografía, la corresponsal demostraba poseer desproporcionados recursos de estilo, sus juicios acusaban una intuición crítica más propia
de un literato que de una simple lectora: «Si le dijese a U.
que una parte de su libro me gustaba más que la otra, men-
tiría. Cada una tiene su encanto, su nota gris, su lágrima y su
sombra». Georgina se despedía «amiga y admiradora», preparando el camino para continuar la correspondencia, ya que
le enviaba al poeta unas vistas que éste, por fuerza, tendría
que agradecerle.

La correspondencia entre Georgina Hübner y Juan Ramón duró meses. Ramiro W. Mata, uno de los comentaristas
posteriores del suceso, que debe haber conocido las cartas
del poeta a la peruana, porque citó de ellas, se refiere a una
carta de Juan Ramón de diciembre de 1904 y dice que el co-
fre de Georgina guardaba «unas treinta cartas del poeta»[4].
El mismo Juan Ramón declaró posteriormente que las cartas
de Georgina a él eran «varias» y que las tenía a la disposición de la autora[5]. Se conocen tres cartas de Georgina: la

---

[4] Ramiro W. Mata, *La Generación del 98*, Ediciones Liceo, Uruguay,
1947, pág. 217. Cuando la información proceda de esta obra daremos el
apellido del autor y la página.

[5] En «Una entrevista con Juan Ramón Jiménez», por Juan Bertoli
Rangel, *La Prensa*, Nueva York, domingo 1 de febrero de 1953. Esta

que inició la correspondencia y la segunda, que la continuó, ya comentadas. La tercera carta, cuya fecha se ignora, revela a la corresponsal como una mujer comprensiva, romántica, sensitiva, capaz de despertar la admiración y el amor del poeta; sus palabras oscilaban entre el apasionamiento y la discreción, en un sagaz juego femenino destinado a mantener vivo el interés del poeta. Le contaba de una enfermedad que la tuvo varias semanas en cama; pero, pese a su gravedad, la fina Georgina había notado la delicadeza de proceder de sus parientes: «¡Cuántos días de fiebre he devorado! Veía, como en sueños, a mis parientes, pasar por mi cuarto, despacio, muy quedo, con temor de hacer ruido y contemplaba asustada y nerviosa las caras graves y secas de los médicos que me curaron.

»Después, ya convalesciente, en el Barranco, salía en las mañanas, a mirar el mar y a oir la música que hace la brisa entre las flores».

En su enfermedad, Georgina confesaba haber pensado mucho en Juan Ramón: «Cuando fui a La Punta, solitaria y melancólica, a la puesta del sol, con un libro entre las manos, cuanto he pensado en U. amigo mío». Los versos del poeta le habían servido de *compañía* y de *consuelo:* «Un primo mio me llevó 'Ninfeas' y con el he sentido mucho. Sus versos suaves y dulces, me sirvieron de compañia y de consuelo». Juan Ramón, enamorado, sintió celos del primo: «Pero, ¿usted tiene un primo?; hasta ahora no me lo había dicho, Georgina?» (Mata, 217). Ya se atrevía a reprocharle, antes se había dirigido a ella con cumplidos, como se puede apreciar del contenido de la tercera carta que comentamos, en la que le dice Georgina: «Me pregunta U. si me he enojado porque me

---

entrevista se publicó de nuevo en *El Día* de Ponce, Puerto Rico, sábado 3 de noviembre de 1956. J. R. contestó por escrito a las preguntas de Rangel.

pide mi retrato? No!, no me crea tan pequeña de espíritu. Espere, ya irá; pero antes justo es que me mande U. el suyo». Alimentando las esperanzas del poeta, la corresponsal le mantiene al corriente de su dirección y le insta con coquetería a que le siga escribiendo: «Le comunico ... que mi nueva dirección es: Amargura, N.º 275, principal...

»Espero que me siga U. escribiendo. Son tan raras cartas tan hermosas como las suyas! Ahora que estoy convalesciente me hacen el efecto de un vino suave y generoso.

»No se olvide de su amiga y escriba más largo: Georgina».

Georgina era la mujer diferente que siempre llamó la atención del poeta, desde su infancia. No es de extrañar que éste quisiera conocerla. Mata dice que en una de sus cartas pide Juan Ramón que Georgina realice un viaje hasta España (Mata, 217) y cita un párrafo de otra carta del poeta que indica su intención de ir a conocerla personalmente. Las palabras de Juan Ramón implican que Georgina corresponde a su pasión: «¿Para qué esperar más? Tomaré el primer barco, el más rápido, el que me lleva [*sic*] a su lado. No me escriba más. Me lo dirá usted personalmente, sentados los dos, frente al mar, o entre el aroma de su jardín con pájaros y luna» (Mata, 218).

El viaje y el idilio quedaron en nada, mejor sería decir quedaron tronchados, porque a Juan Ramón se le comunicó por medio del cónsul del Perú en España que Georgina había muerto. Mata cita el cable: «Georgina Hübner ha muerto. Rogámosle comunicar la noticia a Juan Ramón Jiménez. Nuestro pésame» (Mata, 218). Pese a la carencia de datos por parte de este escritor, que en ningún momento señala la procedencia de tal información, no cabe duda que Juan Ramón recibió un cable con estas noticias, redactado en estos términos. Él mismo se refirió a este asunto por escrito: «Yo me interesé en Georgina y le escribí que pensaba ir a Lima para conocerla personalmente. Después de varias cartas, en las que me decía que estaba enferma, no volvió a escribirme. Yo pedí entonces al cónsul del Perú en Sevilla que me averiguase el paradero de Georgina. Meses después el cónsul me contestó dándome la noticia de su muerte»[6]. Más importante que esta declaración *a posteriori* es el poema titulado «Carta a Georgina Hübner en el cielo de Lima», en el que Juan Ramón, a base de su correspondencia con la peruana, rememora el idilio y se duele de su muerte. El primer verso del poema se refiere al cable del cónsul:

> El cónsul del Perú me lo dice: «Georgina
> Hübner ha muerto...»
> ¡Has muerto! ¿Por qué?, ¿cómo?, ¿qué día?

Se da por hecho que este poema es de la misma época de la correspondencia con Georgina, es decir, de 1904 ó 1905, suponiendo que Juan Ramón se enteró de su muerte para esa fecha; sin embargo, en estilo y en contenido el poema se aparta de los rasgos característicos de la obra juanramoniana de esa época; pero tiene mucho en común con la obra posterior y con los poemas de *Laberinto* y de *Melancolía*, de 1911-1912. Es de notarse que el poema a Georgina apareció en *Laberinto*. Lo comentaremos al referirnos a dicha obra. De no haber sido por la publicación del poema, el idilio con Georgina Hübner no hubiera pasado a ser causa célebre; pero el poema se avenía a la correspondencia con tal exactitud que salió a relucir que las cartas de la peruana habían sido producto de la imaginación de unos escritores de su país, entre ellos José Gálvez Barrenechea y Carlos Rodríguez Hübner, con la ayuda de la prima de éste, Georgina Hübner, que

6 *Ibid.*

consintió en prestar su nombre para conseguir el deseado *Arias tristes*. Al recibirlo con la promesa del envío de los otros libros que el poeta fuera publicando, los admiradores americanos continuaron la superchería, dándole a las cartas el calculado tono sentimental para mantener vivo el interés del poeta. Al expresar Juan Ramón su deseo de ir a Lima a conocer a Georgina personalmente, la del nombre, «llamó a capítulo» a los causantes, que no sabiendo como salir del doble apuro, acabaron haciendo creer que Georgina había muerto [7].

Pese a lo mucho que se ha escrito sobre el asunto y al crédito que se le ha dado a las declaraciones del escritor Enrique Labrador Ruiz, que a su vez pretende aclarar el asunto reproduciendo declaraciones de José Gálvez, principal perpetrador del hecho, el asunto no está esclarecido del todo. Dice Gálvez: «Yo, poseedor por entonces de letra de tipo delicado, me encargué de la grafía y escribí, con la colaboración de Rodríguez, la primera misiva. Tuvimos suerte, pues a vuelta de correo recibimos un volumen de poemas. Continuó la correspondencia. Juan Ramón parecía estar enamorándose de su corresponsal limeño y anunció venir». Es de notarse la omisión en este relato del papel de Georgina, del apasionado carácter de sus cartas, evidente en las pocas que se conocen. Las cartas demuestran una psicología evidentemente femenina. La declaración de Gálvez es testimonio de la participación directa de Georgina en la superchería, y se entiende que en su mayor edad los responsables quisieran protegerla de cualquier malentendido que pudiera ocasionarle esta

---

[7] Ver Enrique Labrador Ruiz, «Juan Ramón Jiménez, Georgina Hübner y Don Pepe Gálvez», *Atenea*, Chile, año CXXVI, núm. 373, noviembre-diciembre 1956, págs. 333-338. Las citas que siguen, atribuidas a Gálvez, proceden de este artículo.

inocente maldad de su juventud. Dice Gálvez, refiriéndose al
aprieto en que todos se vieron cuando Juan Ramón anunció
viaje a Lima: «En esta situación Georgina Hübner —que dicho en su honor no quería continuar la broma— nos llamó a
capítulo». La participación directa de Georgina está también
implícita en la siguiente declaración de Gálvez: «Ya había
declinado la dedicatoria del libro *Jardines lejanos* y hasta
ahora (1956) conserva un ejemplar con la aljamiada escritura del poeta: 'A Georgina, este libro que debió ser todo para
ella'». En este punto los recuerdos de Gálvez andan mezclados, ya que para la fecha de *Jardines* la escritura de Juan
Ramón era sencilla, como lo demuestra el autógrafo de su
primera carta a Georgina, publicado en *Ínsula*.

Según aumentó la fama de Juan Ramón, aumentó el número de los que reclamaban la paternidad del idilio con
Georgina Hübner; pero ha quedado establecido que José
Gálvez fue el principal promotor, aunque otros admiradores
juanramonianos, incluyendo otras mujeres que Georgina, tuvieran alguna pequeña participación en el hecho. La admiración de Gálvez por Juan Ramón consta en su obra temprana.
Seguidor de Darío y Villaespesa, Gálvez logró su tono mejor
a la manera de *Arias tristes* y *Jardines lejanos*, obviamente
influido por la lectura de estas obras. Siendo alumno univer-
sitario, fue premiado en los Juegos Florales de Lima; en 1910
se publicó en París su primer libro, titulado *Bajo la luna*.
Entre los poemas de éste, el muy celebrado «Sonatina», de
1907, es del mismo tono suave y melancólico de la poesía
juanramoniana de 1903-1904 y, al mismo tiempo, conserva su
tono personal. La primera estrofa pudiera ser de Juan
Ramón:

> Dulzura y paz.
> En la calma
> de la aldea va la luna,

> suave y tranquila como una
> consoladora del alma [8].

Pero Gálvez no es un mero imitador, el paisaje es el propio: un desolado paisaje de mar, sin las flores ni las fuentes del de Juan Ramón:

> Todo reposa y se duerme;
> el mar con su mansedumbre,
> me va dando la costumbre
> de soñar y entristecerme.
>
> Ni un árbol, la tierra triste
> no da flores, ni hay la fuente
> murmuradora y doliente
> que de ensueño nos reviste.

La música también es propia, la triste quena peruana:

> A veces en lo lejano
> con son amargo la quena
> me hace recordar con pena
> la aristocracia de un piano.

Es de dudarse que el autor de versos tan exquisitos, de tono tan cultivado, pudiera haber escrito sólo tres años antes una carta de ortografía deficiente; pero se duda poco que él haya sido el autor de los juicios críticos y las cultivadas expresiones que a veces salen a relucir en las cartas de Georgina. Gálvez llegó a ser catedrático de Literatura Antigua de la Facultad de Letras de la Universidad de San Marcos de Lima y fue autor de varios libros de prosa; cultivó la poesía civil, considerada inferior a su poesía personal íntima. Hoy se con-

---

[8] Este poema está incluido en varias antologías de la poesía hispanoamericana, entre ellas la de Federico de Onís, la de Julio Caillet Bois y la de Ginés de Albareda y Francisco Garfias.

sidera el poeta más representativo de la generación limeña
de 1910; sin duda, fue el primer discípulo preclaro de Juan
Ramón en América.

La poesía de Juan Ramón apareció en América en 1903, en
El Cojo Ilustrado, que publicó tres poemas de *Rimas* [9]. Una
publicación de Buenos Aires, titulada *España*, parece haber
recogido en septiembre de 1903 una obra del poeta, «Los locos», que salió en *A B C*, de Madrid, el 30 de junio de ese
año; pero de anteriores publicaciones en América no se
tienen más noticias, pese a que Juan Ramón sostenía que Villaespesa vendió gran parte de la edición de *Ninfeas* y *Almas
de violeta* a un librero hispanoamericano. Gálvez y Georgina
Hübner conocían *Ninfeas*, libro que mencionan en su carta.

Hacia 1904, fecha en que apareció *Jardines lejanos*, Juan
Ramón había publicado en *Relieves*, *Electra*, *Madrid Cómico*,
A B C, *Blanco y Negro*, *El País* y *Alma Española* de Madrid,
además de *Helios*. La aparición del nuevo libro fue celebrada,
como de costumbre, por el grupo modernista. Gregorio Martínez Sierra, en esa fecha el mejor amigo de Juan Ramón después de sus médicos, escribió una reseña perspicaz que se
publicó en *La Época*, de Madrid, en 1905. Le parecía escuchar
en los versos de *Jardines* «un son sutil de casi femenina per-
versidad»; no le parecía el alma del poeta compasiva para
las otras almas, el llanto pedía llanto, era como si los versos
dijeran: «soy como un Príncipe que ama su tristeza soberanamente; y de este orgullo mío... de este orgullo de mi dolor
no queráis curarme, porque es el consuelo y la defensa de
mi vida» [10].

---

[9] «Primavera y sentimiento», «Me he asomado por la verja...», y
«Esta noche hallé en mi sueño...», año XII, núm. 265, 1.º de enero de
1903, pág. 13.

[10] Ver Gullón, *Relaciones amistosas y literarias entre J. R. J. y los
M. S.*, pág. 119.

Conocedor de los lugares en que Juan Ramón vivía y escribía, Martínez Sierra aseguraba que los jardines no eran de ensueño, aunque el ensueño viviera en sus avenidas y bajo sus fuentes: «son jardines reales, jardines de España, y por eso los versos románticos que dicen de ellos tienen una emoción humana» *(ibid.,* 120). Opinaba que el poeta de *Jardines* añoraba no un amor, sino el amor, y no el amor que habían de tenerle, sino el que deseaba sentir: «yo bien creo —decía— que este corazón nunca ha de dolerse de que no le amen, y creo que padece el mal de no amar, espanto de Teresa de Jesús, el alma poeta maestra de amor» *(ibid.).* Martínez Sierra concluía celebrando la sencillez sabia que el poeta lograba cada vez más para sus rimas.

Compleja emoción de amor la de los poemas de *Jardines lejanos* y sabia sencillez poética. No la había mejor en la poesía modernista de esa época.

CAPÍTULO X

LOS INSTITUCIONISTAS, LA INSTITUCIÓN LIBRE DE ENSEÑANZA Y LA ALDEA: *PASTORALES*

Don Luis Simarro me trataba como a un hijo. Me llevaba a ver personas agradables y venerables, Giner, Sala, Sorolla, Cossío; me llevaba libros, me leía a Voltaire, a Nietzsche, a Kant, a Wundt, a Spinoza, a Carducci.

¡No sé las veces que alejó de mi alrededor, dándome voluntad y alegría, la muerte imajinaria!

Más tarde, muerta su mujer, la bella y buena Mercedes Roca, me invitó a pasar un año en su casa[1].

Mercedes Roca murió el 11 de agosto de 1903. En el otoño de ese año, por voluntad del viudo Luis Simarro, Juan Ramón Jiménez, paciente favorito, y Nicolás Achúcarro, discípulo preclaro, fueron a compartir su vivienda y su soledad.

Comentando la amistad del médico Simarro con su paciente poeta, Ramón Gómez de la Serna describió a los Simarro como «tipos magníficos y románticos, sobre los que había revoloteado el gran ángel del arte, del amor y de la

---

1 J. R. J., «Simarro», *Colina*, pág. 173.

desgracia»[2]. Según el autor de las greguerías, Ramón Simarro, padre del médico y «pintor inspirado», conoció en Roma
a la poetisa Cecilia Lacabra, se casaron, tuvieron un hijo,
Luis, a quien dejaron doblemente huérfano el día que el padre murió de una tisis galopante y la madre, de pena, se sui-
cidó tirándose por una ventana (pág. 1506). Luis Simarro
tenía entonces cuatro años; cuando se hizo hombre, mandó
hacer «unas bellas y sencillas lápidas» y las hizo colocar en
las tumbas de sus padres. A Juan Ramón le admiraba su cariño por los padres desconocidos, de los que el médico solía
hablar «largamente». «Al hablar de la madre —decía Juan
Ramón— la voz se le empaña, la voz sonora hecha a las di-
sertaciones científicas, frías y graves»[3].

Simarro era un destacado hombre de ciencia, al tanto de
las teorías más modernas relacionadas con la psicopatía.
Estudió en París con científicos ilustres, entre ellos con el famoso autor de *Leçons sur les maladies du système nerveux*
(1873), Jean Martin Charcot, que ejerció gran influencia en
el desarrollo de la neurología y cuya obra representó un marcado avance en el conocimiento y distinción de las enferme-
dades nerviosas. Simarro, a los cincuenta y pico, cuando pasó
a ser médico, amigo y maestro de Juan Ramón (entre 1902
y 1905), se distinguía por su labor científica y docente. Más
tarde se distinguiría por sus simpatías hacia el partido socialista y las clases obreras y su antipatía hacia los clericales
y los católicos fanáticos. Su activa participación en la defensa de Francisco Ferrer, un reo político sectario condenado a
muerte y ejecutado en 1909, consta en un libro de más de
seiscientas páginas titulado *El proceso Ferrer y la opinión*

[2] «Juan Ramón Jiménez», *Retratos contemporáneos. Obras completas*, II, pág. 1505. La información que sigue es de la misma fuente. Se
indica la página.
[3] «Los padres desconocidos», *Primeras prosas*, pág. 386.

europea [4]. Un comentarista del proceso y del libro de Simarro dijo que éste debía tener un sentido crítico muy elevado y un juicio discriminador [5].

Las actividades de Simarro en los años en que influyó en Juan Ramón tenían mucho que ver con la Institución Libre de Enseñanza. El médico era un viejo institucionista, buen amigo de don Francisco Giner y de las otras grandes figuras de la Institución. Donó fondos para establecer los laboratorios de física y química, colaboró en el *Boletín*, órgano oficial de la Institución, y figuró en el cuadro de profesores de ciencias fisiológicas. Cuando Juan Ramón empezó a frecuentar la Institución con Luis Simarro en 1902, poco después de su llegada a Madrid, ésta llevaba más de un cuarto de siglo de existencia.

---

[4] Impreso por El Socialista, Espíritu Santo, 18, Madrid, 1910. Francisco Ferrer Guardia (1859-1909) gozó fama de anarquista y de maestro. En su tiempo hubo quien le considerara un diseminador de irreligión, quizás por haber establecido una Escuela Moderna en Barcelona cuya educación era nacionalista y agnóstica. Enjuiciado por los sangrientos sucesos de la «Semana Trágica», Ferrer fue condenado a muerte sin suficiente evidencia; el proceso y la sentencia, que se cumplió, causó gran protesta en el extranjero. El hecho apasionó y dividió a los más destacados intelectuales españoles de la época. (Véase: José Ortega y Gasset, «Sencillas reflexiones», *Obras completas*, vol. X, Revista de Occidente, Madrid, 1969, pág. 169; Josep Benet, *Maragall y la Semana Trágica*, Península, Barcelona, 1966; *Unamuno y Maragall. Epistolario y escritos complementarios*, Edimar, Barcelona, 1951.) Sobre Ferrer y el proceso existe una amplia bibliografía; algunos comentaristas del caso le llaman un mártir, y otros, un precursor del bolchevismo. El estudio de 1962 de Sol Ferrer *La vie et l'oeuvre de Francisco Ferrer, un martyr au XXᵉ siècle* (Préf. de Charles Auguste Bonteps, avec un portrait original par Aline Aurouet. Librairie Fischbacher, París), derivado de una tesis escrita en París en 1959, contiene un análisis crítico de las obras principales consagradas a Ferrer.

[5] Jaime Angulo, «The 'trial' of Ferrer, a clerical-judicial murder... A review of the Ferrer 'trial' based on professor L. Simarro's *The trial of Ferrer and European opinion*», New York City, 1920, pág. 4.

En un número del *Boletín* de 1904 decían los institucionistas: «no ha habido reforma contemporánea de alguna trascendencia en el sistema de nuestra educación pública y privada que no proceda de los mismos principios en que la Institución se inspira, muchos de los cuales ya hoy nadie discute» [6]. No exageraban. La Institución anticipó en España todas las corrientes de la modernidad y contribuyó a la formación mental y moral de muchas grandes figuras del siglo. El mayor interés de sus fundadores, los krausistas, fue la reforma de la educación nacional y en ese empeño influyeron en todos los niveles de la enseñanza.

La Institución Libre de Enseñanza comenzó como un centro de estudios universitarios, a los que se unieron los de segunda enseñanza; más tarde se creó una escuela primaria. El propósito de esta organización era formar hombres capaces de dirigirse en la vida y de ocupar digna y útilmente el puesto que les estuviera reservado. Francisco Giner de los Ríos y Manuel Bartolomé Cossío fueron los dos grandes artífices de esta labor. «Yo no iba nunca a la Institución que no saliera con un mundo lleno de cosas», diría después Juan Ramón recordando a los grandes maestros. Don Francisco le parecía todo luz y llama, *bueno, buenísimo* por gusto, lleno de *pensativo y alerta sentimiento,* capaz de ser *hombre como cada hombre,* es decir, de identificarse con él, entonces joven y enfermo. «Taló, besó, achicharró, murió, lloró, rió, resucitó con cada persona y con cada cosa», escribiría después Juan Ramón recordando al admirado don Francisco [7]. Celebraba su carencia de egoísmo, se daba a todos «abundantemente», decía Juan Ramón, y le recordaba coqueto, queriendo conquistar a todo el que con él hablaba; adivino y mago, viendo

---

[6] Núm. 533, año XXVIII, Madrid, 31 de agosto de 1904, pág. 250.
[7] J. R. J., «Francisco Giner (1915)», *Españoles de tres mundos.*

«la chispa del espíritu de cada persona» y encendiéndola con su enorme personalidad. Si don Francisco le encontraba silencioso y olvidado en su presencia, don Francisco se le acercaba y le decía lo que estaba pensando, «por lejano que ello fuere»; su andalucismo era sutil, decía Juan Ramón, Giner era puro no por inocencia, sino «por conquista, por vencimiento»[8]. Juan Ramón le observaba todos sus gestos y encontraba en su proceder justificación para su propio anticlericalismo. Andando una vez con Giner y Simarro por el Paseo del Cisne, se encontraron con unos frailes «vulgares, obesos» que dejaron al pasar «un olor a tabaco, a cocina y a ropa sucia». Con un gesto que a Juan Ramón le pareció inolvidable, oyó decir a don Francisco: «—Ahí tenéis los que han de salvar a España!»[9].

Para esa fecha, desencantado con la actuación de los curas del sanatorio del Rosario, Juan Ramón andaba desorientado en materias de religión. A la muerte de la esposa de Simarro, una mujer buena y cariñosa que había sido su consuelo desde los primeros días de su estancia en el sanatorio, el poeta se preguntaba: «¿Rezar? ¿Para qué? ¿Sirven de algo mis rezos?»[10]. Sus amistades íntimas habían notado su escepticismo; María Martínez Sierra, que para entonces siempre ponía en sus cartas la señal de la cruz y el JHS, en una de 1905 le llamaba un *herejote*, que había dejado de creer en los ángeles después de haber querido tanto a la Virgen María[11]. En otra ocasión le comunicaba que le había incluido en sus intenciones al comulgar en la misa de media noche, y le decía burlona: «y le pedí al Niño Jesús, cosas que no le

[8] «D. Francisco». Inédito. En los archivos de J. R. J. en España.
[9] Fragmento sin título. Inédito. En los archivos de J. R. J. en España.
[10] «Diario íntimo». Inédito.
[11] «Cartas de María Martínez Sierra», *Relaciones amistosas y literarias entre J. R. J. y los M. S.*, núm. 5, pág. 75.

digo, porque no son de la cuerda de V.: dispénseme por haberme atrevido, sin su autorización, a disponer un poco de su alma, más allá de la vida y de la muerte» [12].

Acordándose de esa época, Juan Ramón declararía después que su escepticismo no provenía de su contacto con los institucionistas: «Giner era cristiano; sobre eso no hay duda, pues yo mismo se lo oí decir» [13], o diría: «en la Institución no se imponía una religión determinada» [14]. Pero se sabe que «en el krausismo aparece por primera vez en España la nota de angustia del propio yo ante el mundo, la inquietud de vago tipo religioso, que, aliada con el pesimismo aprendido de Schopenhauer, iba a ser uno de los rasgos fundamentales de los escritores de fin de siglo» [15]. La angustia y la inquietud de vago tipo religioso estaban presentes en la primera poesía juanramoniana, escrita antes de 1900, y se acentuaron con las lecturas bajo el tutelaje de Simarro y con el desencanto con los curas del sanatorio del Rosario en la vulnerable época de su depresión nerviosa. Anticlerical desde entonces, Juan Ramón exoneró a la Institución de influencia directa en este particular, declarando a los institucionistas «conservadores», «poco amigos de novedades» que en literatura alemana no habían pasado de Goethe; creía que Nietzsche no les parecía bastante serio [16].

La lista de libros recibidos por la Institución, publicada mensualmente en el *Boletín*, apoya el posterior juicio juanramoniano. Los libros, en francés, alemán e inglés, versan sobre ciencias y artes en general, sobre lenguas y cómo apren-

[12] *Ibid.*, núm. 10, pág. 85.
[13] Gullón, *Conversaciones*, pág. 58.
[14] J. R. J., *El Modernismo*, pág. 187.
[15] Ángel del Río y M. J. Benardete, Introducción a *El concepto contemporáneo de España*. Antología de ensayos (1895-1931), Editorial Losada, Buenos Aires, 1946, pág. 19.
[16] Ver Gullón, *Conversaciones*, pág. 78.

derlas. La mayor parte de los libros en alemán son de peda-
gogía. Juan Ramón notaría después que en la Institución
«había menos libros que en casa de Simarro» *(ibid.)*. Él se
sirvió de los libros de éste desde su estancia en el sanatorio
del Rosario y Simarro y Achúcarro le sirvieron de guía en
sus lecturas. Achúcarro había vivido en Alemania, donde hizo
parte del bachillerato y algunos estudios médicos, y conocía
a fondo la literatura alemana, además de ser un ávido lector
de obras extranjeras. Aun antes de vivir juntos en casa de
Simarro, Juan Ramón frecuentaba su trato, porque Achúcarro se movía en la órbita de sus médicos, trabajando y reci-
biendo de ellos enseñanza clínica. Achúcarro y Simarro le
mantenían al corriente de las nuevas ideas científicas y filo-
sóficas que quizás en aquella época no entendiera del todo,
pero que más tarde le sirvieron para precisar sus creencias
y sus teorías literarias, en particular las del modernismo.
Viviendo con Simarro y por mediación de Achúcarro, Juan
Ramón leyó a Nietzsche y leyó el libro del teólogo francés
Alfred Firmin Loisy *L'Évangile et l'église*, que apareció en
noviembre de 1902 y fue seguido por una segunda edición aumentada. Esta obra crítico-histórica promovió mucho interés
de parte del público lector y una gran oposición de parte del
clero [17]. Loisy consideraba esencial el contenido vivo del

---

[17] En su vejez, con la necesaria perspectiva histórica para revalo-
rar el Modernismo, J. R. consideraba esta obra de Loisy como una
prueba más de que este movimiento había correspondido a una crisis
del espíritu que se había manifestado en religión tanto como en literatura. J. R. recordaba vivamente la lectura del libro de Loisy y se
refería a menudo a esta obra en sus cursos sobre «El Modernismo»
en la Universidad de Maryland, entre 1948-1950, y en la Universidad de
Puerto Rico en 1953, haciendo hincapié en el carácter modernista teo-
lógico de sus ideas. En *El Modernismo (Notas de un curso)* se pueden
comprobar estas referencias en las págs. 52, 53, 223 y 251; en el libro
de Gullón *Conversaciones*, J. R. vuelve a referirse al «modernismo»
de Loisy en las págs. 50 y 113.

Evangelio, las enseñanzas auténticas de Jesús, las ideas por las que luchó y murió, y proponía que la adaptación del Evangelio a la cambiante condición humana era, en su día, más necesaria que nunca.

En casa de Simarro, Juan Ramón leyó también a los grandes poetas ingleses: Shelley, Browning, Shakespeare. La mayor parte de sus lecturas de autores extranjeros era en francés, ya fuera en el original o en traducciones. Para entonces estudiaba el alemán y el inglés, con la ayuda de los libros de la Institución para aprender lenguas, y ampliaba su cultura en muchas direcciones asistiendo con Simarro o sin él a las funciones que allí se daban: conferencias, conciertos, veladas, comidas, tés, exposiciones y excursiones. Allí se cultivaba el intelecto en lo hondo, en las comidas se discutía a Kant y a Goethe, en los tés hablaban Giner y Cossío. De éste diría después Juan Ramón: «Hablando él, un jardín se mueve al viento, la tierra olea bajo nosotros, como un mar sólido, y somos todos marineros del entusiasmo» [18]; y recordando las exposiciones y excursiones, al mismo tiempo que el elemento popular del modernismo español, se quejaría: «Tampoco se asomó Rubén Darío a la *Institución Libre de Enseñanza*, donde se fraguó, antes que con la jeneración del 98, la unión entre lo popular y lo aristocrático: lo aristocrático de intemperie, no se olvide. Manuel Bartolomé Cossío estudiaba con exaltación a El Greco, cuya importancia capital ya señaló Bécquer, de pasada, con su esquisita clarividencia. La Institución fue el verdadero hogar de esa fina superioridad intelectual y espiritual que yo promulgo: poca necesidad material y mucha ideal» [19].

De la Institución derivó Juan Ramón un moderno concepto del ascetismo, que nada tenía que ver con regiones geo-

---

[18] «Manuel B. Cossío (1915)», *Españoles de tres mundos*, pág. 130.
[19] «El Modernismo poético ...», *El trabajo gustoso*, pág. 225.

gráficas sino con características nacionales: era necesario ser un aristócrata en su propia tierra. Después definiría: «Aristocracia, a mi modo de ver, es el estado del hombre en que se unen —unión suma— un cultivo profundo del ser interior y un convencimiento de la sencillez natural del vivir: idealidad y economía. El hombre más aristócrata será, pues, el que necesite menos esteriormente, sin descuidar lo necesario, y más, sin ansiar lo superfluo, en su espíritu»[20].

A los veintidós años Juan Ramón practicaba la sencillez natural del vivir. Durante su estancia con Simarro, a principios y en la primavera de 1904, se aisló casi, dependiendo del médico amigo que salía poco porque andaba achacoso y entristecido por la muerte de su mujer. La constante presencia de Simarro tranquilizaba al joven poeta, preocupado todavía con la idea de la posible muerte repentina. Sin duda a instancias del médico, y respondiendo a sus solícitos cuidados, Juan Ramón consintió en ir a pasar a Moguer el verano de 1904. *Pastorales*, su sexto libro de versos, recoge toda la emoción y la alegría de su regreso al pueblo.

Con *Pastorales* Juan Ramón inicia la costumbre poética de almacenar la obra, sin preocuparse por su publicación. Los versos que forman parte de esta colección, inspirados por el campo de Guadarrama y el de Moguer y fechados en 1905, no vieron la luz hasta 1911.

El tono de *Pastorales* es bucólico, como conviene al paisaje; pero los poemas tienen bastante en común con los de *Arias tristes* y *Jardines lejanos*. Juan Ramón sigue cultivando el verso octosílabo e insiste en la modalidad métrica de separar el verso, lo que ya había hecho en *Rimas*, dejando que una parte pase a otra línea y cabalgue sobre el verso si-

---

[20] «Aristocracia y democracia», *El trabajo gustoso*, pág. 60.

guiente [21], como en la estrofa a continuación, del poema VI de la segunda parte:

> Todo era sed; todo era
> fiebre y frío...
>   La campana
> del pueblo llamaba entonces
> a misa de madrugada.
>
> (P. L. P., 591)

Verdadera novedad métrica en *Pastorales* es la de dejar el verso con una frase o un vocablo incompleto, como en las estrofas a continuación; la primera, del poema XIV de la primera parte, y la segunda, del poema IX de la segunda parte:

> Bajo a los castaños, a la
> sombra de la luna de oro,
> los elfos de barbas blancas
> jugaban entre nosotros.
>
> (P. L. P., 555)

> ¡Asno blanco; verde y ama-
> rillo de parras de otoño;
> asno dulce y blanco, penas
> lleva tu duelo de adorno!
>
> (P. L. P., 597)

Las novias blancas de los libros anteriores vuelven a aparecer en los poemas de *Pastorales:* Estrellita, Francina, Blanca, María. Esta María ya no es como la monja del sanatorio

---

[21] Guillermo Díaz-Plaja, en *J. R. J. en su poesía*, pág. 139, propone que J. R. imita un procedimiento usado por Darío, y se refiere a «En el jarrón de cristal» de Darío, que se publicó por primera vez en *Helios*, como característico de esta «orquestación sincopada del romance». Creemos que se refiere al poema «Por el influjo de la primavera», incluido después en *Cantos de vida y esperanza*, cuyo primer verso dice: «Sobre el jarrón de cristal».

del Rosario, sino que tiene su doble en Moguer, en la hija del médico Almonte. También aparecen en los nuevos poemas, como antes en *Rimas*, heroínas de los cuentos infantiles: Caperucita, Florecita y la Molinera. Los elementos del campo: troncos, bueyes, carretas, asnos y molinos son poéticos elementos del libro; Juan Ramón habla de su amor al campo en el prologuillo de la obra, dirigido a Gregorio Martínez Sierra, a quien está dedicada.

Siguiendo la costumbre establecida en sus obras anteriores, el poeta divide el libro en tres partes, más un apéndice con nueve poemas escritos para el *Teatro de ensueño* de los Martínez Sierra. Cada una de las tres partes está precedida por una composición musical y va dedicada a una mujer. La primera parte, titulada «La tristeza del campo», lleva la pieza de Schumann «Canción del campo» y una dedicatoria a Francina que coincide con la temprana descripción que de ella hace el poeta en el cuento «La corneja» y en versos anteriores: «A / Francina / carne blanca, ojos bellos, / finos rizos». Los poemas de esta primera parte son nostálgicos como el título: las carretas lloran cargadas de troncos muertos; los pájaros le tienen miedo al ocaso; la música de la velada llega hasta el cementerio; las novias se despiden llorosas, en silencio, de los galanes que se marchan del pueblo; el invierno pone bruma y rocío sobre el paisaje.

La segunda parte de *Pastorales*, titulada «El valle», va precedida por la «Sinfonía pastoral.—Motivo» de Beethoven y está dedicada: «A / la memoria de / Estrella / que se murió en mayo». Estrella, en los poemas, es una muchacha del campo que el poeta a veces llama por el diminutivo y que aparece por primera vez en *Arias tristes*, en el poema XIII de la primera parte, que debe estar relacionado a la estancia de Juan Ramón en el Guadarrama con el doctor Sandoval, el amigo de los diminutivos:

> Llueve, llueve; la aldeíta
> se ha dormido dulcemente;
> los tejados tienen humo...
> ¡Qué alegría! ¡Cómo llueve!
>
> —Estrellita, ven a casa,
> que mi hermana quiere verte,
> que nos contará mi abuela
> muchos cuentos si tú vienes.
>
> (P. L. P., 226)

Otro poema de *Arias*, el VI de la tercera parte, aunque en él no se nombra a la heroína, pudiera relacionarse con Estrellita, ya que se describe a una niña que va con la abuela por un paisaje de aldea; un mozo de ojos negros la ha enamorado, la niña llora por él y al final del poema tiemblan en el cielo las estrellas, en diminutivo:

> Vienen la abuela y la niña
> por la senda... La luz blanca
> de la luna grande y triste
> de primavera, derrama
>
> un amor sereno y dulce
> sobre las pobres cabañas,
> sobre los techos sin humo,
> sobre las puertas cerradas.
> ....
> ....
>
> Mozo, mozo de ojos negros
> y de doliente mirada,
> qué le has hecho al corazón
> de esta niña dulce y blanca?
> ....
> ....
>
> pasa, mozo de ojos negros,
> besa la carita blanca,
> tibia flor entre la brisa
> y el miedo y la luna; pasa

porque se alumbra la noche
y la luna está muy alta,
y ya tiemblan en el cielo
las estrellitas del alba!

(P. L. P., 307-309)

Los mismos elementos de estos poemas de *Arias tristes* aparecen en *Pastorales* en aquellos poemas que tratan de Estrellita, en la parte a ella dedicada. En el poema XX de esta segunda parte el poeta habla de su muerte en un tono más bien juguetón que quejumbroso:

Se está muriendo Estrellita...
La abuela va por la senda
y la senda va entre flores
y entre flores a la aldea.

El cielo azul da a los campos
su gracia de primavera;
canta la alondra en el surco,
canta el agua entre la hierba...

(P. L. P., 617)

Algunos de los poemas sobre Estrellita llevan antepuesta la frase: «Habla Galán», lo que parece indicar una identificación del autor con personajes de ficción, intención que va recalcada por la inclusión de la abuela que cuenta cuentos y acompaña a la niña.

El nombre que aparece más a menudo en los poemas de *Pastorales* es el de María, a quien está dedicada la tercera parte del libro, titulada «La estrella del pastor» y precedida por la partitura del «Regreso de los labradores» de Schumann. Juan Ramón usa un nombre ficticio para esta María y un lugar ficticio: «A / María del Rocío, / la de Gala de Rosa»; pero todo indica que lo ficticio se usa para encubrir una realidad, que la María del Rocío es María Almonte, la mujer que le endulzó la vida a su regreso a Moguer.

En las listas del poeta en las que da las fuentes de su poesía, aparece el nombre de María Almonte específicamente encasillado bajo el título «Fuentes humanas de mi poesía». Pero Juan Ramón no podía dedicarle versos a María Almonte abiertamente en el pequeño pueblo de Moguer, porque allí tenía fama de loco; porque al padre de María, su médico, que conocía a fondo su mal, no le hubiera gustado que galanteara a su hija, y el pueblo hubiera censurado a María de saber que no le desagradaban las atenciones del poeta enfermo de los nervios. Se explica que Juan Ramón haya usado «María del Rocío» en lugar de María Almonte, puesto que la Virgen del Rocío es la patrona de Almonte, pueblo de Huelva, y es de suponerse que el «Gala-de-Rosa» encubre el nombre de cualquiera de los lugares verdaderos asociados con María; se piensa en Moguer, que se cree ser una corrupción de Mons Urium, en español, Monte-de-oro, o en Calaroza, pueblo serrano de Huelva, por la relación de «monte» con «sierra». También se explica el título «La estrella del pastor» que el poeta le da a esa tercera parte del libro dedicada a María, puesto que él se identifica con un pastor galante para quien ella es una estrella. Ya se ha mencionado que algunos de los poemas de *Pastorales* llevan antepuesta la frase «Habla Galán». Este Galán es un pastor enamorado en el poema XIII de la segunda parte:

> —Ayer pasó por aquí
> Galán el pastor, abuela,
> y me dijo: No me olvides;
> volveré a la primavera.
>
> (P. L. P., 605)

En la tercera parte dedicada a María del Rocío, al reverso de la página con la dedicatoria, Juan Ramón cita, a manera de epígrafe, de un poema propio:

> El pastor, lánguidamente
> con la cayada en los hombros,
> mira, cantando, los pinos
> del horizonte brumoso, ...
>
> (P. L. P., 626)

El papel de María Almonte en su vida quedó indicado en los «Recuerdos» inéditos. En las tardes claras de septiembre el poeta iba a buscar a María con el padre de ella, al colegio de las Esclavas; la recordaba como entonces: «Tú venías lijera, sofocada, con tus ojos negros encandilados y más intensos de cielo azul y la sonrisa de tu boca de cereza era para mí una cosa májica y sin nombre. Tú querías todo lo que yo quería, eras siempre partidaria de mis sueños y me preguntabas qué quería yo que tú hicieras. Sabías de memoria todos mis versos. Alguna vez —¿te acuerdas?— en la soledad me preguntabas ¿no estás mejor aquí conmigo? Evitabas mi mirada, te turbabas ante mí y la jente decía que tú me querías. Verdaderamente, me querías. Y yo te tengo aún en el alma, tal como entonces eras, con tu trenza, tus senos nacientes, tu boca enormemente roja, tus ojos negros, dorados, azules encandilados... que se ve como, María»[22]. Entre estos mismos «Recuerdos», en el titulado «Diálogo de las alondras» queda María identificada con la hija del médico que vivía cerca de la casa del poeta en Fuentepiña. Se sabe que la casa era del médico Almonte; en el mencionado «Diálogo» se describe tal como era:

------

[22] Este fragmento, con el «Diálogo de las alondras» que se menciona a continuación, también inédito, se conserva en los archivos de J. R. J. en España.

Lugar de acción:

En Fuente-Piña. Un camino arenoso poco transitado, que une
la antigua casa del poeta con la del médico, la hierba de las
orillas, la jara, están llenas de gotas de rocío. Amanece. En el
oriente, un sol frío lucha por romper unas nubes blancas, lu-
minosas. Dos alondras cantan en la arena.

Las alondras recuerdan al poeta de barba negra, con su sombrero lleno de flores y su manta escocesa; y al médico de
barba blanca que le salía a veces al encuentro diciéndole que
parecía un bandido italiano; y a la hija del médico:

ALONDRA 2.ª: Y de la hija del médico, te acuerdas?, María. Era
como una alondra morena. Un poco arisca, pero el poeta le decía cosas dulces, y ella sonreía... y los dos buscaban vinajeras
amarillas y verbenas rosas y azules...

ALONDRA 1.ª: Y otras veces venía el poeta en un asno Platero
y subía también a María y se iban trotando por el pinar... y ella
volvía la cara hacia la del poeta, y se dejaba besar... y callaba...

En *Pastorales*, la María cuyo doble fue la sensitiva María
Almonte de Moguer tiene categoría de mujer casta y admirada, va vestida de blanco en el poema VII de la parte a ella
dedicada, en el que se menciona también una rosa, de oro:

> María, aunque vas de blanco
> y, por tristeza, eres mía,
> aunque te beso en los ojos,
> aunque no quiero tu risa,
>
> ¡si vieras qué alegre estaba
> la luna sobre las viñas!
> Mira..., el sol se iba rosando.
> y era una rosa de oro..., mira...
>
> (P. L. P., 638)

En *Pastorales*, el poeta sigue revistiendo a sus novias de blancura: en el poema XIII de la primera parte el poeta se despide de una « ¡Novia de mejillas blancas / y de pobres ojos negros!» (P. L. P., 553); en el poema XVII de la segunda parte le dice a Estrellita: «mandaré hacer un vestido / blanco, como para ti...» (P. L. P., 612); en el poema II de la tercera parte se ha muerto la molinera sin que ningún galán la besara: «La molinera iba blanca / en un nido de azahares» (P. L. P., 628). La más blanca de todas las mujeres de *Pastorales* es la llamada Blanca, cuyo doble fue la moguereña Blanca Hernández Pinzón; su nombre se presta para un poético juego de palabras y conceptos, como en el poema XVI de la tercera parte:

> ....
> tristezas de lirios blancos,
> no tan blancos como tú...
>
>   ¡Blanca blanca! Tú me abriste
> la flor de tu juventud, ...
>   (P. L. P., 651)

Y como de costumbre, la blancura que Juan Ramón le atribuye a Francina es de la carne; Francina sigue siendo la novia de carne blanca, como en el poema XIII de la tercera parte:

>   Yo pensaba que en la aldea
> vivía siempre Francina,
> la bella de rizos de oro
> y carne de margarita...
>   (P. L. P., 646)

En *Pastorales* el poeta necesita más de la presencia de la mujer que del paisaje. En *Jardines lejanos* un jardín le con-

solaba de la herida causada por una mujer (poema XXII de
la tercera parte):

> Cuando el corazón nos duele
> por causa de una mujer,
> qué dulce es poder tener
> un jardín que nos consuele!
>
> (P. L. P., 510)

Pero en *Pastorales* el poeta necesita de la mujer para que le
endulce el paisaje, como en el poema XIX de la segunda
parte, en el que andan mezclados, con el olor de la carne y
el traje blanco, el del campo:

> Mujer, perfúmame el campo;
> da a mi malestar tu aroma,
> y que se pongan tus manos,
> sobre el tedio de mis rosas.
>
> ¡Olor a carne y romero,
> traje blanco y verdes hojas, ...
>
> (P. L. P., 615)

El malestar del poeta tiene que ver con el deseo de la carne:

> ¡Pero mátame de carne,
> que me asesine tu boca,
> dardo que huela a tu sangre,
> lengua, espada dulce y roja!
>
> *(Ibid.)*

La naturaleza ha dejado de ser el fondo de sus tristezas y se
ha convertido en la aliada de sus sentidos; la nota sensual
confundida con el paisaje resulta leve, da agilidad a la expresión poética, hace que lo sensual pase casi desapercibido;
pero en *Pastorales* se exalta más a la mujer que al paisaje.
La boca de la mujer está sobre la aurora (poema VIII de la
segunda parte):

Tu boca de carne en flor
vence a la boca del día,
no hay nada tan de cristal
como tu voz cristalina...

(P. L. P., 594)

El paisaje está saturado de los atributos de la mujer (poema XI de la segunda parte):

Era un humo azul... Llegaba
una voz de copla y risa;
había un cantar de arroyo,
pasaba un olor a niña...

(P. L P., 600)

La naturaleza toda le sirve al amor (poema XI de la tercera parte):

Mi corazón oye bien
la letra de tu cariño...,
el agua lo va contando
entre las flores del río;

lo va soñando la niebla,
lo están llorando los pinos,
y la luna rosa y el
corazón de tu molino...

(P. L. P., 643)

Como en las obras anteriores, el paisaje de los poemas de *Pastorales* corresponde mayormente al de los alrededores del poeta en el momento de la creación, en este caso al de la sierra del Guadarrama y al de Moguer, aunque en la tercera parte del libro Juan Ramón parece reunir en uno los paisajes campestres conocidos por él. La artística elaboración de los elementos reales del paisaje se puede apreciar en la segunda parte de *Pastorales*, en la que se describen escenas pueblerinas corrientes, como las que han de aparecer en su obra más popular, *Platero y yo*. En la primera parte del libro Juan Ramón evoca los lugares familiares del pueblo, que también han de aparecer en *Platero*: el río, el cementerio, el pinar, el castillo viejo, la ermita blanca, las campanillas azules en el jardín, el pozo seco. Los poemas están ordenados de tal modo que los de la primera parte denotan la nostalgia del pueblo, y los de la segunda, su presencia; entonces todo lo que los sentidos abarcan se convierte en sustancia poética. Del mediodía dice el poeta: «Mediodía; sol y rosas; / todo el pueblo se ha dormido»; «de la sombra de las casas / vienen cantares dolidos»; «las palabras de las madres / tienen fragancias y ritmos» (III, 585). De la calle de los marineros: «¡calle de los marineros!, / ¡qué verdes están tus árboles!, / ¡qué alegre tienes el cielo!» (IV, 587). De la familia a la hora de la tormenta: «Margarita y Blanca rezan, / los niños vienen llorando..., / mi madre dice: los pobres / que estén en el mar...» (XIV, 606). Del molino: «Molino de viento, rojo / molino de viento, al cálido / pensamiento de los / últimos / soles granas del verano!» (XVI, 609). Del ciego del pueblo: «...Los niños le dicen: —Padre, / ya está la acacia florida... / Y el padre pone en la acacia / sus manos..., y la acaricia...» (XVIII, 614).

El poema XXII, último de esta segunda parte, lleva como epígrafe la frase: «El poeta ha muerto»; pero en él Juan Ramón no le canta a la muerte sino a la vida del pueblo, al río, al viento, a los pinos, a los niños, a las mariposas blancas, a la paz amarilla del mediodía:

> —Buenos días. —Buenos días.
> Tú, pueblo alegre y florido
> te irás llenando de sol,
> de humo blanco, de humo blanco,
> de campanas y de idilios...

...Cuando venga el mediodía
habrá paz... Entre los pinos
cantará un pájaro..., y todo
será mudo y amarillo.

(P. L. P., 619)

En una carta fechada el 8 de septiembre de 1904, el médico Simarro, que había notado alguna mejoría en su paciente, le recomendó que regresara a Madrid hacia la segunda quincena del mes, insistiendo en la poca necesidad que tenía de ser acompañado en el viaje por su hermano Eustaquio [23]. Como Juan Ramón seguía temiéndole a la muerte repentina, no quería hacer el viaje solo. Moguer le había hecho olvidar en parte sus tristezas, pero no la muerte. El contacto con el pueblo había avivado su espíritu andaluz jocoso y de ello quedó prueba en un poema que permaneció inédito, quizás porque el tono favorito de Juan Ramón no era el jocoso, sino el del *cante jondo*. En el poema inédito, sin título, se burla de su condición y de la madre de una de sus novias del pueblo, que la había alejado de él [24]. Es un poema largo de trece estrofas en octosílabos y contiene elementos autobiográficos: Juan Ramón se refiere a su escritura, sus silencios, su poco católica costumbre de no ir a misa, sus lecturas volterianas, su amor a las novicias, su anticlericalismo, su falta de oficio, sus gustos raros. En las estrofas a continuación se incluyen el principio y el fin de este curioso poema:

La madre de mi adorada
no me quiere, porque hago
unos renglones muy cortos
y unos silencios muy largos.

---

[23] Carta en la «Sala Z. y J. R. J.» de la Universidad de Puerto Rico. Reproducción en parte en *Vida y obra de J. R. J.*, pág. 116.
[24] Inédito. En los archivos de J. R. J. en España.

Porque nunca voy a misa
creo que porque me baño
todos los días y esto
tiene un sabor mahometano.

Porque no llevo en el pecho
medallas ni escapularios,
ni en el alma; porque leo
libros que son volterianos
....
....
Porque adoro a las novicias
con un pecado romántico, ...
....
....
Y dice: después de todo
el pobre no es mal muchacho;
pero, mire usted Don Pedro,
tiene unos gustos tan raros.

Ya ve usted no va a los toros
ni a los bailes ni al teatro...
y luego haga sol o lluvia
coje las piernas y al campo.

Sí señora, tiene usted
mucha razón y está claro
la niña está hecha una rosa
no hay que dársela al diablo.

La nota más fina de la poesía juanramoniana de esta época es la conmovedora del poema que encabeza la segunda parte del libro, llena de amor al pueblo, el conocido saludo a Moguer. El tono cariñoso y humilde, la sinceridad del sentimiento, desnudo por completo de alardes patrióticos o regionales, la veracidad de su contenido, hacen del poema una de las ofrendas líricas más altas de un poeta a su tierra. Juan Ramón le canta al campo, a la primavera, no como el cele-

brado poeta que regresa de la capital, sino como el mu-
chacho-poeta del pueblo que todos conocen: «el novio de
Blanca»:

> Muy buenas tardes, aldea.
> Soy tu hijo Juan, el nostálgico.
> Vengo a ver cómo florece
> la primavera en tus campos.
>
> ¿Te acuerdas de mí? Yo soy
> el novio de Blanca, el pálido
> poeta que huyó de ti
> una mañana de mayo.
>
> (P. L. P., 583)

Con nuevo dominio del verso, Juan Ramón le da a escoger
a su pueblo la canción que quiera oír:

> Aldea con sol, ¿te digo
> sentires viejos y lánguidos?,
> ¿o quieres coplas de abril
> llenas de sol y de pájaros?
>
> *(Ibid.)*

El producto será ofrenda del corazón y los labios:

> ¡Dímelo tú, y yo abriré
> mi corazón y mis labios,
> y volará sobre ti
> una bandada de cánticos!
>
> *(Ibid.)*

Los poemas de *Pastorales* fueron la *bandada de cánticos*, y
con el cuidado peculiar que Juan Ramón ponía en la distri-
bución de sus versos, puso como último del libro un cantar
sobre una molinera que esperaba a su galán que habría de
volver (poema XXIII de la tercera parte):

—Mi novio será un galán
que hace un año se ha partido...
Se lo he jurado hace un año
a la Virgen del Rocío...

...Sollozaba el corazón
de la rueda del molino,
huía el viento, cantaban
el agua, el sapo y el grillo.

Mi corazón se alejó
por el sendero florido
que va, nadie sabe adónde,
andando al lado del río...

(P. L. P., 663-664)

Los nueve poemas del «Apéndice», del mismo tono pastoral, fueron escritos en Madrid. Juan Ramón los separó llamándolos «Poesías pastorales». Siguiendo los consejos de su médico, el luminoso hijo de Moguer regresó a Madrid en el otoño de 1904.